THÉÂTRE
DE COURTELINE

Courteline dans la collection G.F. :

Messieurs les Ronds-de-Cuir.

Sur la couverture :
Dessin de Michel Otthoffer.

GEORGES COURTELINE

THÉATRE

BOUBOUROCHE - LA PEUR DES COUPS
MONSIEUR BADIN - LES BOULINGRIN
LE GENDARME EST SANS PITIÉ
LE COMMISSAIRE EST BON ENFANT
L'ARTICLE 330 - LES BALANCES
LA PAIX CHEZ SOI
LA CONVERSION D'ALCESTE - LA CRUCHE

Chronologie et introduction
par
Francis Pruner
professeur à la Faculté des Lettres
et Sciences humaines de Dijon

GARNIER-FLAMMARION

CHRONOLOGIE

1858 (25 juin) : Naissance à Tours, rue de Lariche (aujourd'hui : Georges-Courteline), de Georges-Victor-Marcel Moineau, second fils de Joseph-Désiré Moineau (dit : Jules Moinaux), sténographe au Palais de justice de Paris, chroniqueur à *la Gazette des tribunaux*, auteur dramatique, et de Victorine-Françoise Perruchot.

1858-1870 : Enfance mi-parisienne mi-tourangelle. A Tours chez les grands-parents paternels et maternels. A Paris rue de Chabrol, et l'été à Montmartre, rue de la Fontenelle, dans un pavillon à jardinet resté cher à la mémoire de Courteline.

1871 (mai) : Les Jules Moinaux, fuyant « la Commune » de Paris, se réfugient à Iverny, près de Meaux.

1871 (octobre) : Georges Moineau entre comme pensionnaire au collège de Meaux.

1871-1876 : Il y fait toutes ses études secondaires jusqu'à la première partie du baccalauréat. Assez bon élève (malgré la légende), mais contacts douloureux avec l'internat et avec quelques professeurs tyranniques.

1876-1877 : Georges Moineau achève ses études (classe de philosophie) à Paris au collège Rollin. Échoue à la seconde partie du bachot.

1877-1879 : Contrarié par son père, qui l'oblige à trouver un emploi et ne songe qu'à le décourager de faire carrière d'écrivain, trouve une place aux « Bouillons Duval » (service des fiches).

1879-1880 : Service militaire au 13e régiment de chasseurs à cheval de Bar-le-Duc. Au bout de six mois (dont deux au moins passés à l'infirmerie et à l'hôpital), obtient un long congé de convalescence à Paris, puis une réforme définitive.

1880 : Jules Moinaux parvient, grâce à son ami Flourens, à caser son fils (dont il n'est pas fier) dans un emploi au ministère de l'Intérieur (service des cultes). Courteline conservera sa fonction bureaucratique jusqu'en 1894.

1881 (1er mars) : Sous le pseudonyme définitif de Georges Courteline, fonde avec Jacques Madeleine et Georges Millet la revue *Paris moderne* (Vanier, éditeur), revue de poètes (où paraîtra, entre autres vers de Verlaine : *Art poétique*). Pendant deux ans, Courteline y publie des poèmes et des contes dans le genre érotique de Catulle Mendès, son Maître et bientôt grand ami.
La même année, Jules Moinaux commence à publier *les Tribunaux comiques* (5 volumes jusqu'à 1888).

1883-1885 : Courteline entre comme chroniqueur aux *Petites Nouvelles quotidiennes* (directeur : René Martin-Saint-Léon).

1884 (fin mai) : premier ouvrage édité de Courteline : *les Chroniques de Georges Courteline*, à la librairie des Petites Nouvelles quotidiennes (prime gratuite distribuée aux abonnés et aux acheteurs des numéros du 5 et du 6 juin).

1884 (19 juin) : Vif succès d'une chronique « militaire » : *la Soupe*. Point de départ de toute une série de « Souvenirs de l'escadron » (jusqu'à juin 1885).

1885 (31 mai) : Courteline fait partie des douze poètes qui veillent autour du catafalque de Victor Hugo sous l'Arc de Triomphe.

1886 : Publication chez Marpon-Flammarion des *Gaîtés de l'escadron*.
Jules Moinaux fait paraître chez J. Lévy : *le Bureau du commissaire*.

1887 : Chez Marpon-Flammarion : *le 51e Chasseurs*.

1885-1887 : Série de chroniques : *les Femmes d'amis*, aux *Petites Nouvelles*, puis à *la Vie moderne* (rédacteur en chef : Gaston Lèbre).

1888 : *Les Femmes d'amis* (Marpon-Flammarion).

Le Train de 8 h. 47 paraît dans *la Vie moderne*, puis chez Marpon-Flammarion.
Jules Moinaux publie *les Gaietés bourgeoises.*

1890-1894 : Chroniques régulières à *l'Echo de Paris (Ombres parisiennes)*, signées : Jean de la Butte, en l'honneur de Montmartre, où il élit domicile, 89, rue Lepic (jusqu'en 1903). Y publie sous son pseudonyme consacré de Courteline quelques-uns de ses meilleurs contes, et, en feuilleton, d'août 1891 à mars 1892 : *Messieurs les ronds-de-cuir*, et, du 26 juillet au 2 septembre 1893 : *les Hannetons* (qui deviendront, vingt ans plus tard : *les Linottes*).

1890 : *Madelon, Margot et Cie* (Marpon-Flammarion) et *Potiron* (ib.).

1891 (8-9 juin) : Débuts de Courteline au théâtre : *Lidoire*, un acte joué à la fin du septième spectacle (saison 1890-1891) du Théâtre Libre d'Antoine (deux soirées privées réservées à la presse et aux abonnés).

1892 (7-11 juillet) : *Boubouroche* paraît sous forme de nouvelle dans *l'Echo de Paris.*
Lidoire et la Biscotte, nouvelles (Flammarion).
Le Monsieur au parapluie, roman de Jules Moinaux (Flammarion).

1892 (16 avril) : Création au Nouveau Théâtre d'une revue en quinze tableaux, signée de Catulle Mendès et Georges Courteline : *les Joyeuses Commères de Paris.* Deux de ces « joyeuses commères » joueront dans la vie sentimentale de Courteline un grand rôle : Suzanne Fleury, dite Berty, qui deviendra la première Madame Courteline; Jeanne Bernheim, dite Brécourt, qui sera la deuxième.

1893 *Messieurs les ronds-de-cuir* (préface de Marcel Schwob) (Flammarion).
(27-28 avril) : Création de *Boubouroche* (2 actes) au Théâtre Libre. Consécration de l'auteur dramatique.

1894 *: Ah ! Jeunesse !...* (Flammarion).

1894 (14 décembre) : Au Théâtre d'Application (directeur : Bodinier) : première de *la Peur des coups* (avec Suzanne Berty dans le rôle féminin).

1895 (18 février) : Première des *Gaîtés de l'escadron*, « revue militaire en trois actes et 9 tableaux » (écrite

en collaboration avec Edouard Norès), au théâtre de l'Ambigu.
Le Monde où l'on rit, dernière œuvre de Jules Moinaux (Flammarion).

1895-1896 : Chroniques de Courteline au *Journal*.

1895 (3 décembre) : Mort de Jules Moinaux.

1896 (24 août) : Création au Carillon d'*Un client sérieux* (Tervil dans le rôle de Lagoupille).

1897 (15 mars) : Au théâtre du Grand-Guignol : *Hortense, couche-toi !* « saynète mêlée de chœurs », musique de Lévadé.

1897 (13 avril) : Au Grand-Guignol : *Monsieur Badin*.
(29 septembre) : Ouverture du théâtre Antoine avec *Boubouroche* (et *Blanchette*, de Brieux).

1897 (10 octobre) : Au Grand-Guignol : *Théodore cherche des allumettes*.

1898 (7 février) : Au Grand-Guignol : *les Boulingrin*.

1899 (27 janvier) : Au théâtre Antoine : *le Gendarme est sans pitié* (Gémier dans le baron Larade).

1899 (2 février) : Banquet chez Marguery à l'occasion de la Légion d'honneur de Courteline.
(18 mai) : Théâtre Antoine : reprise des *Gaîtés de l'escadron*. Succès plus décisif qu'à l'Ambigu.
(16 décembre) : Au Gymnase : *le Commissaire est bon enfant*.

1900 (9 février) : La même pièce au théâtre Antoine (autre distribution !).

1900 (12 décembre) : *L'Article 330*, au théâtre Antoine.

1901 : Première édition collective du Théâtre de Courteline sous le titre : *les Marionnettes de la vie* (1 volume, Flammarion).

1901 (26 novembre) : *Les Balances*, au théâtre Antoine.

1902 (mai) : Mort de Madame Georges Courteline.

1903 : Courteline quitte — définitivement — le quartier Montmartre et va s'installer au 43, avenue de Saint-Mandé, non loin de sa mère.

1903 (25 novembre) : *La Paix chez soi*, au théâtre Antoine.

1905 (15 janvier) : A la Comédie-Française (283e anniversaire de la naissance de Molière) : *la Conversion d'Alceste* (un acte en vers, écrit à la fin de 1902).

1906 (1er janvier) : Représenté à la Boîte à Fursy : *Mentons bleus, scène de la vie de cabots* (écrite en collaboration avec Dominique Bonnaud).

1906 (5 juillet) : Entrée de *la Paix chez soi* au répertoire de la Comédie-Française (de Féraudy : Trielle; Marie Lecomte : Valentine).

1907 (15 mai) : Mort de Madame Jules Moinaux.

1907 (2 décembre) : Mariage de Courteline avec Jeanne Brécourt (« Marie-Jeanne »).

1909 (27 février) : Théâtre de la Renaissance (directeur Lucien Guitry) : première de *la Cruche* ou *J'en ai plein le dos de Margot*, deux actes écrits en collaboration avec Pierre Wolff. Le public est dérouté par la note sentimentale qui mêle l'émotion au rire (Pierre Wolff n'y est pour rien : les scènes émouvantes appartiennent à Courteline seul).

1910 (21 février) : *Boubouroche* (revu et augmenté) entre à la Comédie-Française.

1912 (octobre) : *Les Linottes* paraissent chez Flammarion : adieux attendris de Courteline à sa jeunesse et à la création littéraire.

1913 (15 mars-29 avril) : Voyage avec sa femme en Afrique du Nord et en Italie.

1913 (été) : Voyage en Belgique, Hollande, Allemagne, Norvège.

1914 (avril-mai) : Voyage en Afrique et en Espagne.

1914-1918 : Durant la Guerre mondiale, Courteline et sa femme vivent surtout à Tours (fréquentant Anatole France et Lucien Guitry).

1917 : *La Philosophie de Courteline* (Flammarion) : l'amertume du sage se colore de spiritualisme religieux.

1918 : Deuxième édition collective du Théâtre en deux volumes (Flammarion).

1919 (5 février) : *La Cruche*, à la Comédie-Française. Accueil aussi gêné qu'à la création.

1921 (4 août) : Courteline commandeur de la Légion d'honneur.

1922 : Deuxième édition revue et augmentée de *la Philosophie de Courteline.*

1925-1927 : Courteline corrige et annote ses œuvres complètes, première édition collective en 13 volumes (Bernouard).

1925 (7 janvier) : Amputation de la jambe droite au-dessus du genou (hôpital Péan).

1926 (24 juin) : Grand prix d'Académie à Courteline.

1926 (24 novembre) : Election à l'Académie Goncourt au siège de Gustave Geffroy.

1927 (21 novembre-2 décembre) : Exposition à la galerie Bernheim de la collection Courteline « Musée des horreurs ».

1929 : Troisième édition collective du Théâtre en trois volumes, chez Flammarion.

1929 (23 juin) : Amputation de la jambe gauche (à l'hôpital Péan).

1929 (mardi 25 juin, à 12 h 50) : Mort de Georges Courteline, le jour anniversaire de sa naissance, à l'âge de soixante et onze ans.

INTRODUCTION

« Curieux » destin que celui de Georges Courteline! M. Albert Dubeux en a évoqué, avec une toute filiale affection, les grands linéaments*. Nous les soulignerons, à notre tour, avec plus de détachement, mais non moins de sympathie.

Alors que, de son vivant même, Courteline était salué comme un authentique génie, il ne cessa d'être intimement convaincu du néant de son œuvre. Le 20 octobre 1904, il écrivait à son traducteur autrichien Siegfried Trebitsch : « *...Figurez-vous que depuis plusieurs jours je n'ai pas eu une minute à moi, ayant dû revoir, corriger et refaire en partie la totalité de mes bouquins, qui paraissent en publications littéraires à trente centimes... C'est près de* 400.000 *lignes qu'il m'a fallu éplucher une à une, émonder d'un tas de* qui *et de* que *et autres beautés de ce genre. Je me suis fait, je vous prie de le croire, une pinte de mauvais sang ! Le pis est que, n'ayant jamais relu mes ouvrages depuis leur apparition en librairie, j'ai eu avec eux l'impression de la nouveauté, et elle est propre, l'impression ! Mon cher, je suis consterné, c'est effrayant ce que tout cela est misérable ! Je ne me croyais pas si dépourvu de talent** !* »

Un tel cri de découragement n'est ni une pose ni une exception : la modestie chez Courteline tourne au masochisme et explique pourquoi, à cinquante-quatre ans, pour cesser de se tourmenter lui-même, il prendra son parti de renoncer à la création littéraire après avoir porté la plus scrupuleuse diligence à la mise au point de l'œuvre qu'il souhaitait laisser comme le monument le plus

* *La Curieuse Vie de Georges Courteline* (Nouvelle Librairie de France, 1949).

** *Biblio*, octobre 1949, p. 11.

accompli de toute sa vie : *les Linottes* — livre si différent de ceux qui firent sa popularité. Entre-temps, il glissait dans les propos de son ultime porte-parole au théâtre — le peintre Lavernié, de *la Cruche* — une confidence qui éclaire son amer désenchantement : « *Le fait du véritable artiste n'est pas de se complaire en ce qu'il fit, mais de le comparer tristement à ce qu'il aurait voulu faire.* » Et l'on comprend dès lors que la caricature, dans *la Paix chez soi*, du feuilletoniste Trielle, condamné à écrire de « *petits ouvrages ...tellement bêtes que rien ne les égale en bêtise, sauf le lecteur qui s'en délecte* », si elle concerne effectivement les barbouilleurs de style rocambolesque, devient une charge terrible contre le métier d'écrivain tel que Courteline regretta d'avoir été condamné à le pratiquer. (Nous pouvons en effet noter que la colère contre les médiocres résultats atteints ressortit au plus insidieux orgueil de l'esprit, aussi ne faut-il pas confondre chez Courteline modestie et humilité !)

Toute la première partie de sa carrière appartient en fait au journalisme : contes, nouvelles, romans, facéties, chroniques, furent commandés par les nécessités du métier, avec tout ce qu'elles impliquent de « travaux forcés », de « lutte contre la montre » et de lignes à compter. Or il y avait, en Courteline (ses débuts à *Paris moderne* le prouvent), un poète nonchalant et rêveur, paresseux avec délice, ayant sans honte au cœur le culte le plus fanatique pour Victor Hugo, et qui déplorait d'avoir été « tué » trop jeune par la chronique et le feuilleton. Dans son for intérieur, il est évident qu'il « ronchonna » contre sa besogne de journaliste, comme déjà il avait pesté contre l'internat, la caserne et la bureaucratie. Dès sa dixième année, il s'était senti victime d'un universel complot — dont son père était d'ailleurs en grande partie responsable —, et qui le condamnait sans répit à la servitude des emplois du temps implacables et des règlements stricts. Un esprit *lunaire* comme le sien ne pouvait se plaire que dans l'indiscipline — à la grande horreur de son père, Jules Moinaux, amuseur attitré du Boulevard, librettiste d'Offenbach, d'Hervé ou de Lecocq, chroniqueur plein d'humour, mais homme d'ordre et de principes. M. Dubeux l'accuse d'avoir pressenti et redouté en son fils un rival, ce qui, nous le verrons, n'est vrai que pour le théâtre. Non ! il fut, en parfait petit bourgeois, épouvanté d'avoir engendré un *poète* et chercha par tous les moyens en son pouvoir à exorciser le maléfice. Il ne fit, naturellement, que l'exaspérer. En désespoir de cause, il orienta son fils vers le journalisme, car c'est ainsi que j'interprète l'entrée de Courteline aux *Petites Nouvelles quotidiennes* en 1883 : comme une soumission à une initiative paternelle. Mais l'internat, la caserne, le bureau lui avaient enseigné que le seul recours efficace contre toute tyrannie résidait dans la simulation la plus parfaite possible de la bêtise, rien n'étant plus dangereux dans un monde de mufles et d'imbéciles que de manifester la moindre sensibilité et la moindre délicatesse. Le gentil « Moineau » qu'il était, et qui n'aspirait qu'à pépier en toute liberté, prit le masque de Courteline, moins odieux sans doute que celui du cancre, du « tire-au-cul » ou du carotteur, dont la vie l'avait contraint à s'affubler, mais non moins gênant pour qui se crut poète et se réveilla un beau jour bouffon : car Courteline très vite devint prisonnier de ses apparences et le succès de ses chroniques militaires le riva à l'humour journalistique. Ne nous étonnons donc pas du désenchantement de l'amuseur obligé, aussi peu indulgent pour les lecteurs qu'il amuse que le feuilletoniste Trielle pour ceux qu'il fait pleurer.

Mais que Courteline ait maugréé contre son destin, se soit défendu de son mieux en cherchant des compensations (le café, les cartes, les copains) et en sauvegardant son droit à la paresse, ce n'est jamais qu'une « affaire entre lui et lui ». Le jugement porté par l'auteur sur son travail et son œuvre ne compte pas pour le lecteur. Là où il ne voit que corvée, nous trouvons soulagement et gaieté. Nous accorderons volontiers à Courteline que le labeur auquel le journalisme l'astreignit durant les premières années de sa carrière littéraire tient du prodige de la part d'un soi-disant paresseux : mais nous lui devons *les Gaîtés de l'escadron*, *le Train de 8 h 47*, *Messieurs les ronds de cuir* et même *les Linottes*, œuvres dont jamais Courteline ne fût venu à bout s'il n'avait été talonné par les nécessités de la chronique ou du feuilleton. Lorsqu'il renonça au journalisme (après 1896), Courteline n'inventa pratiquement plus rien : il se contenta de piquer dans le fonds prodigieux de nouvelles et de contes répandus à *l'Echo de Paris* ou ailleurs et d'y puiser la matière de son Théâtre. Il se désola alors de ne plus avoir d'imagination...

En vérité, en contraignant Courteline à compter les

lignes et à écrire à date fixe, le journalisme obligea le rêveur à créer et à créer très exactement ce qu'il devait créer : condamné à écrire de la prose comique, il l'écrivit comme un poète condamné à faire rire, ce qui valait mieux, certainement, que les vers qu'en toute liberté il eût composés. Et d'ailleurs, même si sa tâche comportait des servitudes, elle lui permettait du moins de se revancher des autres déboires de sa vie. Elle l'autorisa à bouffonner allègrement sur toutes les « bêtes noires » qui l'avaient tourmenté, tous les tortionnaires dont il avait souffert. Il n'ignorait pas que seul le bouffon a le droit de tout dire et qu'il est certains sujets, comme l'armée française par exemple, qu'il est de bonne guerre, si j'ose dire, de traiter gaiement. Le comique de défense d'un poète écœuré par la bêtise et la férocité des hommes ne ressemble pas au rire gratuit des amuseurs sans scrupule. Reprenant somme toute — sans enthousiasme — le métier de son père, Courteline, consciemment ou non, le transforma selon ses exigences personnelles, et comme la page imprimée de journal lui servait de premier état qu'il corrigeait et remaniait ensuite en vue de la publication en livre, la hâte même du premier jet n'excluait pas toute recherche d'un style ou d'une tenue. Enfin il avait assez de « philosophie » pour se moquer éperdument de ses excessifs scrupules littéraires. Fourvoyé parmi les auteurs gais, Courteline, s'il en avait été heureux, n'eût pas retrouvé, comme d'instinct, la veine populaire et satirique du comique de représailles qui avait tant fait défaut au théâtre du XIXe siècle...

Courteline ne se décide à écrire pour le théâtre qu'en 1891, une fois bien assise sa réputation de romancier et de conteur. Timidement, à en juger d'après les réponses d'Antoine (seules connues) à ses offres de collaboration. Mais ce fils de vaudevilliste, d'un auteur joué aux Variétés, aux Bouffes, aux Folies dramatiques, s'en va revendiquer un tour d'essai au Théâtre Libre, vraie machine de guerre dressée contre le Boulevard, où Jules Moinaux eût pu si aisément pousser son fils, comme il l'avait fait pour le journalisme. Voilà qui suffit à éclairer le point le plus douloureux du conflit entre Courteline et son père. Il est probable que non seulement Jules Moinaux ne fit rien pour l'aider, mais avait dû depuis longtemps tout tenter pour le décourager en lui déniant tout « don du théâtre », ce qui donnerait à la modestie théâtrale de Courteline une plus grave résonance qu'à son ordinaire défiance de soi. Courteline eut d'ailleurs le triomphe généreux, comme nous pouvons le déduire de la longue interview qu'il accorda au journal *l'Evénement* du 28 avril 1893, à la veille de son deuxième et décisif essai au Théâtre Libre *(Boubouroche)*, et que je ne résiste pas au plaisir de reproduire :

« *Ce pauvre diable de vaudeville, le malmène-t-on assez depuis quelque temps ! Henry Bauër et Jean Jullien n'en peuvent seulement écrire le nom que les yeux ne leur sortent de la tête. L'un veut qu'on le pende haut et court, l'autre qu'on lui f...lanque une balle dans la tête, comme à un chien enragé. Un instant ! Ce sont là des exagérations d'hommes de lettres bien intentionnés ; mais je demande à réfléchir. Si la bête est reconnue incurable, qu'on l'achève, je suis de leur avis, et qu'il n'en soit plus question. Seulement est-elle malade ? Je vous avoue que je ne le crois pas. Le médecin des morts a passé et a conclu au décès. C'est fort bien, je demande la contre-visite.*

Il n'est pas, en littérature, de genre à ce point négligeable qu'il ne mérite l'honneur d'une discussion, surtout si, comme le vaudeville, il permet à certains esprits l'affirmation de qualités qui seraient déplacées ailleurs. Le vaudeville a sa raison d'être. Il a sa place toute marquée entre la bouffonnerie et la comédie de mœurs, permettant à la fois l'extravagance de l'une et l'humanité de l'autre. C'est le droit à la fantaisie. Pensez-vous que ce ne soit rien ? Allons donc ! les gens de notre race n'ouvriront jamais à la vie un crédit plus large que de raison. Vous ne nous obligerez jamais, nous Parisiens du XIXe *siècle, à ne goûter que l'amertume des choses et à rayer de nos papiers le droit de rire des petites misères qui ne valent pas la peine qu'on en pleure.*

— *Ce sont les théories que vous avez appliquées dans* Boubouroche ?

— *Oui. J'ai écrit pour le Théâtre Libre une manière de vaudeville qu'il convenait d'éprouver sur la scène si spéciale d'Antoine. Vous y chercherez en vain le quiproquo et la complication. Sur une donnée mille fois exploitée déjà, j'ai tenté de broder des arabesques nouvelles, des intentions d'observation et — oserai-je vous le confesser ? — des volontés de littérature ! ! ! Hein ? Un vaudeville littéraire ? Quel parti à tirer de cela !* »

Avant de situer une telle page dans le contexte de l'histoire théâtrale, sachons d'abord y lire l'amusant écartèlement du fils de vaudevilliste, admis sur une scène de protestation contre le vaudeville, soucieux de bien souligner les prétentions inouïes de son œuvre (un vaudeville « littéraire »!) et de ne faire à son père aucune peine même légère. Mais sous ses dehors conciliants sa position dénote une lucide conscience de tout ce qui le distingue de la vieille école : proscrire le quiproquo et la complication, allier l'observation à l'extravagance, afficher enfin des prétentions au style littéraire, c'est montrer que l'on n'ignore pas les défauts les plus criants d'un genre; cependant qu'en revendiquant le droit à la fantaisie il marque ses distances par rapport à la nouvelle école du Théâtre Libre.

L'institution du Théâtre Libre n'ayant aucun équivalent à notre époque, nos lecteurs auront peut-être un certain mal à comprendre comment un animateur — André Antoine —, pendant sept « saisons » consécutives, put rénover le théâtre en offrant, dans une salle en location, une fois par mois, à huis clos, à un public d'abonnés et d'invités, des spectacles inédits consacrés à des pièces refusées ailleurs ou réputées injouables ou signées de noms inconnus. Scène proprement d'avant-garde ou de stricte recherche, sans possibilité même d'exploitation, le Théâtre Libre d'Antoine vécut de combats et d'expériences passionnées : je les ai contés longuement ailleurs*. Je dois me contenter de signaler ici le rôle dévolu à Courteline dans une longue campagne qui, dirigée contre tous les conformismes régnants (y compris le vaudeville « infâme »), sut *jusqu'où aller trop loin* et sauvegarda ses conquêtes essentielles à l'abri d'un recul sur des positions moins extrémistes : ses adversaires purent ainsi crier à la victoire, et ses plus anciens soutiens à la trahison (ainsi Henry Bauër et Jean Jullien, pris à partie dans l'interview citée). Courteline intervint à point nommé pour faire avaler grâce à son rire les pilules amères devant lesquelles se cabrait le « Tout-Paris des Premières ». La réhabilitation de la fantaisie et du vaudeville même servit à désarmer la suprême opposition, qui n'aimait au théâtre que la « rigolade », et qui se laissa prendre au piège de la « rigolade », comme prévu. En poussant Courteline

* *Les Luttes d'Antoine au Théâtre Libre* (Minard, éditeur, 1964).

comme triomphateur de la dernière heure, Antoine misait aussi sur le fils de Jules Moinaux.

Un triomphe tel que celui de *Boubouroche* au Théâtre Libre (d'autant plus retentissant qu'Antoine d'ordinaire se plaisait surtout à déplaire) autorisait Courteline à tenter fortune sur n'importe quel théâtre régulier, à condition toutefois qu'il se pliât aux nécessités du métier d'auteur (aggravées, à l'époque, par la soumission au visa de la Censure, qu'esquivait seul le Théâtre « Libre »). Il essaya, en faisant appel à un collaborateur, de porter à la scène *les Gaîtés de l'escadron :* gêné dans ses entournures pour couler la riche matière anecdotique de son livre dans un moule dramatique approprié (en désespoir de cause il baptisa la pièce : « revue militaire »), il ne fut guère récompensé de son effort, car, représentées au théâtre de l'Ambigu, *les Gaîtés de l'escadron* choquèrent la clientèle habituée au mélodrame patriotique ou au traditionnel « comique troupier ». Cette ambitieuse tentative semble avoir découragé à tout jamais Courteline, qui, se refusant désormais à toucher à ses romans, préféra continuer dans la voie, sans prétention, qui lui avait réussi au Théâtre Libre. Antoine ayant mis fin à cette scène exceptionnelle en avril 1894, Courteline chercha des équivalents et trouva à sa divertissante fantaisie les cadres les plus pittoresques. Ainsi ce théâtre du Carillon, qui vit naître *la Cinquantaine*, *Un client sérieux*, *l'Extra-lucide*, *Une lettre chargée*, *Gros chagrins*, *la Voiture versée*...

Le chansonnier Fursy (qui accueillit aussi Courteline dans sa « boîte » montmartroise) a, dans une conférence aux Annales (*Conferencia*, octobre 1925), narré l'histoire du Carillon. Je lui emprunte cette description des lieux : « *Le Carillon était une timide concurrence au Chat Noir. Il ne prétendait pas à sa gloire, il ne prétendait rien innover, il prétendait simplement être un cabaret existant, et il le fut. Il était installé dans un petit hôtel de la rue de la Tour-d'Auvergne. C'était un logis charmant qui donnait sur la cité Milton, et qui avait un grand jardin permettant de prévoir des séances d'été, des séances de plein air, qui y furent données d'ailleurs. A l'entrée, au rez-de-chaussée, il y avait une salle servant de café et après minuit de goguette... Au premier étage, un grand atelier, à l'instar de celui de Salis, dans lequel se donnaient les concerts.* » Fondé par le chansonnier Tiercy, le Carillon prit sous la direction du poète Bertrand Millanvoye une orientation plus « littéraire ». Les « Assises du Carillon » permirent de blaguer les procès célèbres de l'époque, et *Un client sérieux* de Courteline introduisit dans la série la plus géniale des variations.

Courteline préférait les boîtes de chansonniers aux scènes du Boulevard — au grand désespoir de Francisque Sarcey, qui écrivait, au lendemain d'*Un client sérieux*, précisément : « *Courteline m'amuse toujours. Il a reçu de la nature ce merveilleux don de la gaieté. Je suis toujours fâché qu'il l'éparpille en courtes saynètes et que* Boubouroche, *après tant d'années d'essai, soit encore son chef-d'œuvre... Pourquoi se contenterait-il toujours de ces légers croquis où il dépense presque vainement des trésors d'observation, d'esprit et de gaieté?* » Sarcey devait mourir sans voir Courteline écrire une pièce dite « bien faite »; et si Courteline semble, pour ses adieux à la scène en 1910, avoir enfin consenti à dépasser la mesure d'un acte (aidé par Pierre Wolff), les deux actes de *la Cruche* n'ont jamais rencontré auprès du public la faveur des saynètes...

Comme théâtre « régulier », Courteline, toujours non-conformiste, élut à un moment le Grand-Guignol, alors naissant, qui se contentait encore d'exploiter la vogue de la « tranche de vie » issue (entre tant d'autres formes théâtrales) du Théâtre Libre. C'est sur la scène de la rue Chaptal que furent créées les plus hilarantes bouffonneries de Courteline : *Monsieur Badin*, *Théodore cherche des allumettes* et *les Boulingrin*.

Lorsque Antoine, ulcéré de sa mésaventure directoriale à l'Odéon, ouvrit, boulevard de Strasbourg, le 29 septembre 1897, *son* théâtre régulier (dans la salle qu'il louait quelques années plus tôt pour ses soirées d'avant-garde), c'est à Courteline tout naturellement qu'il offrit l'honneur d'ouvrir le feu : avec une reprise de *Boubouroche*. Et c'est bien au théâtre Antoine que Courteline consentit à se prêter aux apparences d'une carrière d'auteur dramatique. Au contact du rude jouteur, assagi certes mais jamais défaillant, Courteline chargea sa verve bouffonne d'intentions plus nettement satiriques et critiques *(l'Article 330, les Balances)*, put rosser sans vergogne le gendarme et le commissaire et jeter les derniers éclats d'une misogynie *(la Paix chez soi)* qui semble n'avoir pu résister au bonheur conjugal goûté dans son second mariage (à partir de 1907). Antoine, qui avait compris le farouche besoin d'indépendance de Courteline, lui laissa la bride sur le cou, ne l'obligeant pas à excéder la mesure d'un acte, parce qu'il se moquait tout autant que lui de la pièce « bien faite » et de la « scène à faire ». En respectant son « droit à la fantaisie », il obtint de lui le meilleur.

Courteline tint une seule fois à écrire pour la Comédie-Française. Par amour-propre piqué. Dans le feuilleton du *Temps* consacré à *Un client sérieux* (que nous citions plus haut), Sarcey avait cru « mettre en boîte » Courteline en narrant la savoureuse histoire de l'à-propos commandé par Jules Claretie (administrateur du Théâtre-Français), comme il est de tradition, pour le jour anniversaire de la mort de Molière. Courteline aurait donc répondu à l'invitation de Claretie par la plus funèbre des pièces de circonstance : « *Molière, touché de la grâce et saisi de repentir, s'épanche en regrets sur la vie qu'il a menée et demande pardon à Dieu d'avoir écrit* TARTUFE. *Après quoi il expire...* »

Sarcey, qui, en août 1896, rapportait l'anecdote pour illustrer l'impuissance de Courteline à « composer quelque grande machine », ne semble pas avoir flairé l' « *hénaurme* » blague montmartroise dont Claretie fut la victime (on en connaît d'autres, comme ce scénario de *pantomime*, à l'usage des Comédiens-Français, qu'avec Marcel Schwob il vint soumettre à l'administrateur en 1892). Courteline ne dut pas être mécontent de voir Sarcey la divulguer en feuilleton. Mais il se trouva, quelques années plus tard, après la mort du critique, que ledit feuilleton fut recueilli dans *Quarante ans de théâtre* (1902). Le livre risquait de transmettre à la postérité le fait sous son aspect le plus défavorable à Courteline, qui préféra se justifier en écrivant un à-propos comique pour la Comédie-Française. Il n'est pas d'œuvre que Courteline ait écrite avec plus de joie que *la Conversion d'Alceste*. Peut-être parce qu'elle était en vers et que pour l'unique fois de sa vie il sut réconcilier en lui-même le poète et l'auteur comique. Il n'est pas d'œuvre non plus qui exprime mieux son authentique misanthropie. Nous discutons encore pour savoir si Molière fut pour ou contre Alceste. Il n'y a aucun doute à avoir sur le choix de Courteline. C'est à l'occasion de *la Conversion d'Alceste* que Courteline confiait à un interviewer : « *Un acte, un seul acte, voilà ma mesure au théâtre. Que voulez-vous, je n'ai pas d'imagination. Les sujets qui s'offrent à mon esprit* *ne comportent pas de développement. Mes intrigues s'arrêtent court après un acte**. »

Cette fatalité de la plus libre des carrières dramatiques ressemble en fait à toutes celles dont il fut moins la victime que le bénéficiaire. La qualité d'imagination qui lui faisait si cruellement défaut (la combinaison d'intrigue ou d'imbroglio) se trouvait être précisément celle dont le théâtre de son temps avait le moins besoin. L'art dramatique pouvait aisément se passer de « charpentiers », dont il y avait pléthore, mais ce que lui apportait Courteline : l'intensité du détail comique, le caractère à la fois bouffon et vrai des types, la valeur exemplaire de la situation comique portée à son paroxysme..., tout cela venait rajeunir au bon moment une tradition comique fatiguée par l'imbroglio et les plus vaines invraisemblances. La saynète de Courteline porte à la perfection un genre de farce qui, plus dilué, perdrait sa virulence et sa portée hilarante. Les bénéfices que Courteline avait retirés malgré lui de la contrainte journalistique, il les tira volontairement, durant sa désinvolte carrière théâtrale, des limites strictes qu'il sut imposer à sa capricieuse création.

Francis PRUNER.

* Cité par M. Dubeux, *op. cit.* p. 180.

BOUBOUROCHE

THÉATRE LIBRE, 27 AVRIL 1893. — COMÉDIE-FRANÇAISE, 21 FÉVRIER 1910

PERSONNAGES

	THÉATRE LIBRE	COMÉDIE-FRANÇAISE
	MM.	MM.
BOUBOUROCHE	PONS-ARLÈS.	SILVAIN.
		BERNARD.
UN VIEUX MONSIEUR	ANTOINE.	SIBLOT.
		DENIS D'INÈS.
ANDRÉ	GÉMIER.	DEHELLY.
POTASSE	ARQUILLIÈRE.	ANDRÉ BRUNOT.
		RAYNAL.
ROTH	PINSARD.	FALCONNIER.
FOUETTARD	DUJEU.	CROUÉ.
UN GARÇON DE CAFÉ.	VERSE.	DECARD.
	Mlle	Mme
ADÈLE	IRMA PERROT.	LARA.

ACTE PREMIER

Un petit café d'habitués, qu'éclairent quelques becs de gaz.

Au fond, la porte, de chaque côté de laquelle, sur les vitres de la façade, des affiches qui tournent le dos.

A droite, vu de profil, le comptoir, où trône une pompeuse caissière; puis une série de tables de marbre qui viennent jusqu'à l'avant-scène.

A gauche, longeant le mur, une égale quantité de tables.

Au centre, une table isolée, chargée de journaux et de brochures.

Au lever du rideau (outre quelques consommateurs qui s'en iront au cours de l'acte), un monsieur d'âge respectable, assis à une des tables de droite, devant une tasse de café, s'absorbe dans la lecture du Temps. *— A gauche, près de la rampe, Boubouroche joue la manille avec Potasse, contre MM. Roth et Fouettard, les reins dans la moleskine de la banquette. Grand amateur de bière blonde, il a déjà, devant lui, un beau petit échafaudage de soucoupes; cependant que Fouettard et Roth, qui se sont attardés aux cartes et qui n'ont pas encore dîné, achèvent par petites gorgées l'absinthe restée en leurs verres.*

SCÈNE PREMIÈRE

BOUBOUROCHE, POTASSE, ROTH,
FOUETTARD, CONSOMMATEURS

BOUBOUROCHE, *abattant une carte. —*

C'est pour la paix que mon marteau travaille,
Loin des canons, je vis en liberté...

POTASSE. — Qu'est-ce qu'il faut que je fasse ?
BOUBOUROCHE. — Coupe, parbleu!
POTASSE. — Avec quoi ?
BOUBOUROCHE. — Tu n'as pas de couteau ?
POTASSE. — Je n'en ai jamais eu.
BOUBOUROCHE. — C'est trop fort! Tu ne pouvais pas le dire tout de suite ?
POTASSE, *malin.* — Pour les renseigner, n'est-ce pas ?

BOUBOUROCHE. — Les renseigner!... Tu m'as l'air renseigné.

POTASSE. — Mais...

BOUBOUROCHE. — Zut! On ne joue pas la manille comme ça.

POTASSE. — Je joue comme je peux.

BOUBOUROCHE. — Alors, laisse-moi conduire. C'est curieux, aussi, ce parti pris de vouloir, toujours et quand même, conduire la manille parlée!... Comme s'il était donné à tout le monde de conduire la manille parlée! *(Cependant Roth et Fouettard se font du bon sang en silence.)* Tiens, regarde Roth et Fouettard!... Ils se fichent de toi; c'est flatteur!... Et ça nous coûte une levée.

POTASSE. — Enfin, qu'est-ce que je fais ?

BOUBOUROCHE. — Des sottises!

POTASSE. — Je te demande ce que je dois faire.

BOUBOUROCHE. — Me laisser conduire seul.

POTASSE, *agacé*. — J'ai de la peine à me faire comprendre. Que dois-je mettre ?

BOUBOUROCHE. — Où ça ?

POTASSE. — Sur le pli ?

BOUBOUROCHE, *qui comprend enfin*. — Ah! bon! Mets une crotte de chien!

Potasse met une carte.

FOUETTARD, *à Roth qu'il questionne*. — Un cheval ?

ROTH. — Un bœuf!... Un éléphant!

Fouettard joue, fait la levée, puis :

FOUETTARD, *abattant sa dernière carte*. — Et cœur!

BOUBOUROCHE, *jouant*. — Pour moi! *(Il ramasse ses levées et fait à demi-voix son compte.)* Quatre et quatre huit et cinq treize. — Et cinq, dix-huit, et un dix-neuf, et un vingt. — Et cinq, vingt-cinq; et quatre, vingt-neuf; et six, trente-cinq. — Et un, trente-six; et quatre, quarante... — Et seize, cinquante-six. — C'est bien cela. Vingt-deux pour nous; marque, Potasse.

POTASSE, *marquant*. — Vingt-deux pour les invités.

ROTH. — A qui de faire ?

BOUBOUROCHE. — C'est à Fouettard. Où diable est mon tabac ?

FOUETTARD, *qui l'avait mis dans sa poche, l'en retire*. — Le voici. Simple distraction.

Là-dessus il ramasse les cartes, les bat, et donne à couper.

BOUBOUROCHE, *ramassant ses cartes au fur et à mesure qu'elles lui sont distribuées.* —

C'est pour la paix que mon marteau travaille,
Loin des combats, je vis en liberté...

FOUETTARD, *agacé et s'arrêtant de donner.* — Ah non! tu nous rases, tu sais, avec ton *Forgeron de la Paix!*

ROTH. — Pour sûr, tu nous rases!... Sans blague, vieux, ça ne te serait pas égal de chanter autre chose?

BOUBOUROCHE. — Je chante ce que je sais.

FOUETTARD. — Vrai alors, tu as un répertoire restreint. *(Il donne la retourne.)* La dame. Deux pour nous.

Il marque.

BOUBOUROCHE, *qui a étudié son jeu.* — Causons peu mais causons bien. *(A Potasse.)* Comment es-tu de la maison?

POTASSE. — Ma part.

BOUBOUROCHE. — Par le roi?

POTASSE. — Oui.

BOUBOUROCHE. — Des coupes?

POTASSE. — Deux mille deux cent vingt-deux.

BOUBOUROCHE. — Attends... Tu n'as pas de manille?

POTASSE. — Non; mais j'ai les deux manillons noirs.

BOUBOUROCHE. — Qui est-ce qui te demande ça?

POTASSE, *qui se justifie.* — Tu me questionnes.

BOUBOUROCHE. — Ce n'est pas vrai.

POTASSE. — Comment, ce n'est pas vrai!

BOUBOUROCHE. — Non.

POTASSE. — Si.

BOUBOUROCHE. — Non. A-t-on idée d'un entêtement pareil? *(Mouvement de Potasse.)* Tu ne sais pas la conduire, je te dis; tu ne sais pas la conduire, la manille parlée!... Tu la conduis comme une charrette à bras, comme une soupière, comme un tire-botte! Depuis des années, je te le répète! Seulement, voilà; l'orgueil, l'éternel orgueil, le besoin de briller et d'étonner le monde par des mérites que l'on n'a pas!... Faire le malin et l'entendu...

POTASSE. — Oh! mais pardon! En voilà assez! *(Il se lève.)* Amédée!

AMÉDÉE. — Monsieur?

BOUBOUROCHE, *effaré.* — Hein! quoi?

POTASSE, *à Amédée.* — Mon paletot, mon chapeau!

ROTH, *qui s'interpose.* — Voyons!...
POTASSE. — Fiche-moi la paix, toi.
BOUBOUROCHE. — Est-il bête!
FOUETTARD, *conciliant.* — Potasse!
ROTH. — Tu ne vas pas te fâcher ?
POTASSE, *qui commence à mettre son pardessus.* — Ça suffit!
ROTH. — T'es là que tu t'emballes!...
FOUETTARD. — Viens donc jouer!
POTASSE. — Je ne joue plus!
BOUBOUROCHE. — Pourquoi ?
POTASSE. — Je passe ma vie à me faire engueuler; j'en ai plein le dos, à la fin.
FOUETTARD, *désolé.* — Potasse!
ROTH, *navré.* — Potasse!
BOUBOUROCHE, *repentant et contrit.* — Potasse!
POTASSE, *intraitable.* — Non!
BOUBOUROCHE. — Reprends donc tes cartes, Potasse. Si je t'ai fait de la peine, je t'en demande pardon.
ROTH. — Là!...
BOUBOUROCHE. — Je te fais des excuses.
ROTH. — T'entends ?
BOUBOUROCHE. — Tu sais bien que, pas un instant, l'idée ne m'est venue de te blesser par des paroles désobligeantes! Nous sommes des amis, que diable! Oublie donc un moment d'erreur, et reprends tes cartes, Potasse. Que veux-tu, c'est plus fort que moi; quand je joue la manille, je ne me connais plus.

Tandis que Boubouroche a ainsi discouru, Potasse, sa rancune désarmée, a rendu à Amédée son chapeau et son pardessus. A la fin il a repris, à la table de jeu, la place qu'il y occupait au lever du rideau. Il reprend son jeu laissé là, et chacun des autres joueurs ayant également repris le sien, la séance continue.

Un temps, puis :

BOUBOUROCHE, *très humble.* — Donc, tu as deux carreaux, deux cœurs, le manillon de trèfle deuxième, et deux piques par le manillon. C'est bien ton jeu ?
POTASSE. — Oui.
BOUBOUROCHE. — Bon! Cache-le! — Joue atout. *(Etonnement de Potasse.)* Joue atout; crois-moi;... du plus gros. *(Potasse convaincu abat le roi d'atout.)* Si le manillon est chez Roth...
ROTH, *qui met l'as.* — Il y est.

BOUBOUROCHE, *qui triomphe.* — Tu vois ?... Je lui fais un sort! *(Lui-même, du dix d'atout, a pris.)* Nous allons essayer le dix-sept. — Atout!

FOUETTARD, *amer.* — Ça réussit.

BOUBOUROCHE, *au comble de la gloire.* — Ah!... — Maintenant, attention au mouvement.

Long silence, puis :

BOUBOUROCHE, *à demi-voix.* —

C'est pour la paix que mon marteau travaille,
Loin des canons, je vis en liberté...

LES TROIS JOUEURS, *agacés.* — Bouboureche!!...

BOUBOUROCHE. — Laissez, laissez;... vous gênez mon inspiration. *(A lui-même.)* Ils font la manille de trèfle; on ne peut pas les en empêcher. Ça ne fait rien; ils perdent quand même. *(A Potasse.)* Écoute, je vais jouer pique pour toi.

POTASSE. — Bon.

BOUBOUROCHE. — Tu prendras de ton manillon, et tu renverras petit pique.

POTASSE. — Compris.

BOUBOUROCHE, *jouant.* — Pique!

FOUETTARD, *à son partner.* — Au point.

ROTH. — Tu parles!...

Potasse prend de son as.

BOUBOUROCHE. — Joue pique! *(Potasse obéit. Boubouroche fait la levée et rejoue.)* Pique maître!

POTASSE. — Je me défonce ?

BOUBOUROCHE. — D'un cheval!... Fais voir ton jeu. *(Potasse renverse les cartes qui lui restent encore en main.)* Mets ton manillon de trèfle.

POTASSE. — Voilà.

BOUBOUROCHE, *jouant à mesure qu'il annonce.* — Trèfle pour toi!... Trèfle pour moi!... Et, cœur. Vingt-sept pour nous, et vingt-deux à la marque : quarante-neuf... Vous êtes dans le lac.

ROTH. — Ça y ressemble.

BOUBOUROCHE. — Encore une ?

FOUETTARD. — Ah non!

BOUBOUROCHE, *engageant.* — La dernière.

FOUETTARD. — On voit bien que tu as dîné, toi... *(D'une voix qui faiblit.)* Il est trop tard, réellement. Quelle heure est-il, Amédée ?

AMÉDÉE. — Neuf heures moins vingt, monsieur Fouettard.

ROTH et FOUETTARD. — Neuf heures moins vingt!...

ROTH. — Je croyais qu'il était sept heures et demie!... *(Il saute sur son pardessus.)* Moi qui ai promis à une femme de la mener au cinéma!

FOUETTARD. — Et moi qui ai du monde à dîner!... On doit être en train de me chercher à la Morgue.

ROTH. — Nous allons être bien reçus!

FOUETTARD. — Oui; ça va ne pas être ordinaire. — Eh! Amédée!

AMÉDÉE. — Monsieur ?

FOUETTARD. — Combien ça fait, tout ça ?

AMÉDÉE, *après avoir fait le compte des soucoupes dressées en colonne.* — Quatre francs vingt!

FOUETTARD, *à Roth.* — Deux francs dix chacun.

ROTH. — Deux francs dix chacun; c'est cela même.

Les deux hommes tirent leur porte-monnaie et y farfouillent longuement. Soudain :

ROTH. — Au fait, Boubouroche, est-ce que je ne te dois pas huit francs ?

BOUBOUROCHE. — C'est possible.

ROTH, *qui se récrie.* — Possible ? C'est sûr.

BOUBOUROCHE, *discret.* — Ça ne presse pas, en tout cas.

ROTH. — Non ?

BOUBOUROCHE. — Non.

ROTH. — Alors, oblige-moi donc de payer mes soucoupes. Nous compterons à la fin du mois.

BOUBOUROCHE. — Avec plaisir.

ROTH. — Merci.

BOUBOUROCHE. — De rien. — A demain, hein ?

ROTH. — A demain.

FOUETTARD. — A propos. Paye donc aussi pour moi; veux-tu ? Je suis sorti sans argent, figure-toi. Je te rembourserai demain soir.

BOUBOUROCHE. — Mais oui, mais oui.

FOUETTARD. — Ça ne te gêne pas, au moins ?

Boubouroche hausse les épaules et rit.

FOUETTARD. — En ce cas...

Poignées de main.

FOUETTARD et ROTH. — Au revoir, Boubouroche.

BOUBOUROCHE. — Au revoir, vieux!

Sortie de Roth et de Fouettard.

SCÈNE II

BOUBOUROCHE, POTASSE

POTASSE. — Boubouroche.

BOUBOUROCHE. — Quoi ?

POTASSE. — Paye-moi un distingué, je te dirai ce que tu es.

BOUBOUROCHE. — Je te l'aurais offert sans ça! Deux distingués, Amédée!

AMÉDÉE. — Boum!

BOUBOUROCHE. — Bien tirés, hein!... Pas trop de faux col!

AMÉDÉE, *qui apporte les deux verres.* — Soignés!

BOUBOUROCHE. — A la nôtre!

POTASSE. — A la nôtre!

On trinque.

BOUBOUROCHE, *après avoir bu.* — Eh bien! qu'est-ce que je suis ?

POTASSE. — Une poire.

BOUBOUROCHE, *un peu étonné.* — Depuis quand ?

POTASSE. — Depuis que ta mère t'a mis au monde pour le plus grand bien des tapeurs et des poseurs de lapins. Tu n'as pas honte, gros cornichon, de payer les soucoupes de ces deux carottiers quand ce serait justement à eux de payer les nôtres ? En somme, quoi ? Ils ont perdu.

BOUBOUROCHE. — Qu'est-ce que ça me fait, à moi ? Je ne joue pas pour gagner.

POTASSE. — Poire!

BOUBOUROCHE. — Je joue pour mon amusement. J'adore conduire la manille. Et puis que veux-tu; c'est si pauvre!

POTASSE. — Je te dis que tu es une poire.

BOUBOUROCHE. — Tu répètes toujours la même chose.

POTASSE. — Oh! une bonne poire, ça, je te l'accorde, savoureuse et juteuse à souhait. Mais une poire, pour en finir.

BOUBOUROCHE. — Je ne suis pas l'homme que tu supposes.

POTASSE. — Bah!

BOUBOUROCHE. — Que connaissant l'existence et que

naturellement avide de faire bon ménage avec elle, je lui fasse par-ci, par-là...

POTASSE. — Une petite concession.

BOUBOUROCHE. — Ça, mon Dieu, je ne dis pas le contraire. Mais au fond, tu entends, Potasse, je ne fais que ce que je veux faire et ne crois que ce que je veux croire. Je suis têtu comme une mule, avec mes airs de gros mouton.

POTASSE. — Avec ton dos de pachyderme et ta tête de sanglier, tu as juste assez d'énergie pour être hors d'état de défendre ta bourse contre l'invasion des barbares, juste assez de poil aux yeux, — tu entends, Bouboroche ? — pour passer par un trou de souris le jour où ta maîtresse exige que tu y passes.

BOUBOUROCHE. — Adèle me fait passer par un trou de souris ?

POTASSE. — Oui.

BOUBOUROCHE. — Qu'est-ce que tu en sais, d'abord ?

POTASSE. — Je n'en sais rien, mais j'en suis sûr.

BOUBOUROCHE. — Tu parles sans savoir. Tais-toi. Que connaissant la nature d'Adèle et que naturellement avide de vivre sur le pied de paix, je fasse bon marché de ses petits travers et lui donne volontiers raison...

POTASSE. — Quand elle a tort.

BOUBOUROCHE. — Ça, mon Dieu! c'est encore possible... Mais passer par des trous de souris ?... Sois tranquille, va, je sais ce que je fais. On n'a pas vécu huit ans avec une femme sans être fixé sur son compte.

POTASSE. — Huit ans!

BOUBOUROCHE. — Oui, mon cher; huit ans!

POTASSE. — Quel collage!...

BOUBOUROCHE, *lyrique*. — Le dernier de ma vie.

POTASSE. — Tu en as eu beaucoup ?

BOUBOUROCHE. — Je n'ai eu que celui-là.

POTASSE. — Mazette, tu n'avais pas commencé en nourrice.

BOUBOUROCHE. — J'avais trente ans. *(Ebahissement de Potasse.)* Qu'est-ce qui te prend ?

POTASSE, *qui n'en revient pas*. — Tu as trente-huit ans ?

BOUBOUROCHE. — Depuis un mois.

POTASSE. — Tu en parais bien quarante-sept.

BOUBOUROCHE, *très simplement*. — Oh! du tout!... Je paraîtrais plutôt plus jeune que mon âge. — Je suis gros, c'est ce qui explique ton erreur; mais, si j'ai du ventre, je n'ai pas de rides.

Large sourire satisfait.

POTASSE, *attendri, à mi-voix.* — Bon garçon. — Et d'où vient, dis-moi, que tu aies attendu trente ans pour te donner le luxe d'une maîtresse ?

BOUBOUROCHE. — De bien des choses, mon ami. D'abord d'une grande timidité, que j'ai toujours portée en moi, et dont je n'ai jamais pu me défaire. Puis, je suis un peu... sentimental, en sorte que j'ai longtemps cherché, sans les trouver, une âme qui fût sœur de la mienne, un cœur qui sût comprendre le mien. *(Rires de Potasse.)* J'ai dit quelque chose de drôle ?

POTASSE. — Ne t'inquiète pas, continue. Tu es à couvrir de baisers.

BOUBOUROCHE, *bien qu'un peu étonné, continue.* — Je rencontrai Adèle dans une maison amie, où elle venait, le dimanche soir, prendre le thé et faire la causette. Elle avait alors vingt-quatre ans et le charme indéfinissable qu'ont les blondes, très blondes, en deuil.

POTASSE. — Elle était veuve ?

BOUBOUROCHE. — De six mois. Elle me plut, mais elle me plut!... Mille fois plus que je ne saurais dire!... Sa distinction surtout me charmait; tu sais, cette allure d'honnête femme à laquelle un homme ne se trompe pas ?

POTASSE, *qui se fait du bon sang, mais se garde d'en laisser rien voir.* — Oui; tu as l'œil américain.

BOUBOUROCHE. — Et je songeais mélancolique : « Ne te frappe pas, Boubouroche; ce fruit n'est pas pour ton assiette. » — Un soir, elle me pria de lui donner le bras et de la déposer à sa porte. Nous partîmes. Le silence des rues et le clair de lune qu'il faisait m'inspirèrent des témérités. Sous l'ombre de sa porte cochère, comme elle me donnait le bonsoir, je pris ses petites mains dans les miennes, comme ceci *(il prend les deux mains de Potasse)*, je fixai mes yeux en les siens, comme cela *(il fixe Potasse dans les yeux)*, et, d'une voix tremblante d'émotion : « Madame, lui dis-je, je vous aime. Vous êtes un parfum, une perle, une fleur et un oiseau. »

POTASSE. — Parfaitement. Et huit jours après tu la mettais dans ses meubles.

BOUBOUROCHE, *blessé du terme et rectifiant.* — Huit jours après, Adèle et moi associions nos deux existences, ce qui n'est pas la même chose.

POTASSE. — Peuh!... Tu lui donnes de l'argent.

BOUBOUROCHE. — Il ne manquerait plus que je lui en demande! Je lui donne, en effet, trois cents francs par mois et je lui paye son loyer, mais enfin je ne l'entretiens pas. *(Rires de Potasse.)* On n'entretient pas une femme parce qu'on fait son devoir d'honnête homme en lui simplifiant, dans une certaine mesure, les complications de l'existence. *(Rires de Potasse.)* Mais, mon cher, je l'entretiens si peu, que nous ne vivons pas ensemble! *(Rires énormes de Potasse.)* Bien mieux!... je n'ai même pas la clé de l'appartement!

POTASSE, *étonné.* — Pourquoi ça?

BOUBOUROCHE. — Parce qu'une honnête femme ne doit pas avoir d'amant, et qu'on n'est pas « amant » tant qu'on n'a pas la clé.

POTASSE, *ahuri.* — Qu'est-ce qu'on est, alors?

BOUBOUROCHE, *embarrassé.* — Dame, on est... euh... mon Dieu... Je ne trouve pas le mot.

POTASSE. — Je le trouve, moi. On est une poire.

BOUBOUROCHE. — Eh! tu m'assommes avec ta poire!... Adèle n'est pas une grisette; c'est une femme très bien élevée; elle a sa famille, ses relations; elle tient à ne pas se compromettre, et je trouve ça très légitime.

POTASSE. — En résumé, une de ces femmes qui veulent bien faire comme les autres, à la condition que les autres n'en sachent rien? — Je connais. Elles sont comme ça quelques milliers sur le pavé de la capitale.

BOUBOUROCHE. — Où est l'utilité, pour une femme, de déshabiller sa conduite et de la mettre toute nue devant le monde?

POTASSE, *qui ne discute plus.* — Tu as raison, je ne connais rien de plus oiseux que les théories sur la vie. *(Se levant.)* Tu es heureux?

BOUBOUROCHE. — Infiniment. Que me manquerait-il pour l'être? Je suis un homme sans appétits; je puis me lever à mon heure et me coucher quand ça me convient; mes moyens me permettent de manger à ma faim, de me désaltérer à ma soif, de fumer à ma suffisance et de prêter cent sous, quand l'occasion s'en présente, à un camarade gêné. J'ai, en plus, la liaison bourgeoise qui convenait à un homme comme moi : une petite compagne sensée et économe, que j'aime, qui me le rend bien, et dont la fidélité ne saurait faire question une seule minute. Alors quoi? Oui, je suis heureux autant qu'il est possible à un homme de l'être; et c'est ce qui me permet, vois-tu, vieux, d'être indulgent aux pauvres diables qui aiment mieux gagner que perdre au noble jeu de la manille et préfèrent mon tabac au leur, parce qu'il est meilleur marché.

Potasse, pendant cette tirade, est allé à la patère et y a décroché son chapeau, son paletot et sa canne.

POTASSE. — Bonne pâte!

BOUBOUROCHE. — Te voilà parti ?

POTASSE. — A demain.

BOUBOUROCHE. — Encore un bock ?

POTASSE. — Non. Trop tard. Je n'ai pas ta veine, Boubouroche. Il faut que je sois debout à huit heures du matin.

BOUBOUROCHE. — Pauvre Potasse! *(Poignée de main.)* Eh bien, à demain ?

POTASSE. — A demain.

Sortie de Potasse.

BOUBOUROCHE, *seul, tirant sa montre.* — Neuf heures dix... — Monterai-je un instant chez Adèle ?... Achevons d'abord ce distingué. La bière est bonne conseillère.

Il boit.

SCÈNE III

BOUBOUROCHE, UN VIEUX MONSIEUR

Sitôt la disparition de Potasse, le monsieur qui lisait le Temps *à l'extrême gauche s'est levé sans bruit de sa place. Il a déposé sur la table les huit sous de sa consommation, et s'approchant, le chapeau à la main, de Boubouroche qui bourre une pipe :*

LE MONSIEUR, *avec une extrême politesse.* — Je vous demande pardon, monsieur; vous êtes bien M. Boubouroche ?

BOUBOUROCHE, *surpris.* — Oui, monsieur.

LE MONSIEUR. — Ernest Boubouroche ?

BOUBOUROCHE. — Ernest Boubouroche, parfaitement.

LE MONSIEUR. — C'est bien vous qui avez pour maîtresse, boulevard Magenta, 11 *bis*, au quatrième sur la rue, une personne appelée Adèle ?

BOUBOUROCHE, *surpris de plus en plus.* — Mais...

LE MONSIEUR. — Répondez franchement, oui ou non. Je vous dirai pourquoi après.

BOUBOUROCHE, *vaguement inquiet.* — Soit! — Il est en effet exact que cette dame est... mon amie.

LE MONSIEUR. — C'est tout ce que je voulais savoir. *(Très aimable.)* Eh bien! monsieur, elle vous trompe.

BOUBOUROCHE, *sursautant.* — Elle me... — Asseyez-vous donc, monsieur... Voulez-vous prendre un distingué ? *(Mimique discrète du monsieur.)* Si fait! Si fait! *(Au garçon :)* Deux distingués, Amédée. — Expliquez-vous, monsieur, je vous prie.

Boubouroche est fiévreux. Le monsieur, lui, très calme, a pris la chaise de Potasse

LE MONSIEUR. — Combien je suis fâché, monsieur, d'avoir à vous gâter aussi complètement que je vais avoir l'honneur de le faire les illusions où vous vous complaisez! La sympathie que vous m'inspirez me rend singulièrement pénible la mission — vile en apparence, en réalité profondément charitable, philanthropique et fraternelle, — dont j'ai fait dessein de m'acquitter. Mais quoi, je suis ainsi bâti! j'estime qu'on ne saurait sans crime sacrifier la dignité d'un honnête homme à la fourberie d'une petite farceuse qui lui carotte son argent, lui gâche en injustes querelles le peu de jeunesse qui lui reste, et se fiche outrageusement de lui, si j'ose parler un tel langage.

BOUBOUROCHE, *anxieux.* — Cette histoire ?...

LE MONSIEUR. — Cette histoire, qui est, hélas! celle de tant d'autres, est la vôtre, mon cher monsieur. Vous êtes cocu. — A votre santé.

Les deux hommes trinquent et boivent.

LE MONSIEUR, *après avoir bu.* — Elle est fraîche.

BOUBOUROCHE, *très ému.* — Monsieur, votre air respectable et la solennité de votre langage me font un devoir de penser que je ne me trouve pas en présence d'un vulgaire mystificateur. *(Dénégation énergique du monsieur.)* Vous venez de porter contre une femme qui m'est chère la plus grave des accusations; il vous reste à la justifier.

LE MONSIEUR. — Monsieur, nous ne vivons plus aux temps qu'a illustrés la Tour de Nesle, où les murs étouffaient les cris. Les siècles ont marché, les hommes ont produit. A cette heure, nous habitons des immeubles bâtis de plâtre et de papier mâché. L'écho des petits scandales d'au-dessous, d'au-dessus, d'à côté, en suinte à travers les murailles ni plus ni moins qu'à travers de simples gilets de flanelle. — Depuis huit ans, j'ai pour voisine de palier cette personne que, naïvement, vous ne craignez pas d'appeler votre « amie »; depuis huit ans, invisible auditeur, je prends, à travers la cloison qui sépare nos deux logements, ma part de vos vicissitudes amoureuses; depuis huit ans, je vous entends aller et venir, rire, causer, chanter *le Forgeron de la Paix* avec cette belle fausseté de voix qui est l'indice des consciences calmes, cirer le parquet, remonter la pendule, et vous plaindre (non sans aigreur) de la cherté du poisson : car vous êtes homme de ménage et volontiers vous faites votre marché vous-même. C'est exact ?

BOUBOUROCHE. — Rigoureusement.

LE MONSIEUR. — Depuis huit ans, je m'associe à vos joies et à vos misères, compatissant à celles-ci et applaudissant à celles-là, admirant votre humeur égale dans la bonne comme dans la mauvaise fortune et l'infinie grandeur d'âme qui vous porte à ne pas calotter votre « amie » chaque fois qu'elle l'a mérité. Eh bien! monsieur... — Ici, je réclame de vous un redoublement d'attention... — de ces huit ans, pas un jour ne s'est écoulé qui n'ait été pour votre « amie » l'occasion d'une petite canaillerie nouvelle; pas un soir, vous ne vous êtes couché qu'excellemment jobardé et cocufié comme il convient; pas une fois, vous ne franchîtes le seuil du modeste logement payé de vos écus où s'abritent vos plus chers espoirs, qu'un homme — vous entendez bien ? — n'y fût caché.

BOUBOUROCHE, *qui bondit.* — Un homme!

LE MONSIEUR. — Oui, un homme.

BOUBOUROCHE. — Quel homme ?

LE MONSIEUR. — Un homme dont j'entends la voix quand vous n'êtes pas arrivé, et les rires quand vous êtes parti.

Un temps, puis :

LE MONSIEUR, *qui sourit.* — Ça vous coupe le manillon, hein ?

Ahurissement de Boubouroche. Une minute il réfléchit; mais tout à coup, avec ce geste ample du bras qui fait bonne et prompte justice :

BOUBOUROCHE. — Ah ouat!

LE MONSIEUR. — Ah ouat ?

BOUBOUROCHE. — Oui, ah ouat! Vous ne savez pas

ce que vous dites et je connais Adèle mieux que vous. *(Très affirmatif.)* Elle est incapable de me trahir.

LE MONSIEUR. — Voulez-vous me permettre de vous dire que c'est vous-même qui parlez sans savoir ? Vous n'avez même pas la clé de l'appartement.

BOUBOUROCHE. — Non, je n'ai pas la clé, mais qu'est-ce que ça prouve ? Je suis tombé plus de mille fois chez Adèle, à n'importe quelle heure du jour ; du diable, si, au grand jamais, elle a mis plus de six secondes à venir ouvrir la porte ! Vous êtes une poire, mon cher ; voilà mon opinion. Qu'Adèle ait ses côtés embêtants, je ne dis pas ; mais quant à être une honnête femme, ça ne fait pas l'ombre d'un doute.

LE MONSIEUR, *le sourire sur les lèvres.* — C'est une petite gueuse.

Suffocation de Boubouroche, qui se contient, balbutie et finit par commander d'une voix retentissante :

BOUBOUROCHE. — Deux distingués, Amédée !

AMÉDÉE. — Boum !

BOUBOUROCHE, *après un temps.* — Me tromper !... Adèle !... Ah ! là là ! Je voudrais bien savoir pourquoi elle me tromperait... Pour de l'argent ? Elle se moque de l'argent comme de sa première chemise ; elle vivrait de pain et de lait, et elle paye ses jarretelles trente-neuf sous au Louvre. Pour le plaisir ? *(Grande ironie.)* La pauvre enfant !... Elle n'a pas plus de sens qu'un panier à bouteilles.

LE MONSIEUR, *apitoyé et les yeux levés vers le ciel.* — O homme !... enfant aveugle et quatorze fois sourd !... — Pas de sens ? Mais, mon cher monsieur, c'est vous qui n'en avez pas ! Vous me faites l'effet de ces gens atteints du rhume de cerveau qui refusent tranquillement aux roses un parfum qu'ils ne perçoivent plus. Pas de sens ? Ecoutez, monsieur, je sais bien que nous sommes entre hommes, mais il est de ces questions brûlantes que l'on ne saurait effleurer avec trop de délicatesse... Je vous disais, il y a une minute, que nous ne vivions plus au temps où les murs étouffaient les cris... Qu'il me soit permis de le redire ; et à bon entendeur salut ! — Au surplus, n'eût-elle pas, ainsi que vous l'affirmez, plus de sens qu'un panier à bouteilles, en eût-elle cent fois moins encore, elle vous tromperait cependant.

BOUBOUROCHE. — Pourquoi donc ?

LE MONSIEUR. — Parce que, « tromper », toute la

femme, monsieur, est là. Croyez-en un vieux philosophe qui sait les choses dont il parle et a fait la rude expérience des apophtegmes qu'il émet. Les hommes trahissent les femmes dans la proportion modeste d'un sur deux; les femmes, elles, trahissent les hommes dans la proportion effroyable de 97 %!... Parfaitement!... 97!... Et ça, ce n'est pas une blague; c'est prouvé par la statistique et ratifié par la plus élémentaire clairvoyance. Bref, que ce soit pour une raison ou pour une autre, ou pour pas de raison du tout : à cette même minute où je vous parle, un intrus est sous votre toit; il est assis en votre fauteuil familier, il chauffe les semelles de ses bottes au foyer habitué à rissoler les vôtres, et il sifflote entre ses dents l'air du *Forgeron de la Paix*, qu'il a appris de vous à la longue. Que vous n'en croyiez pas un mot, c'est votre droit. Pour moi, ma mission est remplie et je me retire le cœur léger, en homme qui a fait son devoir, sans faiblesse, sans haine, et sans crainte. Si les hommes apportaient dans la vie cet esprit de solidarité que savent si bien y apporter les femmes et faisaient les uns pour les autres ce que je viens de faire pour vous, le nombre des cocus n'en serait pas amoindri : mais combien serait simplifiée (et c'est là que j'en voulais venir) la question, toujours compliquée et pénible, des ruptures dont le besoin s'impose. — Monsieur, à l'honneur de vous revoir. Je vous laisse les consommations.

Il salue et sort. — Longue rêverie de Boubouroche.

BOUBOUROCHE, *abattant brusquement sur la table un coup de poing.* — Nom d'un tonneau!...

AMÉDÉE, *qui s'est mépris et qui accourt.* — Monsieur désire?

BOUBOUROCHE. — Vous m'embêtez. Rien du tout. *(A la réflexion :)* Au fait, si! Qu'est-ce que je vous dois?

AMÉDÉE, *son compte fait.* — Neuf francs vingt.

BOUBOUROCHE, *jetant dix francs sur la table.* — Voilà. Gardez.

AMÉDÉE, *stupéfait.* — Merci, monsieur Boubouroche. *(Suivant de l'œil la sortie étrange de Boubouroche :)* Qu'est-ce qu'il a donc?

BOUBOUROCHE, *au seuil du café.* — Nom d'un tonneau!...

Il sort.

ACTE II

Un salon modeste. Au fond, un peu sur la droite, une porte à deux battants. A droite, une porte latérale ; à gauche, une croisée, distinguée à travers la mousseline du rideau qui la masque.

Au fond aussi, face au public, une armoire de chêne.

A gauche, Adèle qui travaille, et, près d'elle, un guéridon supportant une corbeille à ouvrage et une lampe à vaste abat-jour.

A droite, assis sur une chaise longue, André, en culotte et veston, astique à l'aide d'une peau de daim la trompe de sa bicyclette.

SCÈNE PREMIÈRE

ADÈLE, ANDRÉ

D'abord long silence. C'est le calme recueilli de l'intimité. Pas une parole. Grincements légers des ciseaux. Une minute s'écoule ainsi. Soudain, André chantonne entre ses dents, sans interrompre son petit travail, d'ailleurs :

C'est pour la paix que mon marteau travaille,
Loin des combats, je vis en liberté ;
Je façonne l'acier qui sert pour la semaille
Et ne forge le fer que pour l'humanité.

ADÈLE, *d'un ton de reproche.* — André !
ANDRÉ, *rappelé à l'ordre.* — Pardon.

Reprise de silence ; puis, coup de sonnette. André bondit sur ses pieds, et en un clin d'œil va se blottir dans l'armoire dont il ramène sur lui les battants ; ceci, sans avoir dit un mot. Adèle, elle, est venue à la porte du fond, puis à une autre porte, qui est celle du palier, et que laisse voir l'encadrement de la première. — Elle ouvre.

UN MONSIEUR, *sur le carré.* — Mademoiselle Tambour ?

ADÈLE. — C'est au-dessus.
LE MONSIEUR. — Merci.

Adèle redescend en scène et vient ouvrir à André.

ADÈLE. — Quelqu'un qui se trompe.

C'est tout. Toujours sans ouvrir la bouche, André vient reprendre sur sa chaise longue sa position et son ouvrage, tandis qu'Adèle, près du guéridon, reprend sa chaise et ses ciseaux. — La scène redevient exactement ce qu'elle était au lever de la toile. — Nouveau silence suivi d'une nouvelle œillade exaspérée jetée par Adèle à André, qui s'est remis à fredonner le refrain du Forgeron de la Paix.

ANDRÉ, *rappelé à l'ordre.* — Pardon.

Il se tait. Nouveau temps, nouveau grincement de ciseaux dans des froufrous d'étoffe, etc., etc. — Coup de sonnette.

ANDRÉ. — Zut!

Recommencé de la scène déjà vue, nouvelle retraite précipitée d'André en son sous-sol de bahut, et nouvelle passade d'Adèle qui retourne ouvrir la porte du palier.

UN MONSIEUR, *sur le carré.* — Monsieur Trouille ?
ADÈLE. — C'est au-dessous.
LE MONSIEUR. — Merci.

Rentrée en scène d'Adèle.

ADÈLE, *écartant les panneaux du bahut.* — Quelqu'un qui se trompe.
ANDRÉ, *agacé.* — Encore!... Ça va durer longtemps ?
ADÈLE. — Non, mais prends-t'en à moi, pendant que tu y es.
ANDRÉ, *en scène.* — Je ne m'en prends pas à toi.
ADÈLE. — Si... Je dirai même que depuis quelque temps tu as une fâcheuse tendance à m'imputer des responsabilités dans lesquelles je n'ai rien à voir, et à me faire payer les erreurs des personnes qui se trompent d'étage.
ANDRÉ. — Tu trouves ?
ADÈLE. — Oui, je trouve.
ANDRÉ. — Eh bien, sache-le : cet état de choses ne m'est plus supportable. Ce buffet m'aigrit!
ADÈLE. — D'abord, c'est un bahut.

ANDRÉ. — C'est juste. Je te fais mes excuses.

ADÈLE. — Et puis, toi aussi, sache-le : tu es profondément injuste; et avec moi, qui fais des miracles, tu le sais bien, pour écourter autant que possible tes heures de captivité, et *(montrant le bahut)* avec lui, qui te donne une hospitalité... relativement confortable. En somme, quoi ? Tu y as de la lumière, dans ce bahut; une chaise pour t'y asseoir, une table pour y lire. Qu'est-ce qu'il te faut de plus ? Une pièce d'eau ? Ah ! que voilà donc bien les exigences des hommes !

ANDRÉ. — Et que voilà donc bien, surtout, les exagérations des femmes !... Il ne s'agit pas de pièce d'eau; il s'agit que mes parents ne m'ont pas donné la vie pour que je la passe dans un bahut. Sois sincère, voyons; est-ce vrai?... Autre chose : s'il est déplorable au point de vue de la commodité, ce meuble est excellent au point de vue de l'acoustique...

ADÈLE, *intriguée.* — Si bien ?

ANDRÉ. — Si bien que le silence de ma solitude y est de temps en temps troublé... par des échos fort importuns, dont je me priverais, je te prie de le croire, le plus facilement du monde. — Je t'aime, après tout.

ADÈLE, *émue.* — Pauvre chat !... *(Un temps.)* Le buffet de la salle à manger n'avait pas cet inconvénient.

ANDRÉ. — Non, mais il en avait un autre : j'en sortais imprégné d'odeurs de nourriture qui se cramponnaient à ma personne avec une ténacité au-dessus de tout éloge...; au point que je ne pouvais plus mettre le pied dehors sans me buter à des gens de connaissance qui me humaient comme un plat et finissaient par s'écrier : « C'est curieux, depuis quelque temps, comme vous sentez la poire cuite ! »

Adèle rit.

ANDRÉ, *vexé.* — Je sais que cela est fort plaisant. Seulement, je te le répète : je commence à avoir plein le dos de cette existence de lapin perpétuellement aux aguets et qui ne sort de son terrier que pour s'y reprécipiter à la première alerte. Ma dignité y reste... et ma confiance aussi.

ADÈLE. — Ta confiance en qui ?

ANDRÉ. — En toi.

ADÈLE. — Conclusion aussi flatteuse qu'inattendue.

ANDRÉ. — Elle est logique. Raisonnons. Voilà huit ans que cette plaisanterie dure; huit ans que tu bernes grossièrement...

ADÈLE. — A ton profit, je te ferai observer.

ANDRÉ. — ... un brave garçon qui, après tout, ne t'avait pas prise de force. Et, à l'accomplissement de cette tâche, tu as déployé, chère enfant, une telle intelligence, que tu m'en vois épouvanté!...

ADÈLE. — Tu vas peut-être me reprocher de sacrifier à notre amour cet imbécile de Boubouroche ?

ANDRÉ. — Non, mais quand j'envisage les trésors de rouerie, d'audace tranquille, de sournoiserie ingénieuse, que tu as dû jeter par les fenêtres pour mener à bonne fin une mauvaise action, j'en arrive à me demander si je ne suis pas, moi aussi, le Boubouroche de quelqu'un, et si une femme assez adroite pour cacher un second amant à un premier en le logeant dans un bahut n'en cache pas au second un troisième, en le fourrant dans un coffre à bois.

ADÈLE. — André!

ANDRÉ. — Tu n'empêcheras jamais les gens qui aiment d'être jaloux.

ADÈLE. — Tu n'as pas à être jaloux de moi.

ANDRÉ. — Je ne t'accuse pas.

ADÈLE. — Tu me soupçonnes.

ANDRÉ, *très sincère.* — A peine, ma parole d'honneur!

ADÈLE. — C'est encore mille fois trop. Qu'ai-je fait ? Où est mon crime ? Je t'ai préféré à un autre. Après ? Or, cet autre, je le connais, tu ne pèserais pas lourd dans ses doigts, et si j'ai eu assez d'adresse pour empêcher que tu y tombes, tu devrais t'en féliciter au lieu de marchander bêtement, comme tu le fais, les moyens dont j'ai dû me servir.

ANDRÉ. — Je n'ai pas peur de lui, un homme en vaut un autre.

ADÈLE. — Oui ? Eh bien! qu'il nous pince!...

ANDRÉ. — Il nous pincera.

ADÈLE. — Jamais!...

ANDRÉ. — Tais-toi donc; je te dis que nous serons pincés; c'est sûr. *(Adèle hausse l'épaule.)* Bon!... Tu verras. *(Tirant sa montre.)* Du reste, ce ne sera pas aujourd'hui. Neuf heures et demie dans un instant; Boubouroche ne viendra plus. — Nous nous couchons ?

ADÈLE. — Ce ne serait peut-être pas prudent. Attendons encore dix minutes.

ANDRÉ. — Si tu veux.

(Il regagne sa chaise longue. Adèle reprend son ouvrage

et la scène, une fois de plus, retrouve son aspect primitif. Silence. — Violent coup de sonnette.)

ANDRÉ. — Cette fois! c'est lui!...

Disparition dans le bahut. — Adèle va ouvrir.

SCÈNE II

ADÈLE, BOUBOUROCHE, ANDRÉ (caché)

Boubouroche entre comme un fou, descend en scène, se rend à la porte de droite, qu'il ouvre, plonge anxieusement ses regards dans l'obscurité de la pièce à laquelle elle donne accès; va, de là, à la fenêtre de gauche, dont il écarte violemment les rideaux.

ADÈLE, *qui l'a suivi des yeux avec une stupéfaction croissante.* — Regarde-moi donc un peu.

Boubouroche, les poings fermés, marche sur elle.

ADÈLE, *qui, elle, vient sur lui avec une grande tranquillité.* — En voilà une figure!... Que se passe-t-il ? Qu'est-ce qu'il y a ?

BOUBOUROCHE. — Il y a que tu me trompes.

ADÈLE. — Je te trompe!... Comment, je te trompe ?... Qu'est-ce que tu veux dire, par là ?

BOUBOUROCHE. — Je veux dire que tu te moques de moi; que tu es la dernière des coquines et qu'il y a quelqu'un ici.

ADÈLE. — Quelqu'un!

BOUBOUROCHE. — Oui, quelqu'un!

ADÈLE. — Qui ?

BOUBOUROCHE. — Quelqu'un!

Un temps.

ADÈLE, *éclatant de rire.* — Voilà du nouveau.

BOUBOUROCHE, *la main haute.* — Ah! ne ris pas!... Et ne nie pas! Tu y perdrais ton temps et ta peine : je sais tout!... C'est cela, hausse les épaules; efforce-toi de me faire croire qu'on a mystifié ma bonne foi. *(Geste large.)* Le ciel m'est témoin que j'ai commencé par le croire et que je suis resté dix minutes les pieds sur le bord du trottoir, les yeux rivés à cette croisée, m'accusant d'être fou, me reprochant d'être ingrat!... J'allais m'en retourner, je te le jure, quand, tout à coup, deux ombres — la tienne et une autre!... ont passé en se poursuivant sur la tache éclairée de la fenêtre. A cette heure, tu n'as plus qu'à me livrer ton complice; nous avons à causer tous deux de choses qui ne te regardent pas. Va donc me chercher cet homme, Adèle. C'est à cette condition seulement que je te pardonnerai peut-être, car *(très ému)* ma tendresse pour toi, sans bornes, me rendrait capable de tout, même de perdre un jour le souvenir de l'inexprimable douleur sous laquelle sombre toute ma vie.

ADÈLE. — Tu es bête!

BOUBOUROCHE. — Je l'ai été. Oui, j'ai été huit ans ta dupe; inexplicablement aveugle en présence de telles évidences qu'elles auraient dû me crever les yeux!... N'importe, ces temps sont finis; la canaille peut triompher, une minute vient toujours où le bon Dieu, qui est un brave homme, se met avec les honnêtes gens.

ADÈLE. — Assez!

BOUBOUROCHE, *abasourdi.* — Tu m'imposes le silence, je crois ?

ADÈLE. — Tu peux même en être certain!... *(Hors d'elle.)* En voilà un énergumène, qui entre ici comme un boulet, pousse les portes, tire les rideaux, emplit la maison de ses cris, me traite comme la dernière des filles, va jusqu'à lever la main sur moi!...

BOUBOUROCHE. — Adèle...

ADÈLE. — ... tout cela parce que, soi-disant, il aurait vu passer deux ombres sur la transparence d'un rideau! D'abord tu es ivre.

BOUBOUROCHE. — Ce n'est pas vrai.

ADÈLE. — Alors tu mens.

BOUBOUROCHE. — Je ne mens pas.

ADÈLE. — Donc, tu es gris; c'est bien ce que je disais!... *(Effarement ahuri de Boubouroche.)* De deux choses l'une : tu as vu double ou tu me cherches querelle.

BOUBOUROCHE, *troublé et qui commence à perdre sa belle assurance.* — Enfin, ma chère amie, voilà! Moi..., on m'a raconté des choses.

ADÈLE, *ironique.* — Et tu les as tenues pour paroles d'évangile ? Et l'idée ne t'est pas venue un seul instant d'en appeler à la vraisemblance ? aux huit années de liaison que nous avons derrière nous ? *(Silence embarrassé de Boubouroche.)* C'est délicieux! En sorte que je suis à la merci du premier chien coiffé venu... Un monsieur passera, qui dira : « Votre femme vous est infidèle », moi je paierai les pots cassés; je tiendrai la queue de la poêle ?

BOUBOUROCHE. — Mais...

ADÈLE. — Détrompe-toi.

BOUBOUROCHE, *à part*. — J'ai fait une gaffe.

ADÈLE. — Celle-là est trop forte, par exemple. *(Tout en parlant, elle est revenue au guéridon et elle y a pris la lampe, qu'elle apporte à Boubouroche.)* Voici de la lumière.

BOUBOUROCHE. — Pour quoi faire ?

ADÈLE. — Pour que tu ailles voir toi-même. Ne fais donc pas l'étonné.

BOUBOUROCHE, *se dérobant*. — Tu n'empêcheras jamais les gens qui aiment d'être jaloux.

ADÈLE. — Tu l'as déjà dit.

BOUBOUROCHE. — Moi ?... Quand ça ?

ADÈLE, *à part*. — Oh! *(Haut.)* Tu m'ennuies!... Je te dis de prendre cette lampe... *(Boubouroche prend la lampe)*... et d'aller voir. Tu connais l'appartement, hein ? Je n'ai pas besoin de t'accompagner ?

BOUBOUROCHE, *convaincu*. — Ne sois donc pas méchante, Adèle. Est-ce que c'est ma faute, à moi, si on m'a collé une blague ? Pardonne-moi, et n'en parlons plus.

ADÈLE, *moqueuse*. — Tu sollicites mon pardon ?... C'est bizarre!... Ce n'est donc plus à moi de mériter le tien par mon repentir et par ma bonne conduite ?... *(Changement de ton.)* Va toujours, nous verrons plus tard. Comme, au fond, tu es plus naïf que méchant, il est possible — pas sûr, pourtant — que je perde, — moi — un jour, le souvenir de l'odieuse injure que tu m'as faite. Mais j'exige... tu entends ? j'exige! que tu ne quittes cet appartement qu'après en avoir scruté, fouillé, l'une après l'autre, chaque pièce. — Il y a un homme ici, c'est vrai.

BOUBOUROCHE, *goguenard*. — Mais non.

ADÈLE. — Ma parole d'honneur. *(Indiquant de son doigt le bahut où est renfermé André.)* Tiens, il est là-dedans! *(Boubouroche rigole.)* Viens donc voir.

BOUBOUROCHE, *au comble de la joie*. — Tu me prendrais pour une poire!...

ADÈLE. — Voici la clé de la cave.

BOUBOUROCHE, *les yeux au ciel*. — La cave!...

ADÈLE. — Tu me feras le plaisir d'y descendre.

BOUBOUROCHE. — Tu es dure avec moi, tu sais.

ADÈLE. — ... et de regarder entre les tonneaux et les murs. Ah! je te fais des infidélités ?... Ah! je cache des amants chez moi ?... Eh bien, cherche, mon cher, et trouve !

BOUBOUROCHE. — Allons ! Je n'ai que ce que je mérite.

La lampe au poing, il va lentement, non sans se retourner de temps en temps pour diriger vers Adèle, qui demeure impitoyable et muette, des regards suppliants de chien battu, jusqu'à la petite porte de droite, qu'il atteint enfin et qu'il pousse. — Coup d'air. La lampe s'éteint.

BOUBOUROCHE. — Bon !

Mais à la seconde précise où l'ombre a envahi le théâtre, la lumière de la bougie qui éclaire la cachette d'André est apparue très visible.

ADÈLE, *étouffant un cri.* — Ah !

BOUBOUROCHE, *à tâtons.* — Voilà une autre histoire. — Tu as des allumettes, Adèle ? *(Brusquement.)* Tiens !... Qu'est-ce que c'est que ça ?... de la lumière !

Précipitamment, il dépose sa lampe ; court au bahut, l'ouvre tout grand et se recule en poussant un cri terrible.

SCÈNE III

ADÈLE, BOUBOUROCHE, ANDRÉ

Découvert, André ne s'émeut point. Il sort de son bahut, emportant sa bougie qu'il dépose sur le guéridon. — Lumière à la rampe. — Ceci fait, il va à Adèle, et souriant, avec le geste content de soi, d'un monsieur à qui l'événement a fini par donner raison :

ANDRÉ. — C'était sûr ! Je l'avais prédit. *(Philosophe.)* Enfin !... Un peu plus tôt ou un peu plus tard ! *(Il tire de sa poche sa carte et la présente à Boubouroche.)* Je me tiens à vos ordres, monsieur.

Mais Boubouroche, idiotisé, regarde sans le voir.

ANDRÉ, *après un instant.* — C'est ma carte. Veuillez me faire l'honneur de la prendre.

BOUBOUROCHE, *qui replie la carte et la jette au fond de sa poche.* — C'est bien. Je vous ferai savoir mes intentions. Allez-vous-en.

ANDRÉ. — Excusez-moi. Je serais naturellement bien aise de savoir ce que vous comptez faire. Oh! je ne vous interroge pas!... Une telle familiarité ne serait sans doute pas de saison! Cependant... En un mot, monsieur, je ne suis pas sans inquiétude. Vous êtes violent, et je ne sais jusqu'à tel point j'ai le droit de vous laisser seul avec une femme... qui..., que...

BOUBOUROCHE. — Vous, vous allez commencer par vous taire. Un mot encore. — Je dis : un! un! un seul! C'est clair, n'est-ce pas ? un seul mot! —... je vous empoigne par le fond de la culotte, et je vous envoie par cette croisée voir les poules!...

ANDRÉ, *très calme*. — Permettez.

BOUBOUROCHE. — Silence!... Taisez-vous!... — Si, un instant, vous pouviez deviner ce qui se passe en moi à cette heure; si vous pouviez supposer à quelle force de volonté je me retiens et je me cramponne, ah! je vous le certifie, je vous le jure, vous verdiriez! à la pensée de seulement entrouvrir la bouche!... Oui, vous seriez terriblement imprudent de vous obstiner à parler après que je vous en ai fait la défense, et c'est un bonheur pour nous deux, un grand bonheur, que je me connaisse!... Allez-vous-en, voilà tout ce que j'ai à vous dire. Je suis un homme très malheureux et dont il ne faut pas exaspérer le chagrin. Allez-vous-en! Allez-vous-en! Allez-vous-en!

ANDRÉ, *très chic*. — Un galant homme est toujours un galant homme, même le jour où certaines circonstances de la vie l'ont mis dans la nécessité de se cacher dans un bahut. Il arrivera ce qui arrivera, mais je quitterai cette maison quand j'aurai reçu de vous l'assurance que vous ne toucherez pas à un seul cheveu de la personne qui est là. Je vous en demande votre parole d'honneur, et c'est le moindre de mes devoirs. Vous êtes extraordinaire, vous me permettrez de vous le dire, avec vos airs de me mettre à la porte d'une maison qui n'est pas la vôtre; et si je veux bien me rendre à vos ordres, eu égard à votre état d'exaltation, vous ne sauriez moins faire, convenez-en, que de céder à ma prière.

BOUBOUROCHE, *le sang à la tête*. — Je vais faire un malheur!

ANDRÉ, *très simple*. — Faites-le.

Les deux hommes se regardent dans les yeux. Lutte intérieure de Boubouroche, qui finit par se dominer.

BOUBOUROCHE, *d'une voix sourde.* — Partez.
ANDRÉ. — J'ai votre parole ?
BOUBOUROCHE, *du même ton.* — Oui.
ANDRÉ. — J'en prends acte.

Long jeu de scène.

André revient à son armoire prendre ce qui lui appartient : ses livres, ses journaux, sa trompe et sa peau de daim.

Une boîte d'allumettes se trouve là. Scrupuleux, il la restitue à sa légitime propriétaire, laquelle le regarde faire sans un mot tandis qu'il dépose la boîte sur la petite table à ouvrage en murmurant : « Les allumettes. » Revenu au meuble, il prend son peigne, dont il se peigne, puis sa brosse dont il se brosse; plante le peigne dans les crins de la brosse, se loge la brosse sous le coude gauche; après quoi, saluant Boubouroche et Adèle avec le plus grand respect :

ANDRÉ. — Madame... Monsieur.

Il sort.

BOUBOUROCHE, *à Adèle.* — Qui est cet homme ?
ADÈLE. — Est-ce que je sais, moi!

SCÈNE IV

BOUBOUROCHE, ADÈLE

BOUBOUROCHE, *étourdi au brusque révélé de tant de fausseté et de perfidie.* — Scélérate!... Tu vas mourir!

Il bondit sur elle; de ses deux mains, il lui emprisonne le cou.

ADÈLE, *terrifiée.* — Ah!

Boubouroche l'a renversée sur la chaise longue, le meurtre va s'accomplir. Mais au moment de serrer les doigts, le pauvre homme manque de courage; il se redresse, il prend ses tempes dans ses mains, finit par éclater en larmes, et, tombé aux genoux de sa maîtresse, il sanglote, la tête dans ses jupes.

BOUBOUROCHE. — Je ne peux pas, mon Dieu!... Je ne peux pas!... Mais quelles fibres me lient donc à toi, que toutes mes énergies d'homme ne puissent suffire à les briser; que ma soif de vengeance désarme devant la peur de te faire du mal et que je ne trouve que des pleurs où je devrais ne trouver que des colères ?... Voyons *(il lui prend les mains)*, pourquoi as-tu fait ça ?... Je sais bien que je ne suis ni bien beau ni bien riche, mais j'avais tant fait, tant fait, pour faire oublier ces petits torts !... Tu étais dans mon cœur comme dans un nid !... J'étais dans tes petites mains un jouet ! Tu avais l'air d'être contente... Alors quoi ? Car je ne comprends plus. Pourquoi ? Parle ! Pourquoi ? Pourquoi ?

ADÈLE, *qui s'est peu à peu rassurée et dont le visage n'exprime plus à cette heure que le plus profond étonnement.* — Ah ! çà ! c'est sérieux ?

BOUBOUROCHE. — Sérieux !

ADÈLE. — C'est qu'en vérité tu me fais peur ! Je me demande si tu deviens fou... Qu'est-ce qui te prend ? Qu'est-ce que je t'ai fait ?

BOUBOUROCHE. — Eh ! ne le savons-nous pas que trop ?.. Tu m'as trompé !

ADÈLE, *hochant de droite à gauche la tête.* — Pas du tout.

BOUBOUROCHE. — Tu ne m'as pas trompé ?

ADÈLE, *simplement.* — Jamais.

BOUBOUROCHE. — Mais cet homme, misérable menteuse ; cet homme ?

ADÈLE. — Je ne puis te répondre.

BOUBOUROCHE. — Pourquoi donc ?

ADÈLE. — Parce que c'est un secret de famille et que je ne puis pas le révéler.

BOUBOUROCHE, *suffoqué.* — Ça, par exemple !...

ADÈLE, *résignée.* — Tu ne me crois pas ? Tu as raison. J'en ferais autant à ta place. — Adieu.

BOUBOUROCHE. — Où vas-tu ?

ADÈLE. — Nulle part. Il faut nous quitter ; voilà tout.

BOUBOUROCHE. — Tu n'espères cependant pas que sur la foi d'une simple assurance...

ADÈLE. — Je ne l'espère pas, en effet, — encore que je pourrais te trouver d'un scepticisme un peu outré à l'égard d'une femme qui a été huit ans la compagne de ton existence et ne croit pas avoir jamais rien fait qui puisse te donner le droit de suspecter sa parole. Ça ne fait rien ; les apparences sont contre moi et je ne saurais t'en vouloir de la faiblesse d'âme qui te pousse à t'en remettre à elles, en aveugle. Si tu ne l'avais, tu ne serais pas homme.

BOUBOUROCHE. — C'est possible, mais, moi, je dis une

chose; c'est que cacher un homme chez soi n'est pas le fait d'une honnête femme.

ADÈLE. — Si je n'étais une honnête femme, je ne ferais pas ce que je suis en train de faire; je ne sacrifierais pas ma vie au respect de la parole donnée, à un secret d'où dépend, seulement, l'honneur d'une autre!!! — Inutile de discuter; nous ne nous entendrons jamais; — ce sont là de ces sentiments féminins que les hommes ne peuvent pas comprendre. Séparons-nous; nous n'avons plus que cela à faire. *(Sa voix se mouille.)* Je ne te demande pas de m'embrasser, mais je voudrais que tu me donnes la main. *(Boubouroche lui donne la main.)* Sois heureux, voilà tout le mal que je te souhaite; pardonne-moi celui que j'ai pu te faire, car je ne l'ai jamais fait exprès.

BOUBOUROCHE, *que commence à gagner l'émotion.* — Oh! je sais bien. Tu n'es ni vicieuse, ni méchante.

ADÈLE, *dont la voix se trempe de plus en plus.* — Nous aurons goûté de grandes joies! Laisse-moi croire que tu n'en perdras pas tout souvenir en franchissant le seuil de cette porte, et que quelquefois, plus tard, quand tout ce qui est le présent sera devenu un lointain passé, tu te rappelleras avec un peu d'attendrissement la vieille amie que tu auras laissée seule et la petite maison que tu auras laissée vide... *(Éclatant en sanglots.)* Ah! elle peut s'en vanter, la vie, quand elle se met à être lâche, elle l'est bien!...

BOUBOUROCHE, *les larmes aux yeux.* — Adèle...

ADÈLE. — Ne pleure pas, je t'en prie. Je n'ai déjà pas trop de courage!... Car enfin, je ne me faisais pas d'illusions et je savais bien que notre liaison ne pouvait pas être éternelle... mais je croyais pouvoir compter encore sur quelques années de bonheur.

BOUBOUROCHE. — Jure de ne plus recommencer, au moins. Je t'ai dit que ma tendresse pour toi pouvait aller jusqu'au pardon.

ADÈLE. — Je sais à quel point tu es bon et je te sais gré de ton indulgence; mais je n'ai pas à accepter le pardon d'une faute que je n'ai pas commise. — Et puis, à quoi bon ? Pour quoi faire ? Tu ne peux plus avoir pour moi qu'une affection sans confiance, et dans ces conditions j'aime mieux y renoncer. Je tiens à ton amour, mais plus encore à ton estime; le ver est dans le fruit, jetons-le.

BOUBOUROCHE. — Je ne peux pas te quitter. C'est plus fort que moi.

ADÈLE. — Il le faut cependant. *(Énergique.)* Allons!... *(Boubouroche pleure.)* Grand bébé!... *(Elle a tiré son mouchoir de sa poche et elle lui essuie les yeux.)*... Voilà, maintenant, qu'il faut que ce soit moi qui le console!... Sois homme!... C'est le deuil éternel de la vie, ça!

BOUBOUROCHE, *qui larmoie.* — Je veux rester.

ADÈLE. — C'est impossible.

BOUBOUROCHE. — Je t'aime trop... Je ne peux pas me passer de toi.

ADÈLE. — Ce sont des choses que l'on dit. — Et si j'étais venue à mourir ?

BOUBOUROCHE, *éclatant en sanglots.* — Oh! alors...

ADÈLE. — Tenons-nous-en là. Les forces me manqueraient, à la fin. Pour la dernière fois, adieu.

BOUBOUROCHE. — Ce n'est pas la peine, je ne m'en irai pas.

ADÈLE. — Tu n'es pas raisonnable.

BOUBOUROCHE. — Je m'en fiche.

ADÈLE, *résignée.* — C'est bien. Reste.

Un temps. Boubouroche, sur sa chaise longue, continue à pleurer, la figure dans le mouchoir. Enfin :

ADÈLE. — Alors, tu me pardonnes ?

Boubouroche, de la tête, dit : « Oui. »

ADÈLE. — Réponds mieux que ça. Tu me pardonnes ?

BOUBOUROCHE, *d'une voix étranglée.* — Oui.

ADÈLE. — Tu me pardonnes de tout ton cœur ?

BOUBOUROCHE. — Je te pardonne de tout mon cœur.

ADÈLE. — Et tu ne reparleras jamais de cette abominable soirée ?

BOUBOUROCHE. — Jamais.

ADÈLE. — Tu me le jures ?

BOUBOUROCHE. — Je te le jure.

ADÈLE. — Bon. — Eh bien! je ne t'ai pas trompé. Tu me croiras peut-être, à présent que je n'ai plus d'intérêt à mentir. *(S'emparant de ses deux mains.)* Regarde-moi dans les yeux. Ai-je l'air, oui ou non, d'une femme qui dit la vérité ?... Ah! le nigaud, qui gâche sa vie pour le seul plaisir de le faire et ne songe pas à se dire : « C'est trop bête! Voilà huit ans que cette maison est la mienne, et que cette femme vit au grand jour! » Franchement, quand as-tu eu à te plaindre de moi ?... N'ai-je pas été pour toi la plus douce des maîtresses ? la plus patiente et... — il faut bien le dire! — ... la plus désintéressée ?

BOUBOUROCHE. — Si.

ADÈLE. — Et un tel passé s'écroulerait ? et des heures vécues en commun, et des caresses échangées, et de tout ce qui fut notre amour, rien ne subsisterait en ta mémoire, parce qu'une fatalité imbécile te fait trouver *(méprisante)* dans un bahut un homme... que tu ne connais même pas ?... — Un doute reste en ton esprit!

BOUBOUROCHE. — Non.

ADÈLE. — Ne dis pas « non », je le sens. Eh bien! je ne veux plus de toi à moi le plus petit équivoque, la moindre arrière-pensée. Je sais de quel prix je puis payer ta tranquillité définitive : c'est cher, mais je suis disposée à tout, même à te livrer, si tu l'exiges, un secret qui n'est pas le mien. Dois-je commettre cette infamie ? Un mot, c'est fait.

BOUBOUROCHE. — Pour qui me prends-tu ? Je suis un honnête homme, les affaires des autres ne me regardent pas.

ADÈLE. — Embrasse-moi. Je pourrais te faire des reproches, mais tu as eu assez de chagrin comme ça. Seulement, conviens que tu as été absurde.

Elle offre sa joue au baiser de la réconciliation. A ce moment :

BOUBOUROCHE, *d'une voix de tonnerre.* — Ah! chameau!

ADÈLE, *terrifiée.* — Moi ?

BOUBOUROCHE, *tendrement ému.* — Mon chat! Comment peux-tu croire ?... Non, je pense à un vieil imbécile auquel, d'ailleurs, je vais aller dire deux mots.

Il se lève, va prendre son chapeau, s'en coiffe et se dirige vers le fond.

ADÈLE, *étonnée.* — Qu'est-ce que tu fais ?

BOUBOUROCHE. — Un compte à régler. Ne t'inquiète pas. Je ne fais qu'aller et revenir.

Il sort, laissant ouverte la porte qui donne accès sur le vestibule, en sorte qu'on le voit ouvrir la porte de l'escalier. A cet instant, passe, regagnant son domicile, le vieux monsieur du premier acte.

BOUBOUROCHE. — Ça tombe bien; j'allais chez vous.

Il dit, l'empoigne à la cravate, et l'amène rudement en scène.

LE MONSIEUR, *ahuri.* — Hein ! Quoi ! Qu'est-ce qu'il y a ?

BOUBOUROCHE. — Et si je vous cassais la figure, maintenant ?... Si je vous la cassais, la figure ?

LE MONSIEUR. — Voulez-vous me lâcher !

BOUBOUROCHE. — Ah ! Adèle est une petite gueuse ! Ah ! Adèle est une petite gueuse ! — Vous êtes un vieux daim et une poire.

Colletage, tumulte, rideau.

LA PEUR DES COUPS

Théatre d'Application, 14 décembre 1894

PERSONNAGES

LUI .... Henri Krauss.
ELLE.. Suzanne Berty.

Une chambre à coucher sans grand luxe. Un lit de milieu, qui s'avance face au public. Près du lit, un petit chiffonnier. A gauche, une cheminée surmontée d'une glace et supportant une lampe qui brûle à ras de bec. Au milieu, un guéridon, avec buvard et écritoire. Chaises et fauteuils. — Il est sept heures du matin, l'aube naissante blêmit mélancoliquement dans les ajours des persiennes closes.

Entrent, par la droite, l'un suivant l'autre :

Elle, enveloppée jusqu'aux chevilles d'une sicilienne lilas doublée en chèvre du Tibet. Nouée avec soin sous son menton, une capuche de Malines emprisonne son jeune visage, confisquant son front et ses cheveux ;

Lui, enfermé dans sa pelisse comme un burgrave dans son serment. Un chapeau à bords plats le coiffe. Il tient une allumette bougie dont le courant d'air de la porte écrase la flamme, puis l'éteint.

LUI. — Flûte !

ELLE. — Ne te gêne pas pour moi. Ça me contrarierait.

LUI, *qui depuis une demi-heure attendait le moment d'éclater.* — Toi, tu vas nous fiche la paix.

Un temps.

ELLE. — Qu'est-ce qu'il y a encore ?

LUI. — Tu m'embêtes.

ELLE. — On t'a vendu des pois qui ne voulaient pas cuire ?

LUI. — C'est bien. En voilà assez. Je te prie de me fiche la paix.

ELLE, *à part.* — Retour de bal. La petite scène obligée de chaque fois. Ah! Dieu!...

Lui, enflamme une allumette, va à la lampe dont il soulève le verre. Puis :

LUI, *à mi-voix.* — Ce n'est pas la peine. Il fait jour.

ELLE, *qui enlève sa mantille et sa pelisse et qui s'étonne de le voir rouler une cigarette.* — Eh bien, tu ne te couches pas ?

LUI. — Non.

ELLE. — Pourquoi ?

Lui. — Si on te le demande, tu diras que tu n'en sais rien.

Elle. — Comme tu voudras. *(A part.)* Prends garde que je commence. Prends bien garde.

Lui va et vient par la pièce, les mains aux reins, ruminant de sombres pensées. Des grondements rôdent dans le silence. Rencontre avec une chaise. Il l'empoigne, vient la planter à l'avant-scène, et l'enfourche, toujours sans un mot. Enfin :

Lui, *qui se décide à mettre le feu aux poudres.* — Eh bien, tu es satisfaite.

Elle. — A propos de quoi ?

Lui. — Dame, tu serais difficile... Tu t'es assez...

Elle. — N'use pas ta salive, je sais ce que tu vas me dire. *(Très simple.)* Je me suis fait peloter.

Lui. — Oui, tu t'es fait peloter!

Elle, *assise près du lit et commençant à se dévêtir.* — Là! — Oh! je connais l'ordre et la marche. Dans un instant je me serai conduite comme une fille, dans deux minutes tu m'appelleras sale bête; dans cinq tu casseras quelque chose. C'est réglé comme un protocole. — Et pendant que j'y pense... *(Elle va à la cheminée, y prend une poterie ébréchée qu'elle dépose sur un guéridon, à portée du bras de Monsieur)*... je te recommande ce petit vase. Tu l'as entamé il y a six semaines en revenant de la soirée de l'Instruction Publique, mais il est encore bon pour faire des castagnettes.

Monsieur, furieux, envoie l'objet à la volée à l'autre extrémité de la pièce.

Elle. — Tu commences par la fin ? Tant mieux! Ça modifiera un peu la monotonie du programme.

Lui, *se levant comme mû par un ressort.* — Ah! assez! Ne m'exaspère pas! *(Un temps.)* T'es-tu assez compromise!...

Elle, *à part.* — Sale bête, vous allez voir.

Lui, *les dents serrées.* — Sale bête!

Elle, *à part.* — Ça y est.

Lui. — Tu t'es conduite...

Elle. — Comme une fille.

Lui. — Parfaitement. Ose un peu dire que ce n'est pas vrai ? Ose-le donc un peu, pour voir ?... Il n'y a pas de danger, parbleu! Tu t'es couverte d'opprobre.

Elle. — Oui.

LUI. — Tu as traîné dans le ridicule le nom honorable que je porte!

ELLE. — Navrante histoire! A ta place, j'en ferais une complainte.

LUI. — Tu t'es compromise de la façon la plus révoltante!

ELLE. — Oui, je te dis!

Elle va se poster devant la cheminée, et là, d'une main qui prend des précautions, elle cueille une large rose épanouie, la met en la nuit de ses cheveux.

LUI. — Et avec un soldat, encore. Car à cette heure tu donnes dans le pantalon rouge. Ah! c'est du joli! c'est du propre! A quand le tour de la livrée ?

ELLE, *debout devant la cheminée, en jupon et en corset.* — Toi, tu as une certaine chance que je t'aie épousé.

LUI. — Pourquoi ?

ELLE. — Parce que si c'était à refaire...

LUI. — Penses-tu que je n'en aie pas autant à ton service ? Je te conseille de parler! Une femme dans ta position... *(Long regard ironique de Madame.)* Oh ! ne joue donc pas sur les mots. — ... se galvauder avec un pousse-cailloux!...

ELLE. — D'abord, c'est un officier...

LUI. — C'est un drôle, voilà ce que c'est!... Et un polisson!... Et un sot!... Et un goujat de la pire espèce!... Son attitude à ton égard a été de la dernière inconvenance. Il t'a fait une cour scandaleuse!

ELLE, *l'ongle aux dents.* — Pas ça!

LUI. — Tu mens!

ELLE. — Charmante éducation.

LUI. — Tu mens!

ELLE, *agacée.* — Et quand je mentirais ? Quand il me l'aurait faite la cour, ce brin de cour autorisé d'homme du monde à honnête femme ? Le grand malheur! La belle affaire!

LUI. — Pardon...

ELLE. — D'ailleurs, quoi ? Je te l'ai présenté. Il fallait te plaindre à lui-même, au lieu de te lancer comme tu l'as fait dans un déploiement ridicule de courbettes et de salamalecs. Et « Mon capitaine » par-ci, et « Mon capitaine » par là, et « Enchanté, mon capitaine, de faire votre connaissance ». Ma parole, c'était écœurant de te voir ainsi faire des grâces et arrondir la bouche en derrière de poule, avec une figure d'assassin. Tu étais vert comme un sous-bois.

Elle passe et revient vers le lit.

LUI. — Je...

ELLE. — Seulement voilà... ce n'est pas la bravoure qui t'étouffe...

LUI. — Je...

ELLE. — Alors tu n'as pas osé...

LUI. — Je...

ELLE. — Comme le soir où nous étions sur l'Esplanade des Invalides à voir tirer le feu d'artifice, et où tu affectais de compter les fusées et de crier : « Sept!... Huit!... Neuf!... Dix!... Onze! » pendant que je te disais tout bas : « Il y a derrière moi un homme qui essaie de passer sa main par la fente de mon jupon. Fais-le donc finir. Il m'ennuie. »

LUI, *jouant dans la perfection la comédie de l'homme qui ne comprend pas.* — Je ne sais pas ce que tu me chantes avec ton histoire d'esplanade; mais pour en revenir à ce monsieur, si je ne lui ai pas dit ma façon de penser, c'est que j'ai cédé à des considérations d'un ordre spécial : l'horreur des scandales publics, le sentiment de ma dignité...

ELLE. — ... la peur bien naturelle des coups, et cætera, et cætera.

LUI, *brûlé comme au fer rouge.* — Tu es plus bête qu'un troupeau d'oies! *(Rires de Madame.)* Ah! et puis ne ris pas comme ça. Je sens que je ferais un malheur!... La peur des coups! La peur des coups!

ELLE. — Bien sûr oui, la peur des coups. Tu n'as pas de sang dans les veines.

LUI. — C'est de moi que tu parles ?

ELLE. — Non. Du frotteur.

LUI. — Par exemple; celle-là est raide! Moi, moi, je n'ai pas de sang dans les veines ? En six mois de temps, j'ai flanqué onze bonnes à la porte, et je n'ai pas de sang dans les veines ? ... D'ailleurs c'est bien simple. Où est l'encre ? *(Il s'installe devant le guéridon, attire à soi un petit buvard de dame et en tire un cahier de papier.)* Je ne voulais pas donner de suite à cette affaire...

ELLE. — Ça, je m'en doute.

LUI. — ... me réservant de dire son fait à ce monsieur le jour où je le rencontrerais. Mais puisque tu le prends comme ça, c'est une autre paire de manches. Je vais vous faire voir à tous les deux, à cet imbécile et à toi, si j'ai du sang dans les veines oui ou non et si je suis un monsieur qui a peur des coups. *(Il écrit.)* « Mon-« sieur, votre attitude à l'égard de ma femme a été celle « du dernier des goujats et du dernier des paltoquets. »

ELLE. — Ne fais donc pas l'intéressant. Tu sais très bien que tu n'as pas son adresse.

LUI, *qui continue à écrire.* — J'ai son nom et le numéro de son régiment. C'est suffisant et au-delà. *(Il paraphe sa lettre d'une arabesque imposante.)* Pas de sang! Pas de sang!... Ah! Ah! c'est du sang, qu'il te faut ? Eh bien, ma fille, tu en auras, et plus que tu ne le penses peut-être. Voilà un petit mot de billet dont je ne suis pas mécontent et qui n'est pas, j'ose le prétendre, dans un étui à lunettes. *(Il ricane.)* Qu'est-ce que tu attends ?

ELLE, *qui est demeurée silencieuse, la main tendue.* — La lettre, pour la faire mettre à la poste. Il est huit heures, la bonne est levée.

LUI, *après avoir clos l'enveloppe.* — Voici. *(Il lui tend la lettre, mais, à l'instant où elle va la prendre, il la retire d'un brusque recul de la main et l'enfouit en la poche de son habit.)* Et puis, au fait, non. Je la mettrai moi-même à la boîte. Je serai plus sûr qu'elle arrivera.

ELLE. — A Pâques.

LUI, *étonné.* — A Pâques ?...

ELLE. — Ou à la Trinité. Le jour où M. Malbrough rentrera dans le château de ses pères.

LUI. — De l'esprit ? Le temps va changer. *(Geste de Madame.)* Il suffit. Tes insinuations en demi-teintes font ce qu'elles peuvent pour être blessantes, heureusement la sottise n'a pas de crocs. Ta perfidie me fait lever le cœur et ta niaiserie me fait lever les épaules; voilà tout le fruit de tes peines. Là-dessus, tu vas me faire le plaisir de te taire, ou alors ça va se gâter. Je veux bien me borner, en principe, à remettre un goujat à sa place par une lettre plus qu'explicite, mais c'est à la condition, à la condition expresse, que la question sera tranchée et que je n'entendrai plus parler de lui. *(Indigné, les bras jetés sur la poitrine.)* Comment! voilà un galapiat, un traîneur de rapière en chambre, qui non seulement manquerait de respect à ma femme, mais viendrait par-dessus le marché mettre la zizanie chez moi ? troubler la paix de mon ménage ? Oh! mais non! Oh! mais n'en crois rien! Donc, tu peux te le tenir pour dit : la moindre allusion à ce monsieur, la moindre! c'est clair, n'est-ce pas ? et ce n'est plus une lettre qu'il recevrait de moi.

ELLE. — Qu'est-ce qu'il recevrait ?

LUI, *très catégorique.* — Mon pied.

ELLE. — Ton pied ?

LUI. — Mon pied en personne, si j'ose m'exprimer ainsi.

ELLE, *pouffant de rire.* — Pfff.

LUI, *qui saute sur son pardessus et l'endosse.* — Veux-tu que j'y aille tout de suite ?

ELLE, *froidement.* — Je t'en défie.

LUI, *son chapeau sur la tête.* — Ne le répète pas.

ELLE. — Je t'en défie.

LUI. — Fais attention.

ELLE. — Je t'en défie !

LUI. — Pour la dernière fois, réfléchis bien à tes paroles. *(Solennel, la main sur son cœur.)* Devant Dieu qui me voit et m'entend, nous nagerons dans la tragédie si je passe le seuil de cette porte.

ELLE, *courant à la porte qu'elle ouvre.* — Le seuil ? Le voilà, le seuil ! Et voici la porte grande ouverte.

LUI. — Aglaé...

ELLE. — Passe-le donc, un peu ! Passe-le donc, le seuil de la porte ! Non, mais passe-le donc, que je voie, et va donc lui donner de ton pied, à ce monsieur.

LUI. — Aglaé...

ELLE. — Mais va donc, voyons ! Qu'est-ce qui te retient ? Qu'est-ce qui t'arrête ? Va donc ! Va donc ! Va donc ! Va donc !

LUI, *jouant la stupéfaction.* — Tu me donnes des ordres, Dieu me pardonne ! « Va donc ! » dit madame, « Va donc ! » *(Retirant son paletot qu'il jette au dossier d'un siège.)* C'est étonnant comme j'obéis ! *(Haussement apitoyé de l'épaule.)* En vérité, tu aurais seulement dix ans de moins, je t'administrerais une fessée pour te rappeler au sentiment des convenances. Qui est-ce qui m'a bâti une morveuse pareille !... une gamine, on lui presserait le nez il en sortirait du lait, qui se permet de donner des ordres et de dire « Va donc » à son mari !

ELLE, *installée près du lit et attaquant son pantalon.* — Le fait est qu'en parlant ainsi j'ai perdu une belle occasion de garder pour moi des paroles inutiles.

LUI. — Et tu en perds une seconde en émettant cette vérité d'une ambiguïté si piquante. Car tu la juges telle, j'imagine.

ELLE. — Trop polie pour te démentir.

LUI. — Oui ? Eh bien, j'ai le regret de t'apprendre que

le jour où l'esprit et toi vous passerez par la même porte, nous n'attraperons pas d'engelures.

ELLE. — Ce qui veut dire qu'il fera singulièrement chaud ?

LUI. — Singulièrement chaud, oui, ma fille. *(Goguenard.)* Tu as cru que c'était arrivé ?

ELLE. — Comment ?

Elle est revenue à la cheminée. En chemise, les pieds nus dans des mules, elle se prépare un verre d'eau sucrée.

LUI. — Tu ne t'es pas aperçue que je me moquais de toi ?

ELLE. — Je l'avoue.

LUI. — Tu ne t'es pas rendu compte que je mystifiais ta candeur ?

ELLE. — Ma foi non.

LUI. — Jour de Dieu! comme dit Mme Pernelle, tu as de la naïveté de reste. Je t'en prie, laisse-moi rire; c'est trop drôle. *(Il se pâme.)* Me voyez-vous ? Non, mais me voyez-vous, tombant à huit heures du matin dans un quartier de cavalerie, le camélia à la boutonnière, et tirant les oreilles à ce monsieur devant un escadron rangé en bataille ?...

ELLE. — Ça ne manquerait pas de chic.

LUI. — Comment donc!...

ELLE. — Qu'est-ce qui t'empêche de le faire ?

LUI. — Rien!... une niaiserie! la moindre des choses!

ELLE, *qui se met au lit.* — Enfin, quoi ?

LUI. — Moins que rien, je te dis. Le sentiment du plus élémentaire devoir : le respect de l'uniforme français. Tu vois que ça ne valait pas la peine d'en parler.

ELLE, *couchée.* — Comprends pas.

LUI. — Bien entendu. Un morveux d'officier m'outrage. Je ne lui casse pas les reins; pourquoi ? Parce que mon patriotisme parlant plus haut que ma violence me crie : « Ne fais pas ça, ce serait mal. Songe à la France qui est ta mère, et n'attente pas, par un châtiment public, au prestige de l'épaulette. » Je m'incline. Tu ne comprends pas. Si tu te figures que ça m'étonne!

ELLE. — Cœur magnanime!

LUI. — Tais-toi donc, vous êtes toutes les mêmes, fermées comme des portes de cachot à tout ce qui est grandeur d'âme, générosité naturelle et noblesse de sentiments. Quelle race!... Oh! tu peux rigoler. Je suis au-dessus de tes appréciations. J'ai ma propre estime, qui me suffit, et toi du moins tu ne te plaindras pas de moi, Patrie : je fais passer tes affaires avant les miennes.

ELLE, *accoudée dans l'oreiller*. — Tu as raté ta vocation. Tu aurais dû te faire cabotin.

LUI. — Blague, pendant que tu en as le temps. Tu ne triompheras pas toujours, car, entre ce monsieur et moi, ce n'est que partie remise.

ELLE. — Ah! aouat!

LUI. — Que je le repince, ce monsieur; qu'il me retombe jamais sous la main... Je lui flanquerai une petite leçon de savoir-vivre qui lui ôtera l'envie d'en recevoir une seconde.

ELLE. — Tu dis des bêtises.

LUI. — Je lui referai une éducation, moi, à ce monsieur.

ELLE. — Mais oui, mais oui.

LUI. — Avec mon pied dans le derrière.

ELLE. — C'est convenu.

LUI. — Tu ne me crois pas ?

ELLE. — Je ne fais que ça.

LUI. — Tu ne fais que ça, seulement tu n'en penses pas un mot. Eh bien! que je dégotte son adresse, j'irai lui dire comment je m'appelle, tu verras si ça fait un pli.

ELLE. — C'est au point que, si on te la donnait, tu irais le gifler de ce pas.

LUI. — De ce pas.

ELLE. — Homme intrépide!... — La veux-tu ?

LUI. — Quoi ?

ELLE. — Son adresse.

LUI. — Tu as l'adresse de ce monsieur ?

ELLE, *qui enfin éclate*. — Oui je l'ai! et puis tu m'assommes! *(Elle saute du lit, s'empare de son carnet de bal, qu'elle a déposé sur le chiffonnier, près du lit, et en feuillette les pages d'une main fiévreuse.)* Et puis, oui, il ne me déplaît pas! et puis, oui, il m'a fait la cour! et puis, oui, il m'a dit de toi que tu avais une bonne tête de...

LUI. — Une bonne tête de quoi ?

ELLE. — Une bonne tête..., une bonne tête..., tu sais parfaitement ce que je veux dire...

LUI. — Pardon!...

ELLE. — Et puis oui, je suis une honnête femme! et puis oui, tu ne seras satisfait que le jour où je serai devenue autre chose! et puis oui, il m'a remis sa carte! et cette carte la voici! et tu sais maintenant où le trouver et tu peux y aller tout de suite, lui casser les reins à ce monsieur!

LUI, *formidable.* — Sa carte! sa carte! Je me fous de sa carte comme de lui-même, ce qui n'est pas peu dire. Tiens, voilà ce que j'en fais, de sa carte : des confetti! — Polisson! Drôle!... qui a le toupet de donner son adresse à une femme mariée...

ELLE, *très sèche.* — Mais...

LUI. — ... et qui se permet de dire de moi que j'ai une bonne tête de!

ELLE, *qui se recouche.* — Si c'est son opinion.

LUI. — Je l'en ferai changer avant qu'il soit l'âge d'un cochon de lait, et pas plus tard qu'à l'instant même. *(Même jeu de scène que précédemment. Il a couru à son pardessus qu'il a enfilé précipitamment. Il se coiffe de son chapeau.)* Qu'est-ce que j'en ai fait de cette carte ?

Il fouille ses poches.

ELLE. — Rue Grange-Batelière, 17.

LUI, *sourd comme un pot.* — Nom d'un chien, je l'ai égarée! ces choses-là n'arrivent qu'à moi.

ELLE. — Rue Grange-Batelière, 17.

LUI, *de plus en plus sourd.* — Il n'y a de la veine que pour la canaille, on a bien raison de le dire.

ELLE. — Rue Grange-Batelière, 17.

LUI. — Quoi, rue Grange-Batelière ? Quoi, rue Grange-Batelière ? Est-ce que tu vas me raser longtemps avec ta rue Grange-Batelière ? *(Enlevant violemment son pardessus et son chapeau.)* D'abord qu'est-ce que c'est que ces façons d'élever la voix lorsque je parle et de causer en même temps que moi ?

ELLE. — Ce monsieur...

LUI, *qui bondit vers le lit.* — Ah! je t'y pince! *(Stupéfaction de Madame.)* Tu voudrais détourner la question, fine mouche.

ELLE. — Moi ?

LUI. — Je te prends la main dans le sac, flagrant délit d'impertinence; alors toi, tout de suite : « Ce monsieur ». Tu es rouée comme une potence; seulement voilà, ça ne prend pas avec moi, ces malices cousues de corde à puits.

ELLE, *au comble de l'énervement.* — Oh! Oh! Oh!

LUI. — Pas une minute! Fais-toi bien à cette idée-là. D'ailleurs, tout ça, je sais de qui ça vient.

ELLE. — Ça vient de quelqu'un ?

LUI. — Ça vient de ta mère.

ELLE, *abasourdie.* — Ça c'est un comble, par exemple!... Qu'est-ce que maman a à voir là-dedans ?

LUI. — Elle a à voir que si jamais elle remet les pieds ici, je la prends par le bras et je la flanque à la porte.

ELLE, *qui fond en larmes.* — Hi! hi! hi!

LUI. — Absolument. Et quant à toi, je te défends de retourner chez elle, ou c'est à moi que tu auras affaire.

Crise de sanglots de Madame qui s'effondre dans son oreiller.

LUI, *allant et venant par la chambre.* — C'est comme la bonne. En voilà une qui ne moisira pas ici. Je vas lui octroyer ses huit jours, le temps de compter jusqu'à cinq. Ah! et puis y a le chat que j'oubliais! une saloperie qui passe sa vie à aller faire ses ordures dans le porte-parapluies de l'antichambre. Il aura de mes nouvelles, le chat : je vas le foutre par la fenêtre et nous verrons un peu s'il retombera sur ses pattes! *(Se jetant les bras sur la poitrine.)* Non, mais enfin je vous le demande; qu'est-ce que c'est qu'un monde pareil! Tout ceci va changer. La mère, la fille, la bonne, le chat, je vais vous faire valser tous les quatre, ah là! là! Ah! je suis un monsieur qui a peur des coups! Ah! je suis un monsieur qui a peur des coups!...

Grêle de coups de canne en travers du guéridon. Hurlements désolés de Madame.

MONSIEUR BADIN

GRAND-GUIGNOL, 13 AVRIL 1897.

PERSONNAGES

	MM.
MONSIEUR BADIN	ALBERT MAYER.
OVIDE	ROBERT LAGRANGE.
LE DIRECTEUR	JOVENET.

Le cabinet du directeur. Celui-ci, installé à sa table de travail, donne des signatures qu'il éponge aussitôt. — Brusquement, il s'interrompt, allonge la main vers un cordon de sonnette. — Sonnerie à la cantonade. — La porte s'ouvre. Le garçon de bureau apparaît.

LE DIRECTEUR. — C'est vous, Ovide ?
OVIDE. — Oui, monsieur le Directeur.
LE DIRECTEUR. — Est-ce que M. Badin est venu ?
OVIDE. — Oui, monsieur le Directeur.
LE DIRECTEUR, *stupéfait.* — M. Badin est là ?
OVIDE. — Parfaitement.
LE DIRECTEUR. — Réfléchissez à ce que vous dites. Je vous demande si monsieur Badin, l'expéditionnaire du troisième bureau, est à son poste, oui ou non.
OVIDE. — Monsieur le Directeur, il y est!
LE DIRECTEUR, *soupçonneux.* — Ovide, vous avez bu.
OVIDE, *désespéré.* — Moi!...
LE DIRECTEUR. — Allons! avouez la vérité; je ne vous dirai rien pour cette fois.
OVIDE, *des larmes dans la voix.* — Monsieur le Directeur, je vous jure!... J'ai bu qu'un verre de coco.
LE DIRECTEUR, *à lui-même.* — La présence de monsieur Badin au ministère constitue un tel phénomène, une telle anomalie!... Enfin, nous allons bien voir. Allez me chercher monsieur Badin.
OVIDE. — Bien, monsieur le Directeur.

Il sort. Le directeur s'est remis à la besogne. Long silence. Enfin, à la porte trois petits coups.

LE DIRECTEUR. — Entrez!

Apparition de M. Badin.

MONSIEUR BADIN, *saluant jusqu'à terre.* — Monsieur le Directeur...
LE DIRECTEUR, *toujours plongé dans ses signatures.* —

Bonjour, monsieur Badin. Entrez donc, monsieur Badin, et prenez un siège, je vous prie.

MONSIEUR BADIN. — Je suis confus...

LE DIRECTEUR. — Du tout, du tout. — Dites-moi, monsieur Badin, voilà près de quinze jours que vous n'avez mis le pied à l'Administration.

MONSIEUR BADIN, *humble*. — Ne m'en parlez pas!...

LE DIRECTEUR. — Permettez! C'est justement pour vous en parler que je vous ai fait prier de passer à mon cabinet. — Voilà, dis-je, près de quinze jours que vous n'avez mis le pied à l'Administration. Tenu au courant de votre absence par votre chef de bureau, et inquiet pour votre santé, j'ai envoyé six fois le médecin du ministère prendre chez vous de vos nouvelles. On lui a répondu six fois que vous étiez à la brasserie.

MONSIEUR BADIN. — Monsieur, on lui a menti. Mon concierge est un imposteur que je ferai mettre à la porte par le propriétaire.

LE DIRECTEUR. — Fort bien, monsieur Badin, fort bien : ne vous excitez pas ainsi.

MONSIEUR BADIN. — Monsieur, je vais vous expliquer. J'ai été retenu chez moi par des affaires de famille. J'ai perdu mon beau-frère...

LE DIRECTEUR. — Encore!

MONSIEUR BADIN. — Monsieur...

LE DIRECTEUR. — Ah çà! monsieur Badin, est-ce que vous vous fichez de moi?

MONSIEUR BADIN. — Oh!...

LE DIRECTEUR. — A cette heure, vous avez perdu votre beau-frère, comme déjà, il y a trois semaines, vous aviez perdu votre tante, comme vous aviez perdu votre oncle le mois dernier, votre père à la Trinité, votre mère à Pâques! Sans préjudice, naturellement, de tous les cousins, cousines, et autres parents éloignés que vous n'avez cessé de mettre en terre à raison d'un au moins la semaine. Quel massacre! non, mais quel massacre! A-t-on idée d'une boucherie pareille!... Et je ne parle ici, notez bien, ni de la petite sœur qui se marie deux fois l'an, ni de la grande qui accouche tous les trois mois. Eh bien, monsieur, en voilà assez. Que vous vous moquiez du monde, soit! mais il y a des limites à tout, et si vous supposez que l'Administration vous donne deux mille quatre cents francs pour que vous passiez votre vie à marier les uns, à enterrer les autres, ou à tenir sur les fonts baptismaux, vous vous mettez le doigt dans l'œil!

MONSIEUR BADIN. — Monsieur le Directeur...

LE DIRECTEUR. — Taisez-vous! Vous parlerez quand j'aurai fini! — Vous êtes ici trois employés attachés à l'expédition : vous, M. Soupe et M. Fairbatu. M. Soupe en est aujourd'hui à sa trente-septième année de service et il n'y a plus à attendre de lui que les preuves de sa vaine bonne volonté. Quant à M. Fairbatu, c'est bien simple : il place des huiles en province!... Alors quoi? Car voilà pourtant où nous en sommes, il est inouï de penser que, sur trois expéditionnaires, l'un soit gâteux, le second voyageur de commerce et le troisième à l'enterrement depuis le jour de l'An jusqu'à la Saint-Sylvestre!... Et naïvement vous vous êtes fait à l'idée que les choses pouvaient continuer de ce train ?... Non, monsieur Badin; cent fois non! J'en suis las, moi, des enterrements, et des mariages, et des baptêmes!... Désormais, c'est de deux choses l'une : la présence ou la démission! Choisissez! Si c'est la démission, je l'accepte! Je l'accepte à l'instant même. Est-ce clair ? Si c'est le contraire, vous me ferez le plaisir d'être ici chaque jour sur le coup de dix heures, et ceci à partir de demain. Est-ce clair ? J'ajoute que le jour où la fatalité, cette fatalité odieuse qui vous poursuit, semble se faire un jeu de vous persécuter, viendra vous frapper de nouveau dans vos affections de famille, je vous balancerai, moi! Est-ce clair ?

MONSIEUR BADIN. — Ah! vous me faites bien de la peine, monsieur le Directeur! A la façon dont vous me parlez, je vois bien que vous n'êtes pas content.

LE DIRECTEUR. — Allons donc! Mais vous vous trompez; je suis fort satisfait au contraire!

MONSIEUR BADIN. — Vous raillez.

LE DIRECTEUR. — Moi!... monsieur Badin ?... que j'eusse une âme si traîtresse!... qu'un si lâche dessein...

MONSIEUR BADIN. — Si, monsieur; vous raillez. Vous êtes comme tous ces imbéciles qui trouvent plaisant de me taper sur le ventre et de m'appeler employé pour rire. Pour rire!... Dieu vous garde, monsieur, de vivre jamais un quart d'heure de ma vie d'employé pour rire!

LE DIRECTEUR, *étonné*. — Pourquoi cela!

MONSIEUR BADIN. — Écoutez, monsieur. Avez-vous jamais réfléchi au sort du pauvre fonctionnaire qui, systématiquement, opiniâtrement, ne veut pas aller au bureau, et que la peur d'être mis à la porte hante, poursuit, torture, martyrise, d'un bout de la journée à l'autre ?

LE DIRECTEUR. — Ma foi non.

MONSIEUR BADIN. — Eh bien, monsieur, c'est une chose épouvantable, et c'est là ma vie, cependant. Tous les matins, je me raisonne, je me dis : « Va au bureau, Badin; voilà plus de huit jours que tu n'y es allé! » Je m'habille, alors, et je pars; je me dirige vers le bureau. Mais ouitche! j'entre à la brasserie; je prends un bock..., deux bocks..., trois bocks! Je regarde marcher l'horloge, pensant : « Quand elle marquera l'heure, je me rendrai à mon ministère. » Malheureusement, quand elle a marqué l'heure, j'attends qu'elle marque le quart; quand elle a marqué le quart, j'attends qu'elle marque la demie...

LE DIRECTEUR. — Quand elle a marqué la demie, vous vous donnez le quart d'heure de grâce...

MONSIEUR BADIN. — Parfaitement! Après quoi je me dis : « Il est trop tard. J'aurais l'air de me moquer du monde. Ce sera pour une autre fois! » Quelle existence! Quelle existence! Moi qui avais un si bon estomac, un si bon sommeil, une si belle gaieté, je ne prends plus plaisir à rien, tout ce que je mange me semble amer comme du fiel! Si je sors, je longe les murs comme un voleur, l'œil aux aguets, avec la peur incessante de rencontrer un de mes chefs! Si je rentre, c'est avec l'idée que je vais trouver chez le concierge mon arrêté de révocation! Je vis sous la crainte du renvoi comme un patient sous le couperet!... Ah! Dieu!...

LE DIRECTEUR. — Une question, monsieur Badin. Est-ce que vous parlez sérieusement ?

MONSIEUR BADIN. — J'ai bien le cœur à la plaisanterie!... Mais réfléchissez donc, monsieur le Directeur. Les trois mille francs qu'on me donne ici, je n'ai que cela pour vivre, moi! que deviendrai-je, le jour, inévitable, hélas! où on ne me les donnera plus ? Car, enfin, je ne me fais aucune illusion : j'ai trente-cinq ans, âge terrible où le malheureux qui a laissé échapper son pain doit renoncer à l'espoir de le retrouver jamais!... Oui, ah! ce n'est pas gai, tout cela! Aussi, je me fais un sang! — Monsieur, j'ai maigri de vingt livres, depuis *que je ne suis jamais* au ministère! *(Il relève son pantalon.)* Regardez plutôt mes mollets, si on ne dirait pas des bougies. Et si vous pouviez voir mes reins! des vrais reins de chat écorché; c'est lamentable. Tenez, monsieur (nous sommes entre hommes, nous pouvons bien nous dire cela), ce matin, j'ai eu la curiosité de regarder mon derrière dans la glace. Eh bien! j'en suis encore malade, rien que d'y penser. Quel spectacle! Un pauvre petit derrière de rien du tout, gros à peine comme les deux poings!... Je n'ai plus de fesses, elles ont fondu! Le chagrin, naturellement; les angoisses continuelles, les affres!... Avec ça, je tousse la nuit, j'ai des transpirations; je me lève des cinq et six fois pour aller boire au pot à eau!... *(Hochant la tête.)* Ah! ça finira mal, tout cela; ça me jouera un mauvais tour.

LE DIRECTEUR, *ému.* — Eh bien! mais, venez au bureau, monsieur Badin.

MONSIEUR BADIN. — Impossible, monsieur le Directeur.

LE DIRECTEUR. — Pourquoi ?

MONSIEUR BADIN. — Je ne peux pas... Ça m'embête.

LE DIRECTEUR. — Si tous vos collègues tenaient ce langage...

MONSIEUR BADIN, *un peu sec.* — Je vous ferai remarquer, monsieur le Directeur, avec tout le respect que je vous dois, qu'il n'y a pas de comparaison à établir entre moi et mes collègues. Mes collègues ne donnent au bureau que leur zèle, leur activité, leur intelligence et leur temps : moi, c'est ma vie que je lui sacrifie! *(Désespéré.)* Ah! tenez, monsieur, ce n'est plus tenable!

LE DIRECTEUR, *se levant.* — C'est assez mon avis.

MONSIEUR BADIN, *se levant également.* — N'est-ce pas ?

LE DIRECTEUR. — Absolument. Remettez-moi votre démission; je la transmettrai au ministre.

MONSIEUR BADIN, *étonné.* — Ma démission ? Mais, monsieur, je ne songe pas à démissionner! je demande seulement une augmentation.

LE DIRECTEUR. — Comment, une augmentation!

MONSIEUR BADIN, *sur le seuil de la porte.* — Dame, monsieur, il faut être juste. Je ne peux pourtant pas me tuer pour deux cents francs par mois.

LES BOULINGRIN

GRAND-GUIGNOL, 7 FÉVRIER 1898.

PERSONNAGES

	MM.
DES RILLETTES	ROBERT LAGRANGE.
BOULINGRIN	SCHŒLLER.
	Mmes
MADAME BOULINGRIN	ELLEN ANDRÉE.
FÉLICIE	BERTHE LE BREC.

Le théâtre représente un salon.

SCÈNE PREMIÈRE

DES RILLETTES, FÉLICIE

DES RILLETTES, *que vient d'introduire Félicie.* — Ces Boulingrin que j'ai rencontrés l'autre jour à la table des Duclou et qui m'ont invité à venir de temps en temps prendre une tasse de thé chez eux, me paraissent de charmantes gens et je crois que je goûterai en leur compagnie infiniment de satisfaction.

FÉLICIE. — Si monsieur veut bien prendre la peine de s'asseoir ?... Je vais aller avertir mes maîtres.

DES RILLETTES. — Je vous remercie. — Ah !

FÉLICIE. — Monsieur ?

DES RILLETTES. — Comment vous appelez-vous, ma belle ?

FÉLICIE. — Je m'appelle Félicie, et vous ?... Oh ! ce n'est pas par indiscrétion, c'est pour savoir qui je dois annoncer.

DES RILLETTES. — Trop juste. Des Rillettes.

FÉLICIE, *égayée.* — Des Rillettes ?

DES RILLETTES. — Des Rillettes.

FÉLICIE. — Ma foi, j'ai connu pire que ça. Ainsi tenez, dans mon pays, à Saint-Casimir près Amboise, nous avions un voisin qui s'appelait Piédevache.

DES RILLETTES. — Oui ? Eh bien, allez donc informer de ma visite Mme et M. Boulingrin.

FÉLICIE. — J'y vais.

Fausse sortie.

DES RILLETTES. — Au fait, non. Un moment. Approchez un peu, que je vous parle. *(Lui prenant le menton.)* Vous n'êtes pas qu'une jolie fille, vous.

Félicie, *modeste*. — Peuh...
Des Rillettes. — Vous êtes aussi une fine mouche.
Félicie. — Peuh...
Des Rillettes. — De mon côté, j'ose prétendre que je ne suis pas un imbécile.
Félicie. — Peuh... Pardon, je pensais à autre chose.
Des Rillettes. — Je crois que nous pourrons nous entendre. Il y a longtemps que vous servez ici ?
Félicie. — Bientôt deux ans.
Des Rillettes. — A merveille ! Vous êtes la femme qu'il me faut.
Félicie. — Vous voulez m'épouser ?
Des Rillettes. — Ne faites pas la bête, ce n'est pas de cela qu'il s'agit.
Félicie. — On peut se tromper. Excusez.
Des Rillettes. — Félicie, écoutez-moi bien, et surtout répondez franchement. Si vous mentez, mon petit doigt me le dira. En revanche, si vous êtes sincère, je vous donnerai quarante sous.
Félicie. — C'est trop.
Des Rillettes. — Cela ne fait rien ; je vous les donnerai tout de même.
Félicie. — En ce cas, allez-y. Questionnez.
Des Rillettes. — Entre nous, Mme et M. Boulingrin sont de fort aimables personnes ?
Félicie. — Je vous crois.
Des Rillettes. — Je l'aurais parié ! Gens simples, n'est-ce pas ?
Félicie. — Tout ce qu'il y a de plus.
Des Rillettes. — Un peu popote ?
Félicie. — Un peu beaucoup.
Des Rillettes. — Très bien ! Ménage très uni, au surplus ?
Félicie. — Uni ? Uni ? Mais c'est au point que j'en suis quelquefois gênée ! Jamais une discussion, toujours du même avis ! Deux tourtereaux, monsieur ! deux ramiers !
Des Rillettes. — Allons, je constate que mon flair aura fait des siennes une fois de plus. Je vais être ici comme dans un bain de sirop de sucre. Voilà vos deux francs, mon petit chat.
Félicie. — Ça ne vous gêne pas ?
Des Rillettes. — Non.
Félicie. — Alors... merci, monsieur.
Des Rillettes, *très grand seigneur*. — Laissez donc !...

Jamais je n'ai moins regretté mon argent. Salut! demeure calme et tranquille, asile de paix où je me propose de venir trois fois par semaine passer la soirée cet hiver, les pieds chauffés à des brasiers qui ne me coûteront que la fatigue de leur présenter mes semelles, et abreuvé de tasses de thé qui ne me coûteront que la peine de les boire. Oh! agréable perspective! rêve longtemps caressé! vision cent fois douce à l'âme du pauvre pique-assiette qui, sentant la vieillesse prochaine et pensant avec Racan que l'instant est venu de faire la retraite, ne demande pas mieux que de la faire, à l'œil, sous le toit hospitalier d'autrui.

Cependant, depuis un instant, Félicie agacée mime le coup de rasoir, la joue caressée du revers de la main et le bout du nez pincé entre l'index et le pouce.

DES RILLETTES, *se tournant vers elle qui interrompt brusquement sa mimique.* — C'est que, voyez-vous, mon enfant, plus on avance dans la vie, plus on en voit l'inanité. Qu'est la volupté ? Un vain mot! Qu'est le plaisir ? Une apparence! Vous me direz que pour un vieux célibataire, la vie de café a bien ses charmes. C'est vrai, mais que d'inconvénients! A la longue, ça devient monotone, onéreux, et puis il arrive un âge où...

FÉLICIE. — Oh!

DES RILLETTES. — Qu'est-ce qu'il y a ?

FÉLICIE. — J'ai oublié de refermer le robinet de la fontaine.

DES RILLETTES. — Petite bête! Ça doit être du propre.

FÉLICIE. — Je me sauve. Je vous annoncerai en même temps.

Elle sort.

SCÈNE II

DES RILLETTES, *seul.*

Pas de cervelle, mais de l'esprit. Cette enfant ne me déplaît pas. L'appartement non plus, d'ailleurs. Ameublement bourgeois mais confortable, bourrelets aux fenêtres et sous les portes... La cheminée *(il s'accroupit devant l'âtre)* ronfle comme un sonneur et tire comme un maître d'armes. *(Se laissant tomber dans un fauteuil.)* Non, mais voyez donc ce ressort!... Des Rillettes, mon petit lapin, tu me parais avoir trouvé tes invalides, et tu seras ici, je te le répète, ni plus ni moins que dans un bain de sirop de sucre. Je te fais bien mes compliments. Du bruit! Ce sont probablement M. et Mme Boulingrin.

SCÈNE III

DES RILLETTES, LES BOULINGRIN

DES RILLETTES. — Madame et monsieur Boulingrin, je suis bien votre serviteur.

BOULINGRIN. — Eh! bonjour, monsieur des Rillettes.

MADAME BOULINGRIN. — C'est fort aimable à vous d'être venu nous voir.

BOULINGRIN. — Vous tombez à propos.

DES RILLETTES. — Bah!

MADAME BOULINGRIN. — Comme marée en carême.

DES RILLETTES. — J'en suis bien aise.

MADAME BOULINGRIN. — Dites-moi, monsieur des Rillettes...

DES RILLETTES. — Madame ?...

BOULINGRIN, *le tirant par le bras gauche.* — Pardon! moi d'abord.

MADAME BOULINGRIN, *le tirant par le bras droit.* — Non. Moi!

BOULINGRIN. — Non!

MADAME BOULINGRIN. — N'écoutez pas, monsieur des Rillettes. Mon mari ne dit que des bêtises.

BOULINGRIN. — Que des bêtises!...

MADAME BOULINGRIN. — Oui, que des bêtises.

BOULINGRIN. — Tu vas voir un peu, tout à l'heure, si je ne vais pas aller t'apprendre la politesse avec une bonne paire de claques. Espèce de grue!

MADAME BOULINGRIN. — Voyou!

BOULINGRIN. — Comment as-tu dit cela ?

MADAME BOULINGRIN. — J'ai dit : « Voyou. »

BOULINGRIN. — Tonnerre!... Et puis tu embêtes monsieur. Veux-tu bien le lâcher tout de suite!

MADAME BOULINGRIN. — Lâche-le toi-même.

BOULINGRIN. — Non. Toi!

MADAME BOULINGRIN. — Non!

DES RILLETTES, *écartelé.* — Oh!

MADAME BOULINGRIN. — Tu entends. Tu le fais crier.

DES RILLETTES. — Excusez-moi, madame et monsieur Boulingrin, mais je vois que vous êtes en affaires et je craindrais d'être importun.

BOULINGRIN. — Nullement.

MADAME BOULINGRIN. — Point du tout.

BOULINGRIN. — Au contraire.

DES RILLETTES. — Cependant...

BOULINGRIN. — Au contraire, vous dis-je. *(Lui avançant une chaise.)* Tenez!

MADAME BOULINGRIN, *même jeu.* — C'est cela. Prenez un siège.

DES RILLETTES. — Merci.

BOULINGRIN. — Non. Pas celui-ci; celui-là!

DES RILLETTES. — Mille grâces.

MADAME BOULINGRIN. — Non. Pas celui-là; celui-ci.

BOULINGRIN. — Non.

MADAME BOULINGRIN. — Si.

BOULINGRIN. — Non.

MADAME BOULINGRIN. — Si.

BOULINGRIN. — Est-ce que ça va durer longtemps? Vas-tu ficher la paix à M. des Rillettes?

DES RILLETTES. — En vérité, je suis désolé.

MADAME BOULINGRIN. — Pourquoi donc?

BOULINGRIN. — Il n'y a pas de quoi.

MADAME BOULINGRIN et BOULINGRIN, *ensemble.* — Asseyez-vous.

MADAME BOULINGRIN, *qui a réussi à amener une chaise sous les fesses de des Rillettes.* — Là!

BOULINGRIN, *qui se précipite.* — Pas sur celle-là, je vous dis!

Il enlève, d'un tour de main, la chaise avancée par sa femme, en sorte que des Rillettes, qui allait justement s'y asseoir, tombe, le derrière sur le plancher.

MADAME BOULINGRIN, *triomphante.* — Tu vois! *(Pendant tout le couplet qui suit, madame Boulingrin, calme et exaspérante, s'obstine à répéter :)* Imbécile! Imbécile!

Tandis que :

BOULINGRIN, *légitimement indigné.* — Eh! c'est de ta faute, aussi! Pourquoi as-tu voulu le forcer à s'asseoir sur une chaise qui le répugnait? Tu serais bien avancée, n'est-ce pas, s'il s'était cassé la figure?... Imbécile?... Imbécile toi-même! Quel monstre de femme, mon Dieu!

Pourquoi faut-il que j'aie trouvé ça sur mon chemin ? *(A des Rillettes.)* Vous ne vous êtes pas blessé, j'espère ?

DES RILLETTES, *qui se frotte mélancoliquement le fond de culotte.* — Oh! si peu que ce n'est pas la peine d'en parler.

BOULINGRIN. — Vous m'en voyez ravi. Approchez-vous du feu.

DES RILLETTES, *à part.* — Je suis fâché d'être venu.

MADAME BOULINGRIN, *empressée.* — Prenez ce coussin sous vos pieds.

DES RILLETTES. — Merci beaucoup.

BOULINGRIN, *que la civilité de sa femme commence à agacer, et qui fourre un second coussin sous le premier.* — Prenez également celui-ci.

DES RILLETTES. — Bien obligé.

MADAME BOULINGRIN, *qui ne saurait, sans déchoir, accepter de son mari une leçon de courtoisie.* — Et celui-là.

Elle glisse un troisième coussin sous les deux autres.

DES RILLETTES. — En vérité...

BOULINGRIN, *armé d'un quatrième coussin.* — Cet autre encore.

DES RILLETTES. — Non.

MADAME BOULINGRIN. — Ce petit tabouret.

DES RILLETTES, *les genoux à la hauteur de l'œil.* — De grâce.

BOULINGRIN. — Eh! laisse-nous tranquilles avec ton tabouret!

Exaspéré, il envoie un coup de pied dans la pile de coussins échafaudée sous les semelles de des Rillettes. Les coussins s'écroulent, entraînant naturellement, dans leur chute, la chaise de des Rillettes, et des Rillettes avec.

Tu assommes M. des Rillettes.

DES RILLETTES, *les quatre fers en l'air.* — Quelle idée!

MADAME BOULINGRIN. — C'est toi qui le rases.

BOULINGRIN, *avec autorité.* — Allons, tais-toi!

MADAME BOULINGRIN. — Je me tairai si je veux.

BOULINGRIN. — Si tu veux ?

MADAME BOULINGRIN. — Oui, si je veux.

BOULINGRIN. — ...de Dieu!

MADAME BOULINGRIN. — Et je ne veux pas, précisément.

BOULINGRIN. — C'est trop fort!... Coquine!

MADAME BOULINGRIN. — Cocu!

BOULINGRIN. — Gaupe!

MADAME BOULINGRIN. — Gouape!

BOULINGRIN. — Quelle existence!

MADAME BOULINGRIN. — Je te conseille de te plaindre. *(A des Rillettes.)* Un fainéant doublé d'un escroc, qui ne fait œuvre de ses dix doigts et se saoule avec l'argent de ma dot : les économies de mon vieux père!

BOULINGRIN, *au comble de la joie.* — Ton père!... *(A des Rillettes.)* Dix ans de travaux forcés pour faux en écritures de commerce.

MADAME BOULINGRIN. — En tout cas, on ne l'a pas fourré à Saint-Lazare pour excitation de mineure à la débauche, comme la mère d'un imbécile que je connais.

BOULINGRIN, *à des Rillettes.* — Vous l'entendez ?

DES RILLETTES. — Ne trouvez-vous pas que le temps s'est étrangement rafraîchi depuis une quinzaine de jours ?

BOULINGRIN, *à sa femme.* — Ne me force pas à révéler en l'infection de quel cloaque je t'ai pêchée de mes propres mains.

MADAME BOULINGRIN. — Pêchée!... Tu ne manques pas d'audace et je serais curieuse de savoir lequel de nous a pêché l'autre!

BOULINGRIN. — Ernestine!

MADAME BOULINGRIN, *formidable.* — Silence, ou je dis tout!!!

BOULINGRIN, *trépignant.* — Ah!... Ah!... Ah!...

DES RILLETTES, *avide de concilier.* — Du calme!... Madame a raison.

BOULINGRIN, *qui bondit.* — Raison ?

DES RILLETTES, *doux et souriant.* — Oui.

BOULINGRIN. — Raison!

DES RILLETTES. — Mais...

BOULINGRIN. — Raison!... Ah çà! monsieur des Rillettes, vous voulez donc que je vous extermine ?

DES RILLETTES. — En aucune façon, monsieur. Je vous prie même de n'en rien faire.

BOULINGRIN. — Certes, je puis le dire à voix haute : au cours de ma longue carrière, j'ai entendu bien des crétins proférer des extravagances. Ça ne fait rien, je veux que mon visage se couvre de pommes de terre si j'ai jamais, au grand jamais, ouï la pareille insanité!

DES RILLETTES. — Ah! mais pardon!

BOULINGRIN. — Raison!

DES RILLETTES. — Voulez-vous me permettre ?
BOULINGRIN. — Raison!
DES RILLETTES. — Écoutez-moi.
BOULINGRIN, *hors de lui*. — Une trique! Qu'on m'apporte une trique! Je veux casser les reins à M. des Rillettes, car la patience a des limites et, à la fin, ceci passe la permission. Comment! Voilà une bougresse, fille de voleurs, voleuse elle-même, qui me fait tourner en bourrique, m'écorche, me larde, me fait cuire à petit feu, et c'est elle qui a raison!... une gueuse qui me suce le sang, me ronge le cerveau, le poumon, les reins, les pieds, le foie, la rate, l'œsophage, le pancréas, le péritoine et l'intestin, et c'est elle qui a raison!
DES RILLETTES. — Voyons...
MADAME BOULINGRIN. — Ne faites pas attention, il est fou.
BOULINGRIN. — Raison!... Vous dites qu'elle a raison parce que vous parlez sans savoir, comme une vieille bête que vous êtes.
DES RILLETTES, *assez sec*. — Trop aimable.
BOULINGRIN. — ...Mais si vous étiez à ma place, vous changeriez d'opinion. Oui, ah! je voudrais bien vous y voir! Vous en feriez une, de bouillotte, si on vous mettait à la broche avec une gousse d'ail dans le derrière, et qu'on vous foute ensuite à roter devant le feu, depuis le premier janvier jusqu'à la Saint-Sylvestre.
DES RILLETTES. — Comment! à roter devant le feu!...
BOULINGRIN, *se reprenant*. — A rôtir... Je ne sais plus ce que je dis.
MADAME BOULINGRIN. — Il est fou à lier.
BOULINGRIN. — Fou à lier?... Gueuse! Scélérate! Plaie de ma vie! *(Saisissant des Rillettes par un bouton de sa redingote et le secouant comme un prunier.)* Mais monsieur, jusqu'à mon manger!... où elle fourre de la mort aux rats, histoire de me ficher la colique!

Le bouton saute.

MADAME BOULINGRIN. — Quel toupet! *(Saisissant des Rillettes par un second bouton, qui saute comme le premier.)* C'est lui, au contraire, qui met des bouchons dans le vin, afin de le rendre imbuvable!
BOULINGRIN. — Menteuse!
MADAME BOULINGRIN. — Je mens ? C'est bien simple.

Elle sort.

SCÈNE IV

BOULINGRIN, DES RILLETTES

BOULINGRIN. — C'est ça! File, que je ne te revoie plus!... que je n'entende plus parler de toi!

DES RILLETTES, *à part.* — Qu'est-ce que c'est que ces gens-là ?... Qu'est-ce que c'est que ces gens-là ? Fuyons avec célérité.

BOULINGRIN, *s'approchant de lui.* — Monsieur des Rillettes ?

DES RILLETTES. — Monsieur ?

BOULINGRIN. — J'ai des excuses à vous faire. Je crains de m'être laissé aller à un fâcheux emportement et de ne pas vous avoir traité avec les égards voulus.

DES RILLETTES, *jouant la surprise.* — Quand cela ? Où ?

BOULINGRIN. — Tout à l'heure. Ici.

DES RILLETTES. — Je ne sais ce que vous voulez dire. Vous avez été, au contraire, d'une correction irréprochable, et je suis touché au plus haut point de votre excellent accueil. *(Boulingrin, souriant et confus, lui serre chaleureusement la main.)* Adieu.

BOULINGRIN. — Quoi! déjà!

DES RILLETTES. — Hélas, oui. Je suis appelé au-dehors par une affaire des plus pressantes, et je dois prendre congé de vous.

BOULINGRIN. — Vous plaisantez.

DES RILLETTES. — Du tout.

BOULINGRIN. — Allons, vous allez accepter un rafraîchissement.

DES RILLETTES. — N'en croyez rien.

BOULINGRIN. — Si fait, si fait, nous ne nous quitterons pas sans avoir bu un coup et choqué le verre à notre bonne amitié. *(Geste de des Rillettes.)* N'insistez pas, vous me blesseriez. *(Il sonne.)* Je croirais que vous avez de la rancune contre moi. *(A la bonne qui apparaît.)* Allez me chercher une bouteille de champagne.

FÉLICIE. — Bien, m'sieu.

Elle sort.

DES RILLETTES, *consentant à capituler.* — Enfin!...

BOULINGRIN, *ravi.* — Ah!

DES RILLETTES. — J'accepte votre invitation pour ne pas vous désobliger, mais j'entends ne plus être mêlé à vos dissensions intestines. Elles sont sans intérêt pour moi et me mettent dans des positions fausses, — sans parler des boutons de mon habit qui y restent, et de mes fesses, qui s'en ressentent.

BOULINGRIN. — Marché conclu.

DES RILLETTES, *la main tendue*. — Tope ?

BOULINGRIN, *tapant*. — Tope!

DES RILLETTES. — En ce cas, asseyons-nous.

Ils prennent chacun une chaise, s'installant l'un près de l'autre, et, souriants, se contemplent un instant en silence. A la fin :

BOULINGRIN, *avec enjouement*. — J'ai idée, monsieur des Rillettes, que nous allons faire, à nous deux, une solide paire d'amis.

DES RILLETTES. — C'est aussi mon avis.

BOULINGRIN. — Vous m'êtes fort sympathique. *(Geste discret de des Rillettes.)* Je vous le dis comme je le pense. Sans doute, j'apprécie vivement l'agrément de votre causerie, pleine d'aperçus ingénieux, fertile en piquantes anecdotes et en mots à l'emporte-pièce, mais une chose surtout me plaît en vous : le parfum de franchise, de droiture, qui émane de votre personne. Gageons que la sincérité est votre vertu dominante ?

DES RILLETTES, *modeste, mais juste*. — Forcé d'en convenir.

BOULINGRIN. — A merveille! Nous allons l'établir sur l'heure. Donnez-moi votre parole d'honneur de répondre sans ambages, sans détours et sans faux-fuyants, à la question que je vais vous poser.

DES RILLETTES. — Je vous la donne.

BOULINGRIN. — Bien. Dites-moi. Tout de bon, là, le cœur sur la main, croyez-vous que depuis la naissance du monde on vit jamais rien de comparable, comme ignominie, comme horreur, comme infamie, comme abjection, à la figure de ma femme ?

DES RILLETTES, *se levant*. — Ça recommence!

BOULINGRIN, *le forçant à se rasseoir*. — Ah! vous en convenez!

DES RILLETTES. — Permettez.

BOULINGRIN. — Et encore, si ce n'était que sa figure! Mais il y a pis que cela, monsieur, il y a sa mauvaise foi sans nom, sa bassesse d'âme sans exemple. Tenez, un détail dans le tas. Nous faisons lit commun, n'est-ce pas!

DES RILLETTES, *impatienté.* — Eh! que diable!...

BOULINGRIN. — Sapristi, laissez-moi donc parler. Vous vous expliquerez tout à l'heure. Donc, nous faisons lit commun. Moi, je couche au bord, elle dans le fond. Ça l'embête. Très bien; qu'est-ce qu'elle fait ? Elle m'envoie des coups de pied dans les jambes toute la nuit! Comme ceci.

Il lance un coup de pied dans le tibia de des Rillettes.

DES RILLETTES, *hurlant.* — Oh!

BOULINGRIN. — Hein ? Quelle sale bête!... Ou alors, elle me tire les cheveux! Comme cela.

DES RILLETTES, *rugissant.* — Ah!

BOULINGRIN. — N'est-ce pas, monsieur, que ça fait mal ?... Bien mieux! Quelquefois, le matin, est-ce qu'elle ne m'envoie pas des gifles à tour de bras, sous prétexte de s'étirer ? Parfaitement! Tenez, voilà comment elle fait. (*Il bâille bruyamment, et, dans le même temps, jouant la comédie d'une personne qui s'étire les membres au réveil, il envoie une gifle énorme à des Rillettes.*) Vous croyez que c'est agréable ?

DES RILLETTES. — Non! Non! Et, en voilà assez! Et je ne suis pas venu dans le monde pour qu'on m'y fasse subir des mauvais traitements! Et si, au grand jamais, je remets les pieds chez vous...

A ce moment :

MADAME BOULINGRIN, *qui est entrée en coup de vent, un verre de vin à la main.* — Buvez.

SCÈNE V

DES RILLETTES, LES BOULINGRIN

DES RILLETTES, *sursautant.* — Qu'est-ce que c'est que ça ?

MADAME BOULINGRIN. — Buvez!

BOULINGRIN. — Comment! Tu n'es pas encore morte!

MADAME BOULINGRIN. — Zut, toi! Mais buvez donc, monsieur. Je vous dis que ça sent le bouchon!

BOULINGRIN. — Mauvaise gale! Tu ne l'emporteras pas en paradis!

Il sort.

SCÈNE VI

DES RILLETTES, MADAME BOULINGRIN

MADAME BOULINGRIN. — Bonjour! Quel débarras!

DES RILLETTES, *à part.* — Quel monde!

MADAME BOULINGRIN. — A la fin, allez-vous boire, vous ?

DES RILLETTES. — Sérieusement, j'aime autant pas.

MADAME BOULINGRIN, *étonnée.* — Ce n'est pas sale; c'est mon verre.

DES RILLETTES. — Je ne vous dis pas le contraire, mais je suis forcé de me retirer.

MADAME BOULINGRIN. — Comme ça ? Tout de suite ?

DES RILLETTES. — A l'instant même. — Qu'est-ce que j'ai fait de mon chapeau ? *(Il se coiffe, puis saluant jusqu'à terre.)* Madame...

MADAME BOULINGRIN. — Écoutez, monsieur des Rillettes, voulez-vous me rendre un service ?

DES RILLETTES. — Très volontiers.

MADAME BOULINGRIN. — Bien. Enlevez-moi.

DES RILLETTES. — Vous dites ?

MADAME BOULINGRIN. — Je dis : « Enlevez-moi. »

DES RILLETTES, *suffoqué.* — Ça, par exemple, c'est le bouquet! Vous voulez que je vous enlève ?

MADAME BOULINGRIN. — Je vous en prie.

DES RILLETTES. — Eh! Je ne peux pas!

MADAME BOULINGRIN. — Pourquoi donc ?

DES RILLETTES. — J'ai un vieux collage, ça me ferait avoir des histoires.

MADAME BOULINGRIN. — Vous refusez ?

DES RILLETTES. — A mon grand regret; mais enfin soyez raisonnable...

MADAME BOULINGRIN. — Vous refusez ?

DES RILLETTES. — Puisque je vous dis...

MADAME BOULINGRIN. — Eh bien! je vous préviens d'une chose : c'est que vous allez être la cause de grands malheurs.

DES RILLETTES. — Moi ?

MADAME BOULINGRIN. — Vous. Oh! inutile de faire les grands bras. Avant — vous entendez ? — avant qu'il soit l'âge d'un petit cochon, il y aura, à cette place, un cadavre!!! Puisse le sang qui aura coulé par votre faute ne pas retomber sur votre tête!

DES RILLETTES, *les poings aux tempes.* — Mais c'est à devenir fou! Mais qu'est-ce que je vous ai fait? Mais ça devient odieux, à la fin?

MADAME BOULINGRIN. — Ah! c'est qu'il ne faut pas, non plus, tirer trop fort sur la ficelle, ou alors tout casse, tant pis! Voilà dix ans que j'y mets de la bonne volonté; ça ne peut pas durer toute la vie. Vous comprenez que j'en ai assez.

DES RILLETTES. — Sans doute; mais... ça m'est égal.

MADAME BOULINGRIN, *non sans quelque ironie.* — C'est tout naturel, parbleu! Qu'est-ce que ça peut vous faire à vous? Ce n'est pas vous qui tenez la queue de la poêle et qui payez les pots cassés. Alors vous tranchez la question avec le désintéressement d'un bon gros diable de pourceau confit dans son égoïsme. Trop commode! Il est probable que vous changeriez de langage si vous étiez, pieds et poings liés, livré à la fureur d'une brute sanguinaire qui vous traiterait en esclave et vous battrait comme un tapis. Car il me bat. Vous ne le croyez pas?

DES RILLETTES, *battant prudemment en retraite.* — Si! si! si!

MADAME BOULINGRIN, *marchant lentement sur lui.* — Non seulement, entendez-vous bien, il me meurtrit de bourrades au point de m'en défoncer les côtes, mais il me pince, qui plus est!... à m'en faire hurler, le misérable!... et *(pinçant des Rillettes qui proteste)* pas comme ceci, ce ne serait rien... non; entre l'os de l'index et la deuxième phalange du pouce! Comme ça. *(Elle joint l'exemple à la démonstration, en sorte que des Rillettes, le bras comme dans un engrenage, se répand en clameurs douloureuses.)* Vous voyez; ça forme l'étau.

DES RILLETTES. — Ah! Eh! Oh! Hi!

A ce moment, rentre Boulingrin, une assiette de soupe à la main.

SCÈNE VII

DES RILLETTES, LES BOULINGRIN

BOULINGRIN, *à des Rillettes.* — Goûtez!

DES RILLETTES, *sursautant.* — Qu'est-ce que c'est que ça, encore?

BOULINGRIN. — C'est de la mort aux rats. Goûtez! Goûtez donc, tonnerre de Dieu! Ça va vous fiche la colique.

DES RILLETTES. — Je m'en rapporte à vous.

MADAME BOULINGRIN, *à son mari.* — Canaille!... Je n'en aurai pas le démenti! — Buvez!

DES RILLETTES, *menacé du verre de vin.* — Non!

BOULINGRIN. — Goûtez ça!

DES RILLETTES, *menacé d'une cuillerée de soupe.* — Jamais.

MADAME BOULINGRIN. — Je vous promets que ça empeste!

BOULINGRIN. — Je vous jure que c'est du poison!

Ils se sont emparés de des Rillettes, et, de force, chacun d'eux, avide d'avoir raison, ils lui ingurgitent du potage mélangé avec du vin, cependant que l'infortuné, les dents obstinément serrées, oppose une héroïque défense.

MADAME BOULINGRIN. — Est-il bête!

BOULINGRIN. — C'est curieux, cette obstination! Puisque je vous dis que vous êtes fichu d'en claquer!

MADAME BOULINGRIN, *à son mari.* — Dis donc, quand tu auras fini de gaver M. des Rillettes!... Est-ce que tu le prends pour une volaille?

BOULINGRIN. — Et toi, le prends-tu pour une éponge?

MADAME BOULINGRIN. — Saleté!

BOULINGRIN. — Gueuse!

MADAME BOULINGRIN. — Peste!

BOULINGRIN. — Choléra!... Et puis, tiens!

De sa main lancée avec violence, il envoie à madame Boulingrin le contenu de son assiette.

DES RILLETTES, *qui a tout reçu.* — Oh!

BOULINGRIN, *s'excusant.* — Pardon! simple inadvertance.

MADAME BOULINGRIN, *folle de rage.* — Goujat! Ignoble personnage! Tiens!

DES RILLETTES, *ruisselant d'eau rougie.* — Ah!

MADAME BOULINGRIN. — Excusez. C'est bien sans l'avoir fait exprès. Là-dessus, nous allons en finir. C'est toi qui l'auras voulu.

Elle tire de sa poche un revolver.

BOULINGRIN, *terrifié.* — A moi! Au secours!

Il se réfugie derrière des Rillettes.

MADAME BOULINGRIN. — Tu vas mourir!

DES RILLETTES, *à Boulingrin qui s'est fait de lui un paravent.* — Ah non, eh!... Lâchez-moi! Pas de blagues!

BOULINGRIN, *au comble de l'effroi.* — Ne bougez pas, bon sang de bonsoir!

MADAME BOULINGRIN, *ajustant.* — Otez-vous, monsieur des Rillettes!

BOULINGRIN. — Non! Non!

MADAME BOULINGRIN. — Otez-vous de là! Je tire.

BOULINGRIN. — Restez! Je suis un homme perdu. Je la connais, elle est capable de tout! Protégez-moi, monsieur des Rillettes! C'est à ma vie qu'elle en a!... Ah! la misérable! la gueuse! Au secours! Au secours!

MADAME BOULINGRIN. — Ah! c'est comme ça? Vous ne voulez pas vous retirer? Eh bien! tant pis pour vous si vous y laissez votre peau! Il faut que ça finisse! Il faut que ça finisse! La mesure est comble! Gare l'obus!

DES RILLETTES. — Monsieur Boulingrin, par pitié!... Madame Boulingrin, je vous en prie!... je ne veux pas mourir encore!... Quelle sale inspiration j'ai eue de venir passer la soirée!...

Tumulte. Les trois personnages hurlent à l'unisson.

BOULINGRIN, *brusquement.* — Oh! Quelle idée!... *(Il souffle la lampe.)* Vise-moi donc, maintenant!...

Nuit complète sur la scène, de même que dans la salle, et, du sein de ces ténèbres profondes, surgissent, en hurlements, les phrases suivantes :

LA VOIX DE BOULINGRIN. — Ah! tu voulais m'assassiner?... Pif!

Bruit d'une gifle.

LA VOIX DE DES RILLETTES. — Oh!

LA VOIX DE MADAME BOULINGRIN. — A mon tour... Paf!

LA VOIX DE DES RILLETTES. — Ah!

Tumulte nocturne. On entend : « Canaille ! Crapule ! Poison ! Escroc ! » et le bruit de quatre nouvelles gifles, que l'infortuné des Rillettes reçoit, non sans protestation, les unes après les autres.

LA VOIX DE MADAME BOULINGRIN. — Et puis, feu!

Coup de pistolet.

LA VOIX DE DES RILLETTES, *éploré*. — Une balle dans le gras!!!

LA VOIX DE BOULINGRIN. — Ah! tu tires ? Eh bien, je casse la glace!

LA VOIX DE MADAME BOULINGRIN. — Ah! tu casses la glace ? Eh bien! je casse la pendule!

LA VOIX DE BOULINGRIN. — Ah! tu casses la pendule ? Eh bien! je casse tout.

Des meubles culbutés s'écroulent.

LA VOIX DE MADAME BOULINGRIN. — Ah! tu casses tout ? Eh bien je mets le feu!

Galopades, hurlements.

LA VOIX DE DES RILLETTES. — Faites donc attention, nom de Dieu! Vous me marchez sur la figure!

LA VOIX DE BOULINGRIN. — Chamelle!

LA VOIX DE MADAME BOULINGRIN. — Enfant de coquine!

LA VOIX DE BOULINGRIN. — Fille de voleur!

LA VOIX DE MADAME BOULINGRIN. — Gredin!

Des Rillettes soupire douloureusement et geint. Soudain, par les portes ouvertes, du fond et des cotés, c'est la lueur rouge de l'incendie. La scène s'éclaire d'une teinte de sang.

DES RILLETTES, *affolé*. — L'incendie!!! Au feu! Au feu!

Il se précipite vers le fond; mais, juste comme il va sortir, survient Félicie, un seau d'eau à la main, accourue pour porter secours.

FÉLICIE. — Le feu ?... Voilà!

Elle lance le contenu de son seau à toute volée.

DES RILLETTES, *inondé des pieds à la tête*. — Charmante soirée!

La scène s'achève dans le vacarme assourdissant d'une maison livrée à des fous, cependant qu'au dehors la pompe, qui se rapproche au grand galop de son attelage, meugle lugubrement deux notes, toujours les mêmes.

Puis :

BOULINGRIN, *brusquement apparu sur le seuil de la pièce et qui se détache en noir sur la clarté d'un feu de Bengale*. — Ne vous en allez pas, monsieur des Rillettes. Vous allez boire un verre de champagne.

LE GENDARME EST SANS PITIÉ [1]

THÉATRE ANTOINE, 27 JANVIER 1899

PERSONNAGES

	MM.
LE GENDARME LABOURBOURAX	ARQUILLIÈRE.
LE BARON LARADE	GÉMIER.
BOISSONNADE, procureur de la République	CHARTOL.
UN HUISSIER	VERSE.

La scène se passe à Ecoute-s'il-Pleut, de nos jours.

[1] Edouard Norès, collaborateur.

A Alexandre Arquillière

Au fond, porte à deux battants. Un grand bureau-ministre surchargé de paperasses. Une bibliothèque et un cartonnier constituent avec deux ou trois fauteuils de bureau le reste de l'ameublement que complètent au point de vue décoratif un buste de la République (modèle officiel) et un portrait du chef de l'État.

SCÈNE PREMIÈRE

BOISSONNADE, *seul, puis* L'HUISSIER *puis* LE GENDARME

Boissonnade est assis à son bureau, devant un monceau de pièces qu'il signe après les avoir rapidement parcourues, et range ensuite en tas dans un coin du bureau. De temps en temps un geste d'impatience témoigne de l'intérêt qu'il prend à cette besogne. — Enfin la lecture d'un papier lui arrache une exclamation désolée.

BOISSONNADE. — Le gendarme est sans pitié! *(Il sonne, puis, à l'huissier qui entre :)* Le gendarme Labourbourax.

L'huissier remonte vers la porte, qu'il ouvre et, après avoir fait un signe vers la coulisse, s'efface et sort, tandis que le gendarme paraît sur le seuil. Après avoir salué militairement, il fait trois pas, s'arrête, ramène la main dans le rang, rectifie la position selon l'ordonnance, et s'immobilise, muet.

BOISSONNADE. — Vous êtes sans pitié, gendarme! Encore un attentat à votre caractère!... Savez-vous que je vois venir l'instant où le tribunal d'Ecoute-s'il-Pleut, exclusivement occupé à venger vos petits griefs, ne pourra plus suffire à tant d'obligations? Ne dites pas non. La chambre correctionnelle n'entend parler que de vos malheurs! Hier, c'était, à votre requête, douze condamnations pour outrages à un agent de la force publique dans l'exercice de ses fonctions. Avant-hier, c'en était dix-neuf!... En tout, et en quarante-huit heures, cent quarante-sept jours de prison à l'actif d'une cité de trois mille habitants! C'est coquet! Et ce n'est pas fini. A cette heure, voici, de vous, en date de ce jour, un procès-verbal contre l'épicier Nivoire, inculpé du double délit d'insulte à la maréchaussée et d'affichage séditieux. *(Le gendarme opine du képi.)* Qu'est-ce qu'il a fait, l'épicier Nivoire ?

LE GENDARME. — Il a apposé à la devanture de son établissement une pancarte portant, en lettres conséquentes d'une hauteur de 20 à 22 centimètres, une inscription de nature à jeter la déconsidération sur l'arme à laquelle j'appartiens.

BOISSONNADE. — Quelle inscription ?

LE GENDARME. — La suivante : « Avis à la population. Occasion exceptionnelle. Gendarmes à deux pour trois sous. »

BOISSONNADE, *très simplement*. — Des harengs saurs.

LE GENDARME. — Précisément.

BOISSONNADE, *effaré*. — Et voilà tout ?

LE GENDARME. — J'eusse cru...

BOISSONNADE. — Celle-là est trop raide! Alors, c'est gravement, tout de bon, que vous vous prétendez atteint dans vos fiertés de vieux soldat ? C'est de sang-froid que vous en appelez à la sévérité des juges, d'une plaisanterie inoffensive, bête comme une oie, vieille comme les rues, et dont, seuls, s'égayeraient encore — en supposant qu'ils s'en égayent — les enfants et les imbéciles ?

LE GENDARME. — Il est regrettable que les débordements de notre ironie nationale s'épanchent en trivialités aux dépens d'institutions consacrées de temps immémoriaux et dont l'éloge n'est plus à faire.

BOISSONNADE. — Que de paroles perdues, mon Dieu! et quel besoin d'importance! Je vous demande un peu, gendarme, en quoi la blague de la rue peut atteindre... — que dis-je! — effleurer le prestige de l'arme d'élite que vous représentez si dignement! Allons, c'est une plaisanterie, et, vous me permettrez de vous le dire, sans vouloir ravaler en rien la gravité de votre mission, la dignité de votre rôle, vous montrez une fâcheuse tendance à céder aux élans d'une susceptibilité qui tourne à la monomanie. Que diable! nous avons affaire à une population d'un excellent esprit, respectueuse des pouvoirs publics, et votant bien. Ménageons donc, autant que possible, les bonnes dispositions de nos administrés; et, fermant l'œil quand il le faut, nous bouchant les oreilles quand il est nécessaire, évitons de semer en eux, par des abus d'autorité, le germe toujours dangereux du mécontentement et de la rébellion. Vous avez compris ?

LE GENDARME. — Oui, monsieur le procureur.

BOISSONNADE. — Bien. Vous pouvez vous retirer.

Le gendarme sort.

Resté seul, Boissonnade s'est remis à l'étude des dossiers accumulés sur sa table. — Un temps. — Soudain :

BOISSONNADE, *avec un geste désespéré.* — Encore! *(Il lit.)* « Procès-verbal. — Outrage à des représentants de la force publique dans l'exercice de leurs fonctions. — Dans la nuit du 17 au 18 courant, étant de service, mon collègue Soufflure et moi, notre attention a été éveillée par le tumulte d'une dispute. Nous étant rendus sur les lieux, nous y avons trouvé le menuisier Lacaussade occupé à interpréter sa propriétaire à travers la porte cochère, sous prétexte que cette dernière se refusait à la lui ouvrir. Aussitôt qu'il nous aperçut, le délinquant se porta au-devant de nous et nous harangua en ces termes : « Vous pouvez constater que cette vieille charogne refuse de m'ouvrir la porte; vous pouvez le constater vous-mêmes. » Il dit, puis d'une voix où le mépris le disputait à l'arrogance, il nous jeta ce mot : « des visus », voulant exprimer par là, non seulement que mon collègue et moi étions des visus — ce qui n'était pas vrai — mais encore que nous en étions de l'espèce la plus inférieure, relégués au plus bas degré de l'échelle sociale, et de tout point incompatibles avec la magistrature dont nous sommes les assimilés. » *(Consterné.)* Mais qu'est-ce que c'est que ça?... Mais qu'est-ce que ça veut dire?... Mais cet homme irréconciliable va devenir un danger public! *(Il sonne. Apparition de l'huissier.)* Le gendarme! *(Sortie de l'huissier et entrée du gendarme.)* Entrez donc, gendarme! Eh bien, gendarme, que vous disais-je ? La plaisanterie continue. Il paraît que le sieur Lacaussade vous a qualifiés de visus, vous et votre collègue Soufflure ?

LE GENDARME. — Oui, monsieur le procureur.

BOISSONNADE. — Savez-vous bien, mon brave, que

je commence à me demander si vous jouissez de vos facultés, ou si vous vous bornez à vous moquer du monde?

LE GENDARME. — Moi ?

BOISSONNADE. — Des visus!!! Pardieu! voilà qui est comique, et si le Moniteur de la localité venait à être mis au courant de l'anecdote, vous prendriez, j'ose le prétendre, quelque chose pour votre rhume. *(Mouvement du gendarme.)* Je vous dis que c'est une idée fixe! Pas plus que l'épicier Nivoire, le menuisier Lacaussade n'a songé à vous faire injure. Simplement, sa propriétaire lui refusant l'accès d'une demeure qui est sienne, il vous a invités, comme c'était son droit, à constater le flagrant délit, à le constater *de visu*, autrement dit : de vos propres yeux, par vous-mêmes! Et parce que le sens vous échappe, d'un lieu commun, d'un terme usuel, d'une locution tombée dans le domaine public, un pauvre diable passe la nuit sur la paille humide du cachot!... Voilà l'action publique saisie et la justice en mouvement!... En vérité, les bras m'en tombent et, du train dont vous allez, je me demande où nous allons! Et ce sont les harengs qu'on traite de gendarmes! Et ce sont les gendarmes qu'on traite de visus!... Encore une fois, modérez-vous; apportez à l'avenir moins de raideur militaire dans vos relations avec nos justiciables, un peu plus de circonspection dans votre empressement à sévir et rappelez-vous qu'un brave soldat peut, sans déchoir, être un brave homme. L'un vaut l'autre après tout. — Allez!

LE GENDARME, *sortant.* — Il est tout de même dur, à mon âge, de m'entendre traiter de visu par un particulier qui l'est peut-être plus que moi.

Il sort.

Une fois encore, Boissonnade s'attelle à l'examen du courrier du jour. Mais presque aussitôt :

BOISSONNADE. — A la fin, mon malheur passe mon espérance!... *(Il lit.)* « Le gendarme Labourbourax contre le baron Larade. Outrage à un agent de la force publique dans l'exercice de ses fonctions... » *(Rapide coup d'œil jeté sur le procès-verbal.)* Le pis est que ça a l'air sérieux! *(Il sonne. L'huissier apparaît.)* Courez de suite au cercle, huissier, place d'Armes, à deux pas d'ici. Vous demanderez le baron Larade et vous l'inviterez de ma part à passer à mon cabinet toute affaire cessante. Faites vite. *(Fausse sortie de l'huissier.)* Ah! Envoyez-moi le gendarme.

L'huissier sort. Entre le gendarme.

BOISSONNADE. — Je vois, gendarme, par ce procès-verbal, que vous auriez eu à vous plaindre de M. le baron Larade.

LE GENDARME. — Oui, monsieur le procureur.

BOISSONNADE. — Qu'est-ce qu'il vous a fait ?

LE GENDARME. — Il a usé, vis-à-vis de moi, d'un terme non adéquat à l'uniforme dont je suis revêtu.

BOISSONNADE, *qui consulte le procès-verbal.* — Oui, enfin, tranchons le mot : il vous a appelé moule.

LE GENDARME, *saluant.* — Sauf votre respect.

BOISSONNADE. — Vous êtes bien sûr ?

LE GENDARME. — C'est consigné à mon rapport.

BOISSONNADE, *feuilletant le dossier.* — Je vois, je vois; seulement, de l'humeur dont je vous sais, pouvant, d'une part, suspecter à bon droit une susceptibilité toujours prête à prendre la mouche, d'autre part connaissant le baron comme je le connais, j'en arrive à me demander quel concours de circonstances a pu pousser à un tort aussi grave un homme si paisible et si doux, l'expression même du savoir-vivre, de la courtoisie et de l'aménité. — Moule ?

LE GENDARME. — Moule.

BOISSONNADE. — Le diable m'emporte si j'y comprends un mot.

L'HUISSIER, *entrouvrant la porte.* — M. le baron Larade est là.

BOISSONNADE. — Ah! qu'il entre. — C'est bien, gendarme. Je vous rappellerai tout à l'heure.

SCÈNE II

LE BARON, BOISSONNADE

BOISSONNADE, *qui va au baron, la main tendue.* — Bonjour, baron. Entrez donc, je vous prie.

Le baron entre. La porte se referme derrière le dos du gendarme qui sort.

LE BARON, *piteux.* — Vous allez bien ?

BOISSONNADE. — Moins que vous. En voilà une aventure! Vous insultez la gendarmerie, à présent!

LE BARON. — Ne m'en parlez pas!

BOISSONNADE. — C'est vrai, alors?

LE BARON. — Ce ne l'est que trop!

BOISSONNADE. — Vous avez qualifié de moule le gendarme Labourbourax?

LE BARON, *d'une voix morte.* — Oui, monsieur le procureur.

BOISSONNADE. — Le bon Dieu vous bénisse! Une jolie affaire, baron, que vous vous êtes mise sur les bras!

LE BARON. — C'est grave, hein ?

BOISSONNADE. — Comment, si c'est grave! Six jours à trois mois, tout bonnement.

LE BARON, *effaré.* — Trois mois... de prison ?

BOISSONNADE. — Mais dame!

LE BARON. — Je suis déshonoré!

BOISSONNADE. — Pas encore. Attendez un peu. Vous aurez toujours le temps de vous faire sauter la cervelle. Nous allons procéder par ordre *(lui avançant une chaise)*, et tout d'abord, assis sur ce siège d'infamie...

LE BARON, *soupirant longuement.* — La vérité qui rit!

BOISSONNADE, *le faisant asseoir.* — ... vous allez, mon cher baron, me faire le récit détaillé de votre exécrable forfait. Il convient que je sache si le monstre a la vie dure, pour le cas où ... (on ne sait jamais)... je concevrais le lâche dessein de l'étouffer dans ses langes!

LE BARON, *lui prenant les mains.* — Cher et excellent ami!

BOISSONNADE, *qui s'est assis à sa table.* — Je vous écoute.

LE BARON. — Mon Dieu, c'est simple comme bonjour. J'habite, vous le savez, le château de Beaux-Chênes, près cette charmante ville d'Ecoute-s'il-Pleut, où j'ai la prétention d'être connu assez avantageusement.

BOISSONNADE. — Pour cette excellente raison que vous en êtes le bienfaiteur, ainsi que personne n'en ignore.

LE BARON. — Oh! bienfaiteur! c'est beaucoup dire. Je dote une rosière chaque année; j'ai fait remettre à neuf le clocher de l'église, donné des pompes aux pompiers...

BOISSONNADE. — Pourvu d'une magnifique grosse caisse la fanfare municipale, et cætera, et cætera.

LE BARON, *modeste.* — Tout cela est de peu d'importance, et si j'invoque le souvenir de ces petites libéralités, c'est à titre de simples circonstances atténuantes. Dans le même ordre d'idées et avant d'aborder la narration de mes malheurs, qu'il me soit permis de rappeler mon inébranlable attachement aux principes qui nous régissent.

BOISSONNADE. — Au fait, baron; au fait!

LE BARON. — J'y arrive. Il y a une huitaine de jours, j'étais allé, comme à mon habitude, demander un peu d'appétit à la promenade et au grand air. Toujours comme à mon habitude, j'avais emmené Anatole.

BOISSONNADE. — Qui ? Anatole ?

LE BARON. — Mon chien.

BOISSONNADE. — Le petit ratier anglais qui ressemble à un radis noir ?

LE BARON. — C'est cela même.

BOISSONNADE. — Charmant animal. J'ai l'avantage de le voir quelquefois avec vous, à la musique, le dimanche.

LE BARON. — Trop aimable. Il n'a rien que de très ordinaire. J'y suis, toutefois, fort attaché, et cela, pour plusieurs raisons : d'abord, nous ne sommes plus jeunes, lui ni moi, puis nous sommes veufs tous les deux, également intelligents — je le dis sans fausse modestie — et de commerce plutôt agréable... En outre, comme tous ses pareils, cette petite bête... mon Dieu! comment dirai-je ?... stationne volontiers le long des murs, et moi-même ayant une cystite, nous pouvons, au cours de nos promenades, stationner aussi fréquemment que le besoin s'en fait sentir, sans crainte de paraître ridicules l'un à l'autre... Ça n'a l'air de rien, c'est énorme : c'est sur ces petites simplifications de la vie que reposent les vraies et solides affections. Ne le pensez-vous pas ?

BOISSONNADE. — Pardon, je le pense tout à fait, au contraire.

LE BARON. — Il était huit heures environ, il faisait un temps magnifique. J'allais au hasard de la marche, buvant à pleins poumons l'air pur de la campagne, bénissant le Seigneur notre Dieu d'avoir fait la nature si belle, et moi si digne de la comprendre. Dans mon dos, Anatole trottait, goûtant, lui aussi, la douceur de cette ineffable matinée. J'entendais derrière moi le tintin du grelot pendu à son collier, un tintin qui s'accélérait et se ralentissait alternativement, selon que moi-même, plus ou moins, je hâtais le pas ou le modérais. De temps en temps, pour souffler, je prenais une seconde de repos; alors je n'entendais plus rien que le chant des alouettes invisibles, car Anatole, dans le même instant, avait fait halte sur mes pas.

BOISSONNADE. — Une églogue, quoi!

LE BARON. — Soudain, au loin, par-dessus l'océan de blé mûr qui moutonnait à l'infini, je distinguai le tricorne en bataille du gendarme Labourbourax; je devinai que le hasard allait nous mettre face à face, et je me félicitai de cette bonne fortune. Je suis un homme simple, monsieur le procureur, je suis un homme sans méchanceté : l'uniforme n'a rien qui m'effraye, et la vue des gens de bien me fait toujours plaisir. Je me préparais donc à jeter au gendarme un souhait affectueux de bonne santé, quand, jugez de mon étonnement ! ce militaire, qui m'avait joint, rectifia la position, et, tirant un calepin de sa poche : « Ordonnance de police, dit-il, les chiens doivent être tenus en laisse. Le vôtre étant en liberté, je vous dresse procès-verbal. »

BOISSONNADE. — Procès-verbal !

LE BARON. — Je vous demande un peu !... Un petit chien gros comme le poing ! et gentil, et doux, et sociable, victime d'une mesure...

BOISSONNADE. — Une mesure de sécurité générale, sans doute, mais qui demandait à être appliquée avec quelque discernement. Il est clair qu'un chien comme le vôtre, bien tenu, bien portant, gras à souhait, ne saurait être assimilé aux chiens malheureux et errants que vise l'ordonnance de police.

LE BARON. — C'est mot pour mot le discours que me tint le maire, homme charmant, à qui je m'empressai d'aller conter ma mésaventure, et qui s'en montra fort marri. Il reconnut que le gendarme avait, dans la circonstance, manqué du tact le plus élémentaire, et me renvoya rassuré, m'engageant cependant, pour éviter de nouveaux ennuis, à tenir Anatole en laisse jusqu'à plus ample informé : l'affaire de deux jours tout au plus, le temps, pour lui, de mander le gendarme et de lui glisser à l'oreille quelques mots touchant mon affaire.

BOISSONNADE. — Et vous vous conformâtes, je pense, à cet avis plein de sagesse ?

LE BARON. — N'en doutez pas.

BOISSONNADE. — A la bonne heure.

LE BARON. — J'achetai donc une laisse de vingt sous et j'y attachai Anatole. Il en parut surpris, disons plus...

Il hésite.

BOISSONNADE. — ... Mortifié ?

LE BARON, — Je cherchais le mot ! Mortifié. — Comme j'ai eu l'honneur de vous l'exposer, il n'est plus jeune, à beaucoup près. Il jouit, le ciel en soit loué ! d'une santé de tous points florissante, mais enfin il a atteint l'âge où l'on supporte malaisément un changement dans les habitudes, et c'était, cette laisse, tout un bouleversement dans sa petite existence de chien. De l'instant, oui, de l'instant même où il cessa de se sentir libre, il se refusa systématiquement à me suivre, rivé des quatre pattes au sol. En vain je tâchai de le raisonner, m'excusant, invoquant le cas de force majeure, en appelant à son bon cœur et faisant surgir à ses yeux l'inquiétante silhouette du gendarme : peine perdue! il demeurait sourd, il secouait furieusement la tête, voulant dire par là, sans doute, qu'il était de mœurs insoupçonnables et n'avait rien à démêler avec la gendarmerie.

BOISSONNADE. — O candeur ineffable des consciences tranquilles!

LE BARON. — Ainsi, deux jours, nous nous promenâmes par les champs et par les bois, moi à l'avant, lui à l'arrière, tirant chacun sur une extrémité de la laisse, à ce point qu'on n'eût pu savoir lequel de nous deux tenait l'autre; et cette vie, en vérité, devenait insoutenable et odieuse, quand brusquement, à un détour de sentier, je me retrouvai en présence du gendarme Labourbourax. « Le maire m'a parlé, me dit cet homme. Votre chien a le droit d'être libre. — Bon! » m'écriai-je. Et je me baissais pour détacher le mousqueton fixé au collier d'Anatole, lorsque le gendarme reprit : « Vous le tenez en laisse cependant. Pourquoi le tenez-vous en laisse? Je vous dresse procès-verbal. »

BOISSONNADE, *les bras cassés.* — Non!!!

LE BARON, *après avoir, d'un mouvement de tête, confirmé l'authenticité de son récit.* — A cette déclaration inattendue, une douce gaieté s'empara de moi. Le gendarme, fronçant le sourcil, dit que je raillais l'autorité.

BOISSONNADE. — Hé! hé!

LE BARON. — Je haussai les épaules.

BOISSONNADE. — Oh! Oh!

LE BARON. — Le gendarme s'emporta.

BOISSONNADE. — Ah! ah!

LE BARON. — Je répliquai. Il m'imposa silence d'un ton que je jugeai inconvenant. C'est alors que, perdant la mesure, je tournai le dos à ce militaire en lui jetant de biais cette parole qui m'amène aujourd'hui devant vous et qui demeurera à tout jamais le remords de mon existence : « Gendarme, vous êtes une moule! »

BOISSONNADE, *après un silence.* — A vrai dire, si grand soit-il, votre crime perd tout intérêt, comparé à l'affaire Fualdès.

Le Baron, *souriant.* — Je m'en doutais un peu. Alors ?

Boissonnade. — Alors... alors... — Le diable soit de vous, cher ami! Pour une fois que vous manquez de respect à un gendarme, vous n'avez pas la main heureuse. Je donnerais de bon cœur cinq cents francs de ma poche pour que vous ayez injurié le gendarme Petit-Grignolle ou le brigadier Monpétaze! Avec ces gens de sens rassis, on pourrait discuter, s'entendre!... Mais le gendarme Labourbourax dont le nom seul évoque une idée de catastrophe!...

Le Baron. — Il ne peut rien sans vous!

Boissonnade. — Je ne peux rien sans lui! Nous sommes, vous et moi, dans ses mains! Qu'il n'y mette pas de complaisance, comme le gendarme de la chanson, et c'est...

Le Baron. — C'est la correctionnelle!

Boissonnade. — Hélas!

Le Baron. — La flétrissure d'une condamnation!

Boissonnade. — J'en ai plus peur qu'envie! Enfin!... prenons toujours le vent. Le diable s'en mêlera, ou je trouverai bien le moyen de vous enlever aux griffes de cette brute entêtée. *(Il va à la porte du fond et l'ouvrant.)* Gendarme!

Le Baron. — Je mets mon sort entre vos mains!

Entre le gendarme Labourbourax.

SCÈNE III

LES MÊMES, LE GENDARME

Boissonnade. — Approchez-vous, gendarme, et causons en amis. Il est malheureusement établi que vos griefs sont fondés et que M. le baron Larade s'est rendu coupable, envers vous, d'une incontinence de langage.

Le Gendarme. — Il m'a appelé moule.

Boissonnade. — Il l'avoue, et il en est au désespoir. *(Le baron, d'un geste éloquent, prend le ciel à témoin de ses remords.)* Il me charge donc de vous transmettre l'expression d'un repentir qui n'est pas équivoque, et c'est de grand cœur, n'en doutez pas, que je me fais auprès de vous l'avocat de sa cause. Laissez-moi croire qu'elle est à demi gagnée déjà.

Un temps. Le gendarme demeure muet.

BOISSONNADE. — Raisonnons. Vous n'ignorez pas que M. le baron Larade est une des notabilités les plus justement appréciées de notre petit coin provincial. Homme de tenue, respectueux de nos institutions, ami de l'ordre et de ses gardiens, il honore votre caractère à l'égal de votre personne...

LE BARON, *éloquent et concis*. — Dieu!!!

BOISSONNADE. — ... et il vous serait reconnaissant...

LE BARON. — Jusque dans la nuit du tombeau!

BOISSONNADE. — ... si, usant de la miséricorde et du droit d'indulgence acquis à tout passé irréprochable, vous consentiez à oublier la faute en faveur du remords qui l'expie.

Nouveau temps. Le gendarme se tait.

BOISSONNADE. — Je m'associe pleinement, pour mon compte, au vœu de ce parfait galant homme.

Même jeu.

BOISSONNADE, *une impatience dans la voix*. — Un peu de charité, sacrebleu! Dieu ne veut pas la mort du pécheur. Vous-même, d'ailleurs, il faut bien le dire, avez rendu compréhensible l'écart de langage en question par votre double interprétation, d'abord excessive, puis absurde, d'une réglementation... tranchons le mot... élastique! Je vous supplie d'y réfléchir. Retirez votre plainte, croyez-moi. Vous ferez ainsi œuvre de bonne grâce et vous épargnerez du même coup, à notre humble et chère petite ville, l'affront d'un scandale public, le deuil d'une inimitié entre deux personnalités également considérées : la vôtre, gendarme, *(désignant le baron)* et la sienne.

Nouveau temps.

BOISSONNADE. — Mais répondez donc quelque chose. C'est exaspérant, à la fin!

LE GENDARME. — Soit. Je répondrai en ces termes. *(Au baron.)* Avez-vous dit que j'étais une moule, oui ou non ?

LE BARON, *effondré*. — Je l'ai dit.

LE GENDARME. — Bien. Le pensiez-vous ?

LE BARON. — Moi ? Mais pas un instant, gendarme! pas une minute! pas une seconde!

LE GENDARME. — Vous le jurez ?

LE BARON. — Sur mon honneur!

LE GENDARME. — Vous n'en êtes donc que plus coupable!

BOISSONNADE. — Homme sans pitié!

LE BARON. — Voyons, gendarme, ce n'est pas là votre dernier mot. Vous ne voudrez pas, pour une sottise qu'il est le premier à déplorer, infliger à un homme de soixante-cinq ans, justement orgueilleux d'une vie qu'il ose proclamer sans tache, une fin qui serait un écroulement et qu'empoisonnerait à jamais la honte d'un casier judiciaire!

BOISSONNADE. — Et vous demeurez indifférent à une douleur si ingénue ? Et l'acte de contrition où s'humilie ce pauvre homme ne vous apparaît pas comme la plus éclatante de toutes les réparations ? Quel appétit de vengeance!

LE GENDARME. — Pardon! Une supposition que, moi, je l'aurais appelé visu ?

LE BARON. — Eh! appelez-moi comme vous voudrez, pourvu que vous ne m'appeliez pas en police correctionnelle. Trois mois de prison, mon Dieu!... Voyons, vous êtes père de famille; de lourdes charges vous incombent, et, sans vouloir me faire l'apôtre de certaines revendications sociales, j'oserai dire que l'Etat ne reconnaît pas toujours avec la générosité souhaitable le mérite de ses serviteurs... Le militaire n'est pas riche, comme le dit une chanson célèbre... Si je pensais qu'une indemnité raisonnable, de cent cinquante à deux cents francs...

BOISSONNADE. — Etes-vous fou, baron ?

LE GENDARME, *fronçant le sourcil.* — Vous dites ?

LE BARON. — Je dis que si une petite somme de vingt-cinq louis, par exemple...

LE GENDARME, *sévère, mais juste.* — Tentative de corruption envers un fonctionnaire public. Je porte plainte entre les mains du dépositaire des lois.

BOISSONNADE. — Ça y est!

LE BARON, *qui ne comprend pas.* — Quoi ?

BOISSONNADE. — Le délit est flagrant! Article 179! Trois mois à six mois. C'est bien simple!

LE BARON, *qui devient fou.* — Six mois de prison... Six mois de prison... Gendarme, à la fin, prenez garde!

LE GENDARME. — Plaît-il ?

BOISSONNADE. — Baron!

LE BARON, *le sang aux yeux.* — La moutarde me monte, gendarme!... et je commence à me demander de quoi je ne serais pas capable!... à quelles extrémités fâcheuses...

LE GENDARME, *inexorable.* — Menaces à un agent de la force publique dans l'exercice et à l'occasion de ses fonctions. Je requiers contre le délinquant l'application de l'article 224.

LE BARON, *de qui la folie a tourné à la démence.* — C'en est trop.

Il va pour s'élancer.

BOISSONNADE, *qui, depuis un instant, s'absorbait dans une rêverie.* — Halte-là! Du calme, je vous prie. Gendarme, vous avez raison et votre plainte est légitime! Je la reçois donc en ses conséquences. *(Le gendarme salue et se dispose à sortir.)* Un mot pourtant. *(Le gendarme fait halte.)* Vous avez l'heure ?

LE GENDARME, *tirant sa montre.* — Midi seize minutes.

BOISSONNADE. — Vous avancez.

LE GENDARME. — Non.

BOISSONNADE. — Si.

LE GENDARME. — Faites excuse. J'ai réglé ma montre ce matin sur l'horloge de la caserne.

BOISSONNADE. — De la caserne ?

LE GENDARME. — De la caserne.

BOISSONNADE. — En ce cas, vous êtes impardonnable, car depuis seize minutes déjà, aux termes du manuel sur le service intérieur, vous devriez être en chapeau, en tunique et en baudrier. Le fait de vous afficher à une heure aussi tardive, dans le... débraillé où je vous vois, constitue donc de votre part une violation systématique des règlements en usage, un manque d'égards volontaire à la majesté d'un lieu que j'ai charge de faire respecter. *(Le gendarme essaye de placer un mot.)* Taisez-vous. *(Il prend une plume et écrit.)* « Je crois devoir signaler à l'appréciation de Monsieur le Commandant de Place l'attitude du gendarme Labourbourax qui, dans un but évident de provocation, affecte d'étonner le Palais de Justice par l'inconvenance de sa tenue »... *(Il glisse le pli sous une enveloppe.)* Portez ce mot à son adresse.

Un temps.

LE GENDARME. — Je suis ici pour recevoir des ordres et pour les exécuter. La lettre sera remise à son destinataire.

BOISSONNADE. — Je l'espère bien.

LE GENDARME. — Je me permettrai pourtant de faire remarquer au juge qui m'interlocute, qu'avec un motif pareil je n'y couperai pas de mes trente jours.

BOISSONNADE. — Tant pis!...

LE GENDARME. — Je lui ferai également observer avec tout le respect voulu que, depuis bientôt vingt-cinq ans, je sers fidèlement mon pays, que je m'honore d'avoir un livret militaire vierge de toute punition, et que celle qui m'atteint au déclin de ma carrière m'est plus cruelle qu'un soufflet, étant un démenti donné devant tout le monde à mon passé immaculé.

BOISSONNADE. — Qu'est-ce que vous voulez que j'y fasse ?

LE GENDARME. — Je serais porté à penser qu'un acte de clémence, de générosité...

BOISSONNADE. — Où diable voulez-vous en venir !... Vous ne plaidez pas pour vous, je pense ?

LE GENDARME. — Mes torts ne sont pas tellement graves que je ne puisse les présenter sous de favorables auspices.

BOISSONNADE. — Je ne vous dis pas le contraire, mais qui donne la leçon doit l'exemple. Sévérité bien ordonnée commence par soi-même, et à gendarme sans pitié, magistrat sans mansuétude.

LE GENDARME. — J'ajouterai encore...

BOISSONNADE. — Rien du tout. Voici, complété par l'adjonction des deux flagrants délits nouveaux, le dossier de l'affaire Larade. Veuillez y jeter un coup d'œil et signer vos déclarations.

Très longtemps, Boissonnade, debout, présente au gendarme une plume. Le gendarme, lui, demeure muet, mais d'un mutisme tourmenté et nerveux qui n'est plus celui de tout à l'heure. Il mâche furieusement sa moustache, tourne les papiers entre ses doigts, en proie à un violent combat intérieur. Soudain, enfin, il se décide, et d'une voix pleine de noblesse :

LE GENDARME. — Le gendarme est sans pitié, mais il n'est pas sans grandeur d'âme !

BOISSONNADE. — C'est à son éloge. *(Puis, voyant le gendarme déchirer les procès-verbaux.)* Que faites-vous ?

LE GENDARME. — J'abdique mes revendications par égard pour une tête chenue.

BOISSONNADE, *jouant l'indifférence.* — Comme vous voudrez. *(Bas au baron.)* La farce est jouée, baron. Vous pouvez retourner au cercle.

LE BARON, *fou de joie.* — Vous retirez votre plainte ?... Vous retirez votre plainte ?... Gendarme, vous êtes une moule !

LE GENDARME. — Hein ?
BOISSONNADE. — Quoi ?
LE BARON. — Une mère!... la langue m'a fourché... Gendarme, vous êtes une mère!

LE COMMISSAIRE EST BON ENFANT [1]

GYMNASE, 16 DÉCEMBRE 1899;
THÉATRE ANTOINE, 9 FÉVRIER 1900.

PERSONNAGES

	GYMNASE	THÉATRE ANTOINE
	MM.	MM.
LE COMMISSAIRE	MATRAT.	JANVIER.
FLOCHE	MUNIÉ.	GÉMIER.
BRELOC	G. DUBOSC.	ANTOINE.
UN MONSIEUR	FRÉDAL.	JARRIER.
L'agent LAGRENAILLE .	BOUDIER.	SAVERNE.
L'agent CARRIGOU	LEBÉGENSKI.	NOIZEUX.
M. PUNÈZ	MOREAU.	VERSE.
	Mme	Mme
MADAME FLOCHE	MARTHE ALLEX.	ELLEN ANDRÉE.

[1] Jules Lévy, collaborateur.

La scène représente le cabinet d'un commissaire de police. A droite, une fenêtre praticable. A gauche, petite porte donnant sur un cabinet noir où sont les provisions de combustible pour l'hiver. Au fond, une porte à deux battants. Au fond aussi, mais un peu vers la gauche, une cheminée avec du feu.

SCÈNE PREMIÈRE

LE COMMISSAIRE, UN MONSIEUR

LE COMMISSAIRE, *assis à son bureau.* — N'insistez donc pas, sacrebleu ! Je n'ai pas que vous à entendre.

LE MONSIEUR. — Vous pouvez bien m'autoriser à porter une arme sur moi !

LE COMMISSAIRE. — Non.

LE MONSIEUR. — Qu'est-ce que ça vous fait ?

LE COMMISSAIRE. — Ça me fait que je ne le veux pas.

LE MONSIEUR. — Le quartier n'est pas sûr. Il est infesté de souteneurs qui bataillent entre eux toute la nuit et attaquent les passants pour les dévaliser. Or, la profession que j'exerce m'oblige à rentrer tard chez moi.

LE COMMISSAIRE. — Exercez-en une autre.

LE MONSIEUR. — Je veux bien. Trouvez-m'en une.

LE COMMISSAIRE. — Vous voulez rire, j'imagine. Est-ce que vous vous croyez dans un bureau de placement ?

LE MONSIEUR. — Et si on m'attaque, moi, cette nuit ?

LE COMMISSAIRE. — Vous viendrez me le dire demain.

LE MONSIEUR. — Et alors ?

LE COMMISSAIRE. — Alors, mais seulement alors, je vous autoriserai à sortir avec un revolver sur vous.

LE MONSIEUR. — En sorte que j'aurai le droit de défendre ma peau après qu'on me l'aura crevée ?

LE COMMISSAIRE. — Oui.

LE MONSIEUR. — Charmant !
LE COMMISSAIRE. — En voilà assez. Aux ordres du gouvernement que j'ai l'honneur de servir, je suis ici pour expliquer les lois et non, comme vous semblez le croire, pour en discuter la sagesse. Si vous n'êtes pas content de nos institutions, changez-les.
LE MONSIEUR. — Si ça tenait à moi !...
LE COMMISSAIRE. — Hein ? Quoi !... Un mot de plus, je vous fais empoigner ! A-t-on idée d'un ostrogoth pareil, qui vient semer la perturbation et faire le révolutionnaire jusque dans le commissariat !... Vous avez de la chance que je sois bon enfant. *(Le monsieur veut parler.)* En voilà assez, je vous dis ! Fichez-moi le camp, et que ça ne traîne pas, ou je vais vous faire voir de quel bois je me chauffe. Allez, allez !

Sortie hâtive et épouvantée du monsieur.

LE COMMISSAIRE, *seul.* — J'aurai l'œil sur cet anarchiste.

Le commissaire revient prendre, à sa table, la place qu'il y occupait au lever du rideau, attire à lui la pile de dossiers constituant le courrier du matin, et, rapidement, d'un coup d'œil, il se renseigne sur la nature des affaires soumises à son arbitrage. — A la fin, geste impatienté. Il sonne. Un agent apparaît.

LE COMMISSAIRE. — Priez M. Punèz de venir me parler.

Sortie du gardien de la paix, et, presque aussitôt, apparition de M. Punèz. Celui-ci est un homme d'une cinquantaine d'années, chétif, craintif, d'une misère brossée lamentable. Il ôte la toque de drap qui lui protégeait le chef, et s'avance en multipliant de très humbles salutations.

SCÈNE II

LE COMMISSAIRE, M. PUNÈZ

LE COMMISSAIRE. — Bonjour, monsieur Punèz. Dites-moi, monsieur Punèz, savez-vous bien que votre service est fait comme par un cochon et que, si cela doit continuer, je me verrai contraint de demander au préfet votre révocation ou votre déplacement ? Cent fois, monsieur Punèz, cent fois, je vous ai ordonné de procéder le matin à un travail d'élimination de nature à simplifier le mien et à désencombrer, du coup, ma tâche, ma table et ma pensée. Mais ouat! Je vous aurais chanté *Femme sensible* sur l'air de *M. Malbrough*, que le résultat serait le même. Voyez-moi plutôt ce courrier! *(Il prend une pièce au hasard de la main.)* « Plainte d'une servante contre son maître qui aurait tenté d'abuser d'elle. » Qu'est-ce que j'ai à voir là-dedans ? Pas de suite à donner. Enlevez! *(Passant à une autre.)* Et ça!... « Plainte d'un particulier contre un cocher de fiacre qui l'aurait traité de pourriture! » Je m'en bats l'œil; est-ce que ça me regarde ?... Enlevez! *(Passant à une autre.)* Bon! voilà un concierge qui a l'oreille paresseuse et un locataire qui se plaint d'être resté deux heures à sa porte, sous la pluie!... Qu'il s'en prenne au propriétaire. Espère-t-il que j'irai lui tirer le cordon ?... Enlevez! *(Passant à une autre.)* Et cette cuisinière qui réclame huit jours de gages! Affaire de justice de paix. Enlevez encore! Et cela aussi! Et cela de même! — En vérité, monsieur Punèz, je pense que vous êtes absorbé par l'amour ou que j'ai trop auguré de votre intelligence. Il faut en finir. Taisez-vous! Je veux bien être bon enfant, mais j'entends ne pas être dupe. Que ce mot vous serve de leçon! C'est d'ailleurs la dernière que vous recevrez de moi; vous pouvez vous le tenir pour dit. Je vous salue, monsieur Punèz.

MONSIEUR PUNÈZ, *humble et souriant.* — Je suis d'origine espagnole. Mon nom se prononce Pougnèze.

Il salue jusqu'à terre et sort.

SCÈNE III

LE COMMISSAIRE, *puis* UN AGENT, *puis* UNE DAME

Le commissaire se remet au travail un instant, puis, de nouveau, fait jouer son timbre. Nouvelle apparition de l'agent déjà vu.

LE COMMISSAIRE. — Au suivant.

L'agent sort.

LE COMMISSAIRE, *se levant.* — Ce feu ne va pas! C'est une Sibérie, ici!

Il se rend au placard de gauche, y prend une pelletée de charbon de terre dont il alimente son foyer. A ce moment, entrée d'une dame.

La Dame. — Le commissaire ?

Le Commissaire, *sa pelle à la main.* — C'est moi.

La Dame. — J'ai à me plaindre...

Le Commissaire, *très affirmatif.* — De votre mari.

La Dame. — Précisément.

Le Commissaire. — Vous voyez que je suis tombé juste. Eh bien, madame, je ne puis rien pour vous. J'ai le regret de vous l'apprendre, mais j'en ai également le devoir.

La Dame. — Monsieur...

Elle va pour prendre une chaise.

Le Commissaire. — Ne vous asseyez pas, madame; c'est inutile. Vous allez perdre votre temps et me faire perdre le mien. C'est curieux, ce parti pris, chez les trois quarts des femmes, de considérer le commissaire pour un raccommodeur de ménages cassés! Madame, les petites querelles d'intérieur ne sont pas de la compétence du commissaire de police. Sorti des flagrants délits d'adultère, le commissaire ne doit, ne peut intervenir qu'en cas d'entretien de concubine au domicile conjugal. Est-ce le cas de votre mari ?

La Dame. — Monsieur...

Le Commissaire. — Oh! pas de paroles inutiles, je vous en prie! C'est oui ou non.

La Dame. — Mais...

Le Commissaire. — Si c'est oui, déposez une plainte au parquet, qui me transmettra des instructions. Si c'est non, votre démarche est nulle et non avenue, et vous pouvez vous retirer.

La Dame. — Mon mari ne me trompe pas.

Le Commissaire. — Alors quoi ? Il vous bat ? En ce cas, madame, faites constater le fait par témoins, introduisez une instance en divorce, et les juges vous donneront gain de cause. Je vous répète que les femmes ont la rage de s'emparer du commissaire et de le mettre à toutes les sauces. Que diable, soyez raisonnable! S'il me fallait intervenir, la branche d'olivier à la main, dans tous les salons où l'on se cogne, il me faudrait soixante jours au mois et quarante heures à la journée.

La Dame. — Eh! monsieur le commissaire, ce n'est pas de cela qu'il s'agit, mon mari ne me bat pas plus qu'il ne me trompe.

Le Commissaire. — Non ? Je parie qu'il est fou!

La Dame. — C'est vrai.

LE COMMISSAIRE, *souriant.* — Vous me rendrez cette justice que j'ai plutôt l'air d'un monsieur connaissant les choses dont il parle.

LA DAME. — Comment avez-vous pu deviner ?...

LE COMMISSAIRE. — J'ai tellement l'habitude de ces sortes de choses!... Mais votre histoire, ma chère dame, je la connais depuis A jusqu'à Z, et, des visites comme la vôtre, j'en reçois jusqu'à dix par jour! Voulez-vous un conseil ? ...un bon ? *(La dame fait un signe de tête affirmatif et s'assied.)* Rentrez donc tranquillement chez vous préparer votre déjeuner. Votre mari n'est pas plus fou que moi.

LA DAME. — Il est fou à lier.

LE COMMISSAIRE. — Non.

LA DAME. — Si.

LE COMMISSAIRE. — Non. Est-ce qu'il se saoule, votre mari ?

LA DAME. — Du tout.

LE COMMISSAIRE. — Avez-vous connaissance qu'il ait eu la fièvre typhoïde ou qu'il ait reçu un coup de soleil ?

LA DAME. — Aucun souvenir.

LE COMMISSAIRE. — Appartient-il à une famille d'alcooliques, d'épileptiques ou d'aliénés ?

LA DAME. — Je ne crois pas.

LE COMMISSAIRE. — Eh bien!

LA DAME. — Eh bien, quoi ? C'est une raison, parce qu'il n'y a pas de fou chez lui, pour qu'il n'y en ait pas un chez moi ?

LE COMMISSAIRE. — Permettez!

LA DAME. — Il ne boit pas!... Après ? Cela empêche-t-il qu'il ne fasse rien comme personne, qu'il ne tienne des discours auxquels on ne comprend goutte, et qu'il n'accomplisse des actions sans devant ni derrière, autant dire ?

LE COMMISSAIRE. — Quels discours ? Quelles actions ?

LA DAME. — Comment, quelles actions!... Et les nuits, les nuits blanches que je passe à l'écouter causer tout seul, combiner je ne sais quoi, menacer je ne sais qui, ruminer des heures entières!... sans parler des moments où il saute du lit, en chemise, le revolver au poing, en criant : « Je brûle la figure au premier qui touche à ma femme! » C'est naturel, ça, peut-être ?

LA COMMISSAIRE. — Il est jaloux.

LA DAME. — Jaloux.

LE COMMISSAIRE. — Oui.

LA DAME. — C'est facile à dire. Je voudrais bien savoir si c'est par jalousie qu'il s'enferme dans les cabinets pendant des fois deux et trois heures pour déclamer tout haut contre la société, hurler que l'univers entier a une araignée dans le plafond, une punaise dans le bois de lit, et un rat dans la contrebasse.

LE COMMISSAIRE, *amusé*. — Il dit que l'univers entier a un rat dans la contrebasse ?

LA DAME. — Parfaitement! Il voit des fous partout, monsieur!... Et avec ça, notez qu'il ne fait plus un pas sans hurler : « Une, deux! » à tue-tête sous prétexte de se développer les pectoraux. Au point qu'il est devenu la risée du quartier et que les enfants lui donnent la chasse en criant à la chie-en-lit!...

LE COMMISSAIRE. — Vous exagérez.

LA DAME, *l'ongle aux dents*. — Pas de cela.

LE COMMISSAIRE, *haussant les épaules*. — Allons donc! Mais si c'était vrai, il y a longtemps que les agents lui auraient mis la main dessus et l'auraient amené à mon commissariat pour scandale sur la voie publique.

LA DAME. — Les agents ne sont occupés qu'à dresser des contraventions aux marchandes des quatre-saisons.

LE COMMISSAIRE. — Les agents sont de braves gens, qui se conforment de leur mieux aux obligations de leur charge. Si vous êtes venue ici pour y exercer votre esprit caustique, vous vous êtes trompée d'adresse. Je suis bon enfant d'écouter vos sornettes! Ne croyez pas que par-dessus le marché j'encaisserai vos impertinences. Pour en revenir à votre mari, vous voulez qu'il soit fou ? Vous le voulez à toute force ? Eh bien, c'est une affaire entendue; il est fou. Après ?

LA DAME. — Après ?

LE COMMISSAIRE. — Oui; après ? Qu'est-ce que vous voulez que j'y fasse ?

LA DAME. — Je supposais...

LE COMMISSAIRE. — Vous vous trompiez. Suis-je médecin-aliéniste et puis-je le guérir ? Non. Alors ?... Car il faut pourtant se décider à dire des choses raisonnables et à présenter les faits sous leur véritable jour. *(Mouvement de la dame.)* Madame, le cas de votre mari — puisque cas il y a, dites-vous — n'est pas du ressort du commissaire, mais de celui de l'Assistance Publique; c'est donc, non à moi, mais à elle que vous devez faire part de vos craintes et adresser votre requête. Je m'empresse d'ajouter d'ailleurs, qu'à moins d'un miracle... improbable, il n'y sera donné aucune suite.

LA DAME. — Parce que ?

LE COMMISSAIRE. — Il n'y a que les femmes pour poser des questions pareilles! Parce que l'Assistance Publique n'est pas ce qu'un vain peuple pense et que les moyens dont elle dispose sont loin, bien loin d'être en rapport avec les charges qui lui incombent et sous lesquelles elle succombe.

LA DAME, *se levant*. — Eh bien, monsieur le commissaire, je dois vous avertir d'une chose : mon mari n'est encore dangereux que pour moi; le moment n'est pas éloigné où il le deviendra pour tout le monde.

LE COMMISSAIRE. — Quand ce moment sera venu, madame, nous aviserons. En attendant, comme les asiles regorgent à la fois de pensionnaires et de demandes d'admission; que je ne puis procéder d'office, sur la première requête venue, à la séquestration d'un homme dont l'exaltation cérébrale n'existe vraisemblablement que dans l'imagination de sa femme; que je ne puis enfin, avec la meilleure volonté du monde, perdre une matinée tout entière à rabâcher les mêmes choses sans arriver à me faire comprendre, vous trouverez bon que nous en restions là.

Il se lève.

LA DAME. — Enfin, monsieur le commissaire...

LE COMMISSAIRE. — Vous avez une conversation charmante, pleine d'intérêt; malheureusement, le devoir m'appelle, comme on dit dans les opéras. — Madame, au plaisir de vous revoir. Conseillez à votre mari le bromure, la marche et l'hydrothérapie. J'ai l'honneur de vous saluer.

SCÈNE IV

LE COMMISSAIRE, BRELOC

Au même moment où la dame disparaît.

UNE VOIX, *à la cantonade*. — Monsieur le commissaire!

LE COMMISSAIRE. — Vous demandez ?

LA VOIX. — Une audience, une courte audience.

LE COMMISSAIRE. — Si courte que cela ?

LA VOIX. — J'en ai pour une minute.

LE COMMISSAIRE. — Pas plus ?

LA VOIX. — A peine, monsieur.
LE COMMISSAIRE. — En ce cas...

Il s'efface. Apparition, sur le seuil de la porte, de Breloc, qui entre, se découvre et gagne le milieu du théâtre.

LE COMMISSAIRE. — Veuillez vous expliquer.
BRELOC. — Monsieur le commissaire, c'est bien simple. Je viens déposer entre vos mains une montre que j'ai trouvée cette nuit au coin du boulevard Saint-Michel et de la rue Monsieur-le-Prince.
LE COMMISSAIRE. — Une montre ?
BRELOC. — Une montre.
LE COMMISSAIRE. — Voyons.
BRELOC. — Voici.

Il tire de son gousset et remet au commissaire une montre que celui-ci examine longuement. A la fin :

LE COMMISSAIRE. — C'est une montre, en effet.
BRELOC. — Oh! il n'y a pas d'erreur.
LE COMMISSAIRE. — Je vous remercie.

Il va à sa table, fait jouer un tiroir et y enfouit la montre de Breloc.

BRELOC. — Je puis me retirer ?
LE COMMISSAIRE, *l'arrêtant du geste.* — Pas encore.
BRELOC. — Je suis un peu pressé.
LE COMMISSAIRE. — Je le regrette.
BRELOC. — On m'attend.
LE COMMISSAIRE, *sec.* — On vous attendra.
BRELOC, *un peu étonné.* — Ah ?
LE COMMISSAIRE. — Oui.
BRELOC. — Mais...
LE COMMISSAIRE. — C'est bien. Un instant. Vous ne supposez pas, sans doute, que je vais recueillir cette montre de vos mains sans que vous m'ayez dit comment elle y est tombée.
BRELOC. — J'ai eu l'honneur de vous expliquer tout à l'heure que je l'avais trouvée cette nuit au coin de la rue Monsieur-le-Prince et du boulevard Saint-Michel.
LE COMMISSAIRE. — J'entends bien; mais où ?
BRELOC. — Où ? Par terre.
LE COMMISSAIRE. — Sur le trottoir ?
BRELOC. — Sur le trottoir.
LE COMMISSAIRE. — Voilà qui est extraordinaire. Le

trottoir, ce n'est pas une place où mettre une montre.

BRELOC. — Je vous ferai remarquer...

LE COMMISSAIRE. — Je vous dispense de toute remarque. J'ai la prétention de connaître mon métier. Au lieu de me donner des conseils, donnez-moi votre état civil.

BRELOC, *un commencement d'impatience dans la voix.* — Je m'appelle Breloc (Jean-Eustache). Je suis né à Pontoise, le 28 décembre 1861, de Pierre-Timoléon-Alphonse-Jean-Jacques-Alfred-Oscar Breloc et de Céleste Moucherol, son épouse.

LE COMMISSAIRE. — Où demeurez-vous ?

BRELOC. — Rue Pétrelle, 47, au premier au-dessus de l'entresol.

LE COMMISSAIRE, *après avoir pris note.* — Quelles sont vos ressources ?

BRELOC, *qui se monte peu à peu.* — J'ai vingt-cinq mille livres de rente, une ferme en Touraine, une chasse gardée en Beauce, six chiens, trois chats, une bourrique, onze lapins et un cochon d'Inde.

LE COMMISSAIRE. — Ça suffit ! — Quelle heure était-il quand vous avez trouvé cette montre ?

BRELOC. — Trois heures du matin.

LE COMMISSAIRE, *ironique.* — Pas plus ?

BRELOC. — Non.

LE COMMISSAIRE. — Vous me faites l'effet de mener une singulière existence.

BRELOC. — Je mène l'existence qui me plaît.

LE COMMISSAIRE. — Possible; seulement, moi, j'ai le droit de me demander ce que vous pouviez fiche à trois heures du matin au coin de la rue Monsieur-le-Prince, vous qui *dites* habiter rue Pétrelle, 47.

BRELOC. — Comment, je *dis ?*

LE COMMISSAIRE. — Oui, vous le dites.

BRELOC.— Je le dis parce que cela est.

LE COMMISSAIRE. — C'est ce qu'il faudra établir. En attendant, faites-moi le plaisir de répondre avec courtoisie aux questions que mes devoirs m'obligent à vous poser. Je vous demande ce que vous faisiez, à une heure aussi avancée de la nuit, dans un quartier qui n'est pas le vôtre.

BRELOC. — Je revenais de chez ma maîtresse.

LE COMMISSAIRE. — Qu'est-ce qu'elle fait, votre maîtresse ?

BRELOC. — C'est une femme mariée.

LE COMMISSAIRE. — A qui ?

BRELOC. — A un pharmacien.

LE COMMISSAIRE. — Qui s'appelle ?

BRELOC. — Ça ne vous regarde pas.

LE COMMISSAIRE. — C'est à moi que vous parlez ?

BRELOC. — Je pense.

LE COMMISSAIRE. — Oh ! mais dites donc, mon garçon, vous allez changer de langage. Vous le prenez sur un ton qui ne me revient pas, contrairement à votre figure, qui me revient, elle !

BRELOC. — Ah bah !

LE COMMISSAIRE. — Oui; comme un souvenir. Vous n'avez jamais eu de condamnations ?

BRELOC, *stupéfait.* — Et vous ?

LE COMMISSAIRE, *qui bondit.* — Vous êtes un insolent !

BRELOC. — Vous êtes une foutue bête.

LE COMMISSAIRE. — Retirez cette parole !

BRELOC. — Vous vous fichez de moi. Me prenez-vous pour un escroc ?

(ENSEMBLE.)

BRELOC. — Et puis j'en ai plein le dos, à la fin; vous m'embêtez avec votre interrogatoire. A-t-on idée d'une chose pareille ? Je trouve dans la rue une montre; je me détourne de mon chemin pour vous la rapporter, et voilà comment je suis reçu ! D'ailleurs, c'est bien fait pour moi; ça m'apprendra à rendre service et à me conduire en honnête homme.

LE COMMISSAIRE. — Ah ! c'est comme ça ? Eh bien attendez, mon gaillard, je vais vous apprendre à me parler avec les égards qui me sont dus ! En voilà encore, un voyou ! Est-ce que je vous connais, moi ? Est-ce que je sais qui vous êtes ? Vous dites habiter rue Pétrelle : rien ne me le prouve ! Vous dites vous nommer Breloc : je n'en sais rien. Et d'ailleurs, c'est bien simple, la question va être tranchée.

Le commissaire court à la porte, qu'il ouvre.

LE COMMISSAIRE. — Emparez-vous de cet homme-là, et collez-le-moi au violon !

BRELOC. — Ça, par exemple, c'est un comble !

L'AGENT. — Allez ! Allez ! Au bloc ! Et pas de rouspétance !

BRELOC, *emmené presque de force.* — Eh bien, que j'en trouve encore une !... que j'en trouve encore une, de montre !

Il disparaît.

SCÈNE V

LE COMMISSAIRE, *puis* FLOCHE *et* DEUX AGENTS

LE COMMISSAIRE. — Breloc! Breloc! Est-ce que je sais, moi, si cet homme-là s'appelle Breloc! A la rigueur, moi aussi, je pourrais m'appeler Breloc! Si on les écoutait, ils s'appelleraient tous Breloc! *(Allant à la fenêtre.)* Saperlipopette, il vient un vent par cette fenêtre!

A ce moment, bruit à la cantonade. La porte s'ouvre violemment, livrant passage à Floche, qui se débat entre deux gardiens de la paix.

FLOCHE. — Le commissaire! Où est le commissaire? Je veux parler au commissaire!

LE COMMISSAIRE, *aux agents.* — Qu'est-ce qu'il y a?

FLOCHE. — C'est vous le commissaire?

LE COMMISSAIRE. — Oh! pas tant de bruit, s'il vous plaît. Vous parlerez quand je vous y inviterai. — De quoi s'agit-il, Lagrenaille?

L'AGENT LAGRENAILLE. — C'est monsieur qui faisait de l'esclandre à l'angle de la rue de Dunkerque et du faubourg Poissonnière, en débinant la République. Comme les passants assemblés concouraient de toutes parts au désordre de la rue, nous avons hâté le pas, mon collègue et moi, et avons engagé monsieur à satisfaire de bonne grâce aux lois de la circulation. Sur le refus qu'il nous opposa, nous l'avons pris par le bras, sans violence, et l'avons mené au commissariat.

LE COMMISSAIRE. — A-t-il fait de la rébellion?

L'AGENT LAGRENAILLE. — Non, monsieur le commissaire.

LE COMMISSAIRE. — Vous a-t-il injuriés?

L'AGENT LAGRENAILLE. — Du tout.

FLOCHE. — Je n'avais pas de raison pour être malhonnête avec des agents comme il faut. Quant à de la rébellion, j'aime trop l'autorité pour n'en avoir pas le respect.

LE COMMISSAIRE. — Voilà un principe de conduite auquel vous auriez dû vous conformer plus tôt.

FLOCHE. — Par exemple?

LE COMMISSAIRE. — Quand les agents vous ont prié de circuler.

FLOCHE, *discret, mais ironique.* — Oh ça!...
LE COMMISSAIRE. — Quoi, oh ça ?
FLOCHE. — Je dis : oh ça!... Dire : « oh ça! », c'est le droit de tout le monde.
LE COMMISSAIRE. — Oui, mais ce qui n'est le droit de personne, c'est de se livrer, comme vous l'avez fait, à des démonstrations publiques et de tenir à haute voix des propos séditieux.
FLOCHE. — La République me dégoûte.
LE COMMISSAIRE. — Ce n'est pas une raison suffisante pour que vous essayiez d'en dégoûter les autres.
FLOCHE, *concis et éloquent.* — Ça encore!...

Il rit.

LE COMMISSAIRE. — Quoi, ça encore ?
FLOCHE. — Je dis : « Ça encore!... » Ça vous choque ?
LE COMMISSAIRE. — Oui, ça me choque; et puisque vous le prenez comme ça, le paysage va changer d'aspect. *(Aux agents.)* Je vous remercie.

Sortie des agents. Un temps.

LE COMMISSAIRE, *entre ses dents.* — « Ça encore!... » *(Haussement d'épaules. — Il prend une feuille de papier, trempe sa plume dans l'encre et se dispose à écrire.)* Comment vous appelez-vous ?
FLOCHE. — Floche.
LE COMMISSAIRE. — Avec ou sans S ?
FLOCHE. — Sans S.
LE COMMISSAIRE. — Vos prénoms ?
FLOCHE. — Jean-Edouard. Domicile : rue des Vieilles-Haudriettes, 129.
LE COMMISSAIRE. — Et votre profession ?
FLOCHE. — Je n'en ai pas. J'ai un petit capital qui travaille pour moi.
LE COMMISSAIRE. — Vous êtes décoré ?
FLOCHE. — Qui ? Moi ? Non.
LE COMMISSAIRE. — Alors ça.

Il désigne le large ruban rouge qui pare la boutonnière de Floche.

FLOCHE. — Ça ? C'est un pense-bête. *(Il rit.)* J'ai la mémoire assez indocile, je vous dirai. Elle a tendance à faire l'école buissonnière, si bien que je suis contraint de lui mettre un licou. D'où ce ruban qui la rappelle, quand le besoin s'en fait sentir, au sentiment de sa mission. C'est nouveau et ingénieux, supérieur au mouchoir corné, qui perd toute efficacité si vous n'êtes affligé du rhume de cerveau, et à l'épingle sur la manche qui a le tort de vous signaler comme étourneau à la raillerie des imbéciles.

LE COMMISSAIRE. — Soit! Mais si ce ruban ne vous signale pas à la raillerie des imbéciles, il peut vous signaler à l'attention des juges et vous valoir six mois de prison. Enlevez-moi ça! hein. *(Floche retire le ruban.)* Votre âge ?

FLOCHE, *s'asseyant.* — Avez-vous idée d'un poète composant une tragédie dans un salon où un professeur de piano ferait des gammes du matin au soir ? *(Stupéfaction du commissaire.)* Non, n'est-ce pas ? Eh bien, ma mémoire est à l'image de ce poète : elle est logée en un cerveau où le génie fait trop de musique.

LE COMMISSAIRE. — Vous êtes un faiseur d'embarras. Je vous invite à garder pour vous vos phrases à panache dont je n'ai que faire et à répondre à mes questions ? Je vous demande quel âge vous avez ?

FLOCHE. — Vingt-cinq ans.

LE COMMISSAIRE. — Plaît-il ?

FLOCHE. — Vingt-cinq ans.

LE COMMISSAIRE. — Comment, vingt-cinq ans!... Vous avez vingt-cinq ans ?

FLOCHE. — Oui.

LE COMMISSAIRE, *rectifiant.* — Vous les avez *eus.*

FLOCHE. — C'est bien pourquoi je les ai gardés.

LE COMMISSAIRE. — Drôle de raisonnement!

FLOCHE. — Drôle en quoi ? Il est logique comme une démonstration d'algèbre, lumineux comme un clair de lune et simple comme une âme d'enfant. J'ai *eu* vingt-cinq ans! Oui, parbleu! Seulement, le jour où je les eus, je me suis dit à moi-même : « Bel âge! Tenons-nous-y! » Je m'y suis donc tenu, je continue à m'y tenir, et je m'y tiendrai jusqu'à ce que mort s'ensuive, avec votre permission.

Un silence.

LE COMMISSAIRE. — Un mot. Il est bien entendu que vous ne vous moquez pas de moi ?

FLOCHE. — Je ne vois rien dans mes allures, dans ma tenue ni dans mon langage, qui puisse vous autoriser à une supposition semblable.

LE COMMISSAIRE. — C'est que, précisément...

FLOCHE. — J'attendais l'objection. Elle était fatale en un temps où la raison se promenant gravement par les rues, la tête en bas et les jambes en l'air, on en est venu petit à petit à ne plus distinguer nettement ce qui est le vrai de ce qui est le faux, puis à prendre le faux pour le vrai, l'ombre pour la lumière, le soleil pour la lune et le bon sens pour l'égarement. C'est ainsi que ma femme, qui est devenue folle au contact d'un air saturé de folie, tire des plans pour me faire fourrer à Charenton.

Il s'égaye.

LE COMMISSAIRE, *faussement étonné.* — Se peut-il!... Elle aurait une punaise dans le bois de lit?

FLOCHE. — Et un rat dans la contrebasse!

LE COMMISSAIRE, *à part.* — Je suis fixé. *(Haut.)* Monsieur.

FLOCHE. — Le cas de cette malheureuse, qui est, à peu de chose près, celui de la foule tout entière, devait naturellement tenter l'esprit de logique et d'analyse d'un moraliste équilibré. Aussi ai-je conçu le projet de l'étudier tout au long, avec ses effets et ses causes, en un ouvrage intitulé : *le Daltonisme mental*...

LE COMMISSAIRE. — Monsieur...

FLOCHE. — ... ouvrage d'une haute portée philosophique...

LE COMMISSAIRE. — Sans doute, mais...

FLOCHE. — ... fruit de mes réflexions, filles elles-mêmes de mes longues veilles...

LE COMMISSAIRE. — Mon Dieu...

FLOCHE. — ... et dont je prendrai la liberté de vous développer les grandes lignes. Monsieur... *(Il s'interrompt.)* Pardon.

Il se lève et gagne le fond du théâtre.

LE COMMISSAIRE, *vaguement inquiet, à pqrt.* — Oh! mais il m'embête, cet homme-là! — Ah çà! il ferme la porte!

Il se précipite, mais déjà Floche est redescendu en scène, la lèvre fleurie d'un sourire.

FLOCHE. — Vous voyez : je fais comme chez moi.

LE COMMISSAIRE. — En effet, et c'est le tort que vous avez. — Ma clef.

FLOCHE. — Votre clef?

LE COMMISSAIRE. — Oui; ma clef.

FLOCHE. — Quelle clef?

LE COMMISSAIRE. — La clef de cette serrure.

FLOCHE. — Eh bien?

LE COMMISSAIRE. — Rendez-la-moi.

FLOCHE, *très doucement.* — Non.

LE COMMISSAIRE. — Non ?

FLOCHE. — Non.

LE COMMISSAIRE. — Pourquoi ?

FLOCHE. — Parce que j'aime mieux la garder dans ma poche. Vous n'avez aucun intérêt à ce que cette porte soit ouverte, et moi, j'en trouve un grand à ce qu'elle soit fermée. Je veux bien, vous, magistrat officiel, vous mettre dans le secret des dieux; mais l'aller confier au hasard d'une porte qui peut s'entrebâiller sans bruit, l'aller jeter en pâture à l'oreille indiscrète du premier goussepin qui passe, c'est une autre paire de manches. Monsieur, le vent de folie qui souffle de toutes parts prend naissance dans un quiproquo : dans le malentendu survenu entre la Nature qui commande, et l'Homme, qui n'exécute pas; entre les intentions bien arrêtées de l'une et l'interprétation à rebrousse-poil de l'autre.

LE COMMISSAIRE, *pris de la bravoure des poltrons qui se jettent à l'eau.* — Si vous ne me rendez pas ma clef à l'instant même, j'appelle à l'aide, j'enfonce la porte, et je vous fais expédier à l'infirmerie du Dépôt, ficelé comme un saucisson. Vous avez compris ?

FLOCHE. — A merveille. *(Il met la main à sa poche, tire un revolver et en braque le canon sur le commissaire.)* Si vous dites un mot, si vous faites un geste, si vous cessez un seul instant de me regarder dans le blanc de l'œil, je vous envoie six coups de revolver par le nez et je vous fais éclater la figure comme une groseille à maquereau!... Qui est-ce qui m'a bâti un fou furieux pareil ?

LE COMMISSAIRE. — Ah, c'est moi le... ?

FLOCHE. — Silence! ou ça va mal tourner. Je suis bon enfant, mais je n'aime pas les fous!

LE COMMISSAIRE, *terrifié.* — Je comprends ça!

FLOCHE. — Le fou, c'est mon ennemi d'instinct, entendez-vous ?... c'est ma haine, c'est ma rancune! La vue d'un fou suffit à me mettre hors de moi, et quand je tiens un fou à portée de ma main, je ne sais plus, non, je ne sais plus de quoi je ne serais pas capable!

LE COMMISSAIRE, *à part.* — C'est la crise! Je suis dans de beaux draps.

Les deux hommes se regardent dans les yeux. Le commissaire, visiblement, ne donnerait pas deux sous de sa peau. Mais, dans l'instant où il commence à recommander son âme à Dieu :

FLOCHE, *partant d'un grand éclat de rire.* — Savez-vous que, pour un commissaire, vous êtes plutôt sujet au trac ?

LE COMMISSAIRE, *qui ne comprend plus.* — Moi ?

FLOCHE. — Vous en avez eu, une peur!

LE COMMISSAIRE. — Je vous assure...

FLOCHE. — Allons, ne faites pas le modeste. Vous en tremblez encore comme de la gelée de veau! *(Un peu moqueur.)* Comment, vous n'avez pas compris que je vous faisais une farce ?... Ai-je donc la figure d'un homme qui caresse de mauvais desseins ?

LE COMMISSAIRE. — Non, certes! Mais c'est ce...

FLOCHE. — Ce quoi ?

LE COMMISSAIRE. — Ce revolver. Un malheur est si vite arrivé, comme on dit!

FLOCHE. — Vous dites des enfantillages. Une arme n'est dangereuse qu'aux mains d'un maladroit, et je suis maître de la mienne comme un bon écrivain est maître de sa langue. Songez que je vous crève un as à vingt-cinq pas, ou que je vous guillotine une pipe, le temps de compter jusqu'à quatre!

LE COMMISSAIRE, *feignant le plus vif intérêt.* — Vraiment ?

FLOCHE. — Vraiment! — D'ailleurs, vous allez en juger.

LE COMMISSAIRE. — Hein ? Quoi ? Qu'est-ce que vous allez faire ?

FLOCHE. — Vous allez voir. Ne bougez pas.

Il rompt de quelques pas et braque son revolver sur le commissaire aux cent coups.

LE COMMISSAIRE, *qui ne veut rien savoir.* — Non! Non!

FLOCHE. — Ne bougez donc pas, crebleu! Je vous dis qu'il n'y a pas de danger. La balle va vous passer au ras de l'oreille gauche; vous allez l'entendre siffler; c'est très curieux. Attention! ...Une!... Deux!...

LE COMMISSAIRE, *lancé dans des sauts de cabri.* — Je ne veux pas! Je ne veux pas!

FLOCHE, *retombant sans transition de l'accalmie à la fureur.* — Nom de Dieu d'imbécile! Buse! Brute! Une seconde de plus, le coup partait; je lui logeais une balle dans la peau! *(Hors de lui.)* Et vous croyez que, des êtres pareils, la société ne ferait pas mieux de les détruire ? Tenez *(tirant la lame de sa canne à épée)*, je ne sais ce qui me retient de vous clouer au mur comme une chauve-souris avec vingt pouces de fer dans le ventre!

LE COMMISSAIRE, *réfugié derrière sa table.* — Ça recommence ? Après le feu, le fer ?... Zut! à la fin! C'est assommant! On ne peut pas être tranquille une minute, avec vous!

FLOCHE, *laissant tomber son épée.* — Insensé!

LE COMMISSAIRE. — Eh non!

FLOCHE. — Grelot vide! Timbre fêlé! Tête sans cervelle!

LE COMMISSAIRE. — Je vous jure que vous êtes dans l'erreur. Vous vous faites, de mes facultés, une idée qui n'est pas la bonne.

FLOCHE. — Je sais! Vous êtes le fou traditionnel, classique, celui qui prêche et qui vend la sagesse. Mais, pauvre idiot, tout, en vous, respire et trahit la démence!... depuis la bouffonnerie de votre accoutrement jusqu'à l'absurdité sans nom de votre visage!

LE COMMISSAIRE. — Trop aimable!

FLOCHE, *qui est venu à la table.* — Et puis, qu'est-ce que c'est que toute cette paperasserie ? Ça ne sert à rien!

LE COMMISSAIRE. — Mais si.

FLOCHE. — Mais non! Erreur de vos sens abusés!

Il rafle le tas de procès-verbaux, pièces à légaliser, etc., etc., et sème le tout par les libres espaces.

LE COMMISSAIRE. — Oh! cré nom!

FLOCHE, *qui est venu se poster devant le cartonnier.* — Et ces cartons!... Ça n'a aucune utilité.

LE COMMISSAIRE. — Permettez!

FLOCHE. — Illusions!... Chimères!...

Il dit, et les cartons, violemment arrachés à l'étreinte de leurs alvéoles, voltigent, à leur tour, par les airs, en lâchant des torrents d'affaires à l'instruction.

LE COMMISSAIRE, *consterné.* — Ah! c'est gai!

Soudain :

FLOCHE, *avisant le feu qui flambe en la cheminée.* — Et ça!

LE COMMISSAIRE. — Quoi ça ?

FLOCHE, *désignant l'âtre.* — Ça!

LE COMMISSAIRE. — C'est du feu.

FLOCHE, *les bras au ciel.* — Du feu! *(Éclatant d'un rire épileptique.)* Du feu au mois de janvier!

LE COMMISSAIRE. — Eh bien ?

FLOCHE, *au public.* — Est-il bête! Alors non? Vous ne comprenez pas qu'à moins d'être un énergumène on ne doit faire de feu que pendant les grandes chaleurs?

LE COMMISSAIRE. — A cause?

FLOCHE, *solennel.* — A cause que la Nature — qui, seule et toujours, a raison — exige que l'homme ait chaud l'été, comme elle veut qu'il ait froid l'hiver! Eteignez-moi ce brasier.

LE COMMISSAIRE. — Non.

FLOCHE, *d'un ton d'un monsieur qui ne plaisante pas.* — Vous ne voulez pas l'éteindre?

LE COMMISSAIRE, *persuadé.* — Si!

Il se lève, se dirige lentement vers la cheminée. Un temps.

FLOCHE. — Et au trot!

Le commissaire se hâte. Une carafe est sur la cheminée. Il la prend, et, de son contenu, il inonde les bûches du foyer. Sur quoi :

FLOCHE. — La nature ordonne que, l'hiver, l'homme soit exposé à mourir de congestion pulmonaire, phtisie galopante, pleurésie, pneumonie et autres. Ouvrez cette fenêtre.

LE COMMISSAIRE. — Non.

FLOCHE, *menaçant.* — Vous ne voulez pas l'ouvrir?

LE COMMISSAIRE. — Si.

Il se dirige à petits pas vers la fenêtre.

FLOCHE. — Et que ça ne traîne pas!

Le commissaire, épouvanté, gagne la fenêtre, qu'il ouvre toute grande. Ceci fait :

FLOCHE. — Enfin, elle veut et commande que l'homme, l'hiver, ait les pieds gelés. Enlevez vos godillots.

LE COMMISSAIRE. — Ah! non!

FLOCHE, *l'arme braquée.* — Vous ne voulez pas les enlever?

LE COMMISSAIRE. — Si.

Scène muette. Le commissaire, résigné et navré, se décide à ôter ses chaussures. Mimique de Floche qui attend. A la fin, les souliers enlevés et déposés côte à côte près des pieds libérés de leur propriétaire, le fou s'en empare, et, à toute volée, les envoie, par la fenêtre ouverte, voir au-dehors si le printemps s'avance. Là-dessus :

FLOCHE, *avisant le placard où l'on a vu le commissaire puiser une pelletée de coke au commencement de l'acte.* — Qu'est-ce que c'est que ça ?

LE COMMISSAIRE. — Le placard au charbon.

FLOCHE. — Bien. Entrez-y.

LE COMMISSAIRE. — Vous dites ?

FLOCHE. — Je dis : « Entrez-y ! »

LE COMMISSAIRE. — Mais...

FLOCHE, *formidable.* — Vous ne voulez pas ?

LE COMMISSAIRE, *vaincu, donc convaincu.* — Je ne fais que ça.

D'un pas de condamné à mort, le pauvre commissaire s'achemine vers le placard dont Floche lui tient la porte ouverte. Là, courte hésitation. Brusquement, d'une main agacée, Floche le saisit par le fond de sa culotte, l'envoie dans le noir, ramène la porte et la verrouille.

Puis il redescend la scène, va au bureau du commissaire, prend son chapeau haut de forme et en rétablit les huit reflets après avoir apposé dans le fond de la coiffe un coup du timbre à tampon. Il se coiffe. D'une pichenette il fait disparaître un grain de poussière égaré sur sa manche, puis, automatiquement, en faisant aller les bras, il manœuvre en criant : une, deux; une, deux. *Il ouvre la porte, voit les deux agents de garde, les salue poliment et sort.*

SCÈNE VI

DEUX AGENTS, LE COMMISSAIRE

Un temps. — Soudain, la porte s'ouvre. Apparition d'un des agents qui avaient amené Floche.

L'AGENT, *après avoir regardé.* — Lagrenaille ! Lagrenaille !

LAGRENAILLE, *qui survient.* — Hé là ?

L'AGENT. — Où est donc le patron ?

LAGRENAILLE. — Je n'en sais rien.

L'AGENT. — Eh bien, elle est raide, celle-là !

LAGRENAILLE, *qui aperçoit le chapeau du commissaire.* V'là son tube.

L'AGENT, *qui voit le pardessus.* — Sa pelure !

LAGRENAILLE, *désignant le parapluie.* — Son riflard.

Un silence.

L'AGENT, *les bras cassés de stupeur.* — Ah! nom de Dieu!

Ils se précipitent, se penchent, regardent à droite et à gauche.

LAGRENAILLE, *brusquement.* — La fenêtre!
L'AGENT. — Rien!
LAGRENAILLE. — Rien!
L'AGENT. — Ça m'a donné un coup!
LA VOIX DU COMMISSAIRE. — Lagrenaille!
LAGRENAILLE. — Ecoute voir.
LA VOIX DU COMMISSAIRE. — Garrigou!
L'AGENT. — On m'appelle!
LA VOIX DU COMMISSAIRE. — A moi!
LAGRENAILLE. — C'est le patron!
L'AGENT. — Dieu me pardonne, est-ce qu'il n'est pas dans le charbon de terre!

Il va au placard, qu'il ouvre.

LE COMMISSAIRE, *qui jaillit, pareil à un diable à surprise, la figure noircie de charbon.* — Au fou! Au fou!... Des cordes!... des courroies!... des chaînes!... Qu'on aille chercher le panier à salade!... Téléphonez au préfet de mobiliser les pompiers et la garde républicaine!... La ville est menacée!... Au fou!

L'ARTICLE 330

THÉATRE ANTOINE, 12 DÉCEMBRE 1900

PERSONNAGES

	MM.
LA BRIGE	DUMÉNY.
LE PRÉSIDENT	ANTOINE.
LE SUBSTITUT	SIGNORET.
L'HUISSIER	TUNC.

Une salle d'audience au Palais de Justice. — Au lever du rideau, mouvement de scène, brouhaha de conversations et, presque aussitôt, coup de sonnette. Le calme se fait à l'instant même. Un garçon de bureau se précipite et va ouvrir à deux battants la porte de la chambre de conseil.

L'Huissier. — Le tribunal! Découvrez-vous, messieurs!

Les trois juges viennent prendre leurs places. Tout le monde s'assied.

Le Président. — L'audience est reprise!... Appelez, huissier.

L'Huissier. — Le Ministère Public contre La Brige. Outrage public à la pudeur. — La Brige!

La Brige s'avance à la barre.

Le Président. — Vos nom, prénoms et domicile.

La Brige. — La Brige, Jean-Philippe, trente-six ans, 5 *bis*, avenue de La Motte-Picquet.

Le Président. — Votre profession.

La Brige. — Philosophe défensif.

Le Président. — Comment ?

La Brige. — Philosophe défensif.

Le Président. — Qu'est-ce que vous voulez dire par là ?

La Brige. — Je veux dire que, déterminé à vivre en parfait honnête homme, je m'applique à tourner la loi, partant à éviter ses griffes. Car j'ai aussi peur de la loi qui menace les gens de bien dans leur droit au grand air que des institutions en usage qui les lèsent dans leurs patrimoines, dans leur dû et dans leur repos.

Le Président. — Voilà de singulières doctrines.

La Brige. — Les doctrines, inspirées par la sagesse même, d'un homme qui, n'ayant de sa vie bu outre mesure, frappé ni injurié personne, fait tort d'un sou à qui que ce soit, ne s'est jamais levé le matin sans se demander avec inquiétude s'il coucherait le soir dans son lit.

LE PRÉSIDENT. — Vous êtes anarchiste ?

LA BRIGE, *haussant les épaules.* — Ah! là! là!... La République serait bien ce qu'il y a de plus bête au monde, si l'anarchie n'était plus bête qu'elle encore. Non, je suis pour Philippe Auguste, ou pour Louis X dit le Hutin.

LE PRÉSIDENT. — Vous n'avez jamais eu de condamnations ?

LA BRIGE. — Jamais.

LE PRÉSIDENT. — Ça m'étonne.

LA BRIGE. — Je vous crois sans peine; mais je suis un gaillard habile.

LE PRÉSIDENT, *ironique.* — Soit dit sans vous flatter.

LA BRIGE. — Sans me flatter, en effet, puisque j'ai résolu le difficile problème de pouvoir, à trente-six ans, justifier à la fois et d'un passé sans tache, et d'un casier judiciaire sans souillure.

LE SUBSTITUT. — Voilà de bien grands mots : mettons les choses au point. Vous n'avez jamais eu de condamnations, c'est vrai, mais les renseignements recueillis sur votre compte ne sont guère en votre faveur. Ils vous représentent comme un personnage de commerce presque impossible, comme une façon de Chicaneau, processif, astucieux, retors, éternellement en bisbille avec le compte courant de la vie. Les juges ne sont occupés qu'à trancher vos petits différends avec le commun des mortels, et les archives des commissariats regorgent de procès-verbaux dont votre nom fait les frais.

LA BRIGE. — Monsieur, chacun, en ce bas monde, étant maître de sa vie, en dispose comme il l'entend. Pour moi, j'ai commencé par mettre la mienne au service de celle des autres, dans l'espérance que les autres s'en apercevraient un jour et me sauraient gré de mes bonnes intentions. Malheureusement, il est, pour l'homme, deux difficultés insolubles : savoir au juste l'heure qu'il est, et obliger son prochain. Dans ces conditions, écœuré d'avoir tout fait au monde pour être un bon garçon et d'avoir réussi à n'être qu'une poire, dupé, trompé, estampé, acculé, finalement, à cette conviction que le raisonnement de l'humanité tient tout entier dans cette bassesse : « Si je ne te crains pas, je me fous de toi », j'ai résolu de réfugier désormais mon égoïsme bien acquis sous l'abri du toit à cochons qui s'appelle la Légalité.

LE PRÉSIDENT. — Quand vous aurez fini de faire du paradoxe, le tribunal passera à l'examen de la cause.

LA BRIGE. — Je ne fais pas de paradoxe : je n'en ai fait de ma vie et ne suis pas près d'en faire, en ayant le dégoût, l'exécration et la crainte, comme d'une fille publique qu'il est. La vérité, c'est que nous vivons dans un pays d'où le bon sens a cavalé, au point que M. de La Palice y passerait pour un énergumène, et qu'un homme de jugement rassis, d'esprit équilibré et sain, ne saurait prêcher l'évidence, la démontrer par A + B, sans se voir taxé d'extravagance et menacé, à l'instant même, de la camisole de force.

LE PRÉSIDENT. — Finissons-en.

LE SUBSTITUT. — J'allais le dire. Vous êtes ici pour répondre aux questions qui vous seront posées et non pour vous répandre en périodes oratoires qui n'ont rien à faire en cette enceinte.

LA BRIGE. — Qu'on me questionne.

LE PRÉSIDENT. — Vous savez de quoi vous êtes prévenu ?

LA BRIGE. — Du tout. De quoi ?

LE PRÉSIDENT. — D'avoir montré votre derrière.

LA BRIGE. — Moi ?

LE PRÉSIDENT. — Vous.

LA BRIGE. — A qui ?

LE PRÉSIDENT. — A treize mille six cent quatre-vingt-sept personnes dont les plaintes sont au dossier.

LA BRIGE. — J'invoque la pureté notoire de mes mœurs. Montrer mon derrière! Pour quoi faire ?

LE PRÉSIDENT. — C'est ce qu'établiront les débats. En attendant, treize mille six cent quatre-vingt-sept personnes déclarent, je vous le répète, l'avoir vu.

LA BRIGE. — Trop poli pour les démentir, je consens à ce qu'elles l'aient vu, mais je nie formellement le leur avoir montré.

LE SUBSTITUT. — Vous jouez sur les mots.

LA BRIGE. — Pas si bête! Je m'efforce, au contraire, de les emprisonner dans leur véritable sens, dès lors, de présenter les choses sous leur véritable jour.

LE PRÉSIDENT. — Bref, vous niez les faits qui vous sont reprochés ?

LA BRIGE. — Je nie tomber sous le coup de l'article 330 qui prévoit et punit le délit d'outrage public à la pudeur.

LE PRÉSIDENT. — Vous pouvez vous asseoir. *(La Brige se rassied.)* Il y a des témoins ?

LE SUBSTITUT. — Il y en aurait eu trop, monsieur le

président. Le Ministère Public a donc pris le parti de n'en faire citer aucun. Aussi bien, le délit, hors de discussion, fait l'objet d'un constat de Me Legruyère, huissier à Paris, constat dressé en bonne et due forme dans les termes requis par la loi et dont je demanderai au tribunal la permission de lui donner lecture.

LE PRÉSIDENT. — Le tribunal vous écoute. Lisez, monsieur le substitut.

LE SUBSTITUT, *lisant*. — « L'an 1900, le 21 septembre, « j'ai, Jean, Alfred, Hyacinthe... »

LA BRIGE, *à mi-voix*. — Tous les huissiers s'appellent Hyacinthe; on n'a jamais su pourquoi.

L'HUISSIER. — Silence!

LE SUBSTITUT. — « ... Jean, Alfred, Hyacinthe Legruyère, huissier près le tribunal de première instance « séant à Paris, été requis par la Société des Transports « Electriques de l'Exposition de 1900, aux fins de dresser « dû et légal constat contre La Brige, Jean-Philippe, « comme contrevenant habituellement aux lois sur la « morale publique et scandalisant par l'exhibition constante de sa nudité la pudeur des personnes véhiculées « du Champ-de-Mars aux Invalides, au moyen du Trottoir Roulant. En conséquence, nous étant rendu sur « ledit Trottoir Roulant, et étant parvenu avenue de « La Motte-Picquet, devant l'immeuble numéroté 5 *bis*, « nous avons nettement distingué, au fond d'un appartement révélé à tout un chacun par l'écartement d'une « croisée grande ouverte, une sorte de sphère imparfaite, « fendue dans le sens de la hauteur, offrant assez exactement l'aspect d'un trèfle à deux feuilles, et que nous « avons reconnue pour être la partie inférieure et postérieure d'une personne courbée comme pour baiser la « terre. »

LA BRIGE. — Je ne baisais pas la terre.

L'HUISSIER. — Silence, donc!

LE PRÉSIDENT. — Tout à l'heure.

LA BRIGE. — Je cherchais une pièce de deux sous.

LE SUBSTITUT, *lisant*. — « Trente-sept minutes après, le « Trottoir Roulant ayant achevé son parcours, nous « nous trouvâmes ramené à notre point de départ, où « étant, nous pûmes constater que les choses étaient « toujours dans le même état. Une deuxième fois, *item*. « Une troisième fois, *item*. Une quatrième fois, *item*. »

LE PRÉSIDENT, *à La Brige*. — Vous cherchiez toujours vos deux sous?

La Brige. — « Ils avaient glissé sous un meuble, je tâchais de les ramener à moi avec le bout de mon parapluie.

Le Président, *haussant les épaules.* — En voilà des explications! Achevez, monsieur le substitut.

Le Substitut, *lisant.* — « Nous avons également « remarqué que les faits relatés ci-dessus, loin de passer « inaperçus aux yeux des personnes placées sur la plate-« forme électrique, paraissaient exciter chez la plupart « d'entre elles un mécontentement des plus vifs, d'où « des protestations nombreuses et de bruyantes excla-« mations, au nombre desquelles il convient de men-« tionner les suivantes : « C'est dégoûtant! — Goujat! « — Cochon! — O Ciel! — Qu'est-ce que je vois! — « C'est une infamie. — Amélie, je te défends de regarder « par là... » De tout quoi nous avons dressé le présent « constat pour la requérante en faire tel usage que de « droit, et lui en avons laissé la présente copie dont le « coût est de 11 fr. 25, plus une feuille de papier spécial « du prix de 60 centimes. »

Le Président. — La Brige!

La Brige, *qui se lève.* — Monsieur le Président?

Le Président. — Avez-vous des observations à présenter?

La Brige. — J'ai à présenter ma défense.

Le Président. — Vous tâcherez d'être bref.

La Brige. — Je tâcherai d'être clair. Je n'ai que faire de la parole, si le tribunal qui me la donne me marchande en même temps le droit de m'en servir.

Le Substitut. — Le tribunal vous a épargné des dépositions accablantes.

La Brige, *souriant.* — Je lui fais grâce d'une plaidoirie d'avocat. Nous aurons donc rivalisé de générosité et de grandeur d'âme. Au reste, voici les faits dans toute leur simplicité. — Le 15 janvier 1898, muni d'un bail trois, six, neuf, je vins occuper au premier étage de la maison située 5 *bis* avenue de La Motte-Picquet, un appartement de 1.500 francs. J'aime ce coin que le voisinage des couvents et des quartiers de cavalerie emplit du bruit des sonneries et des cloches, où les dimanches de beau temps attablent les soldats et le peuple aux terrasses des cabarets, et qui trouve le moyen de n'être plus Paris tout en n'étant pas la province. Il est favorable à l'étude et propice à la rêverie. J'y rêvais donc en paix et y étudiais dans le calme, comme j'en avais acquis le droit, lorsque la Société des Transports Electriques, sous prétexte de concourir à la gloire de l'Exposition, vint contribuer de façon imprévue au pittoresque du quartier. Et, de cet instant, ce fut gai! De huit heures du matin à onze heures du soir, prenant par conséquent sur mon sommeil du soir si j'entendais me coucher tôt et sur mon sommeil du matin si j'entendais me lever tard, le trottoir — le trottoir roulant! — se mit à charrier devant mes fenêtres des flots de multitude entassée : hommes, femmes, bonnes d'enfants et soldats; tous gens d'esprit, d'humeur joviale, qui débinaient mon mobilier, crachaient chez moi et glissaient de tribord à bâbord en chantant à mon intention : « Oh! là! là! c'te gueule, c'te binette! », cependant qu'échappés à des doigts bienveillants les noyaux de cerise pleuvaient dans ma chambre à coucher, alternés de cacahouètes, d'olives et de pépins de potiron. *(Rire des magistrats.)* Je demanderai au Tribunal la permission de ne pas m'associer à sa joie, que je comprends, mais que je ne saurais partager, pour des raisons qui me sont propres.

LE PRÉSIDENT. — Au fait! Au fait!

LA BRIGE. — J'y arrive. — Légitimement stupéfait, fort de l'article 1382 du Code Civil ainsi conçu : « *Tout fait qui cause à autrui un dommage oblige celui qui l'a causé à en donner réparation* », j'assignai en référé la Société des Transports Electriques qui me dit : « Je ne vous connais pas; je ne sais pas ce que vous voulez me dire. J'ai passé, moi, Société, avec la Commission de l'Exposition, un contrat m'autorisant à faire rouler mon trottoir du Champ-de-Mars aux Invalides en passant par l'avenue de La Motte-Picquet. Si, en me concédant ce pouvoir, l'Exposition a outrepassé le sien, prenez-vous-en à elle, et laissez-moi tranquille. »

LE PRÉSIDENT. — La Société avait raison.

LA BRIGE. — Cent fois! Aussi, ayant, sans récriminations, payé les frais du procès, assignai-je en référé la Commission de l'Exposition qui me dit : « Je ne vous connais pas; je ne sais pas ce que vous voulez me dire. J'ai passé moi, Exposition, des contrats synallagmatiques avec les concessionnaires de terrains, contenus, circonscrits, enfermés à l'intérieur de mes palissades. Est-ce votre cas ? Ai-je pris avec vous des engagements que je n'ai pas tenus ? — Non ? — Eh bien, qu'est-ce que vous me chantez ? Si la Ville de Paris a méconnu son devoir en me laissant le pouvoir de concéder un droit, prenez-vous-en à elle et laissez-moi tranquille. »

LE PRÉSIDENT. — L'Exposition avait raison.

LA BRIGE. — Tellement raison que, pas une minute, l'idée ne me vint de discuter. Ayant donc, pour la seconde fois, acquitté le montant de la carte, j'assignai en référé la Ville de Paris qui me dit... — car cette histoire, en vérité, a l'air d'un refrain de ballade, d'une scie de café-concert! — ...qui me dit : « Je ne vous connais pas; je ne sais pas ce que vous voulez me dire. J'ai, moi, Ville de Paris, moyennant une somme de... cédé à Tailleboudin, votre propriétaire, un terrain que je possédais avenue de La Motte-Picquet, avec droit, pour lui, d'y bâtir un immeuble et d'en tirer des revenus. Vous appelez-vous Tailleboudin! Avons-nous fait affaire ensemble ? Hein ? Non ? Alors, qu'est-ce que vous réclamez ? — Si votre appartement a cessé de vous plaire, allez demeurer ailleurs et laissez-moi tranquille. »

LE PRÉSIDENT. — La Ville avait raison.

LA BRIGE. — Parbleu! — Aussi, beau d'opiniâtreté, assignai-je en référé Tailleboudin, mon propriétaire...

LE PRÉSIDENT. — ...Qui vous dit : « Je ne vous connais pas... »

LA BRIGE. — Au contraire!... qui me dit : « Je vous connais! Vous êtes un joyeux farceur, et tout cela c'est des trucs pour ne pas payer le terme. Eh bien, mon garçon, ça ne prend pas. Des pépètes ou la saisie; allez, allez! » En vain j'objectai : « Permettez! l'article 1719 qui régit les contrats de louage oblige le propriétaire à entretenir sa maison en parfait état de service. » — « Je me moque, répondit cet homme, de l'article 1719, car l'article 1725 dit que le propriétaire n'est nullement responsable du trouble apporté par des tiers dans la jouissance de la chose louée. L'avenue de La Motte-Picquet n'est pas à moi. Alors?... C'est au Conseil d'Etat à trancher la question. Si vous n'êtes pas satisfait, allez vous plaindre à lui et laissez-moi tranquille. »

LE PRÉSIDENT. — Votre propriétaire est un homme de bon sens qui vous donnait un excellent conseil. Il fallait en effet constituer avoué, puis, devant le Conseil d'Etat, assigner la Ville de Paris qui aurait assigné à son tour la Société des Transports Electriques, sauf le recours de cette Société contre la Commission de l'Exposition, avec le Ministre du Commerce comme civilement responsable. C'était bien simple! *(Au substitut.)* Les gens sont extraordinaires; ils se noieraient dans un verre d'eau. *(A La Brige.)* Bref?

LA BRIGE. — Bref, il résultait de l'anecdote que, tout le monde étant dans son droit, je me trouvais être dans mon tort sans avoir rien fait pour m'y mettre.

Ici le président exprime d'un geste vague le regret de l'homme qui n'y peut mais.

LA BRIGE. — C'est alors que j'imaginai de me plonger dans le faux jusqu'au cou afin d'être aussitôt dans le vrai, puisque, neuf fois sur dix, la Loi, cette bonne fille, sourit à celui qui la viole.

LE PRÉSIDENT. — Au nom de la Justice, devant laquelle vous êtes, je vous rappelle au respect de la Loi.

LA BRIGE. — La Justice n'a rien à voir avec la Loi, qui n'en est que la déformation, la charge et la parodie. Ce sont là deux demi-sœurs, qui, sorties de deux pères, se crachent à la figure en se traitant de bâtardes et vivent à couteaux tirés, tandis que les honnêtes gens, menacés de gendarmes, se tournent les pouces et le sang en attendant qu'elles se mettent d'accord.

LE SUBSTITUT, *exaspéré.* — Un mot de plus et je requiers contre vous la juste application de la peine.

LA BRIGE. — De laquelle?... Vous prenez les gens pour des enfants. L'article 222 ne prévoit et ne punit que l'outrage aux magistrats. Pour ce qui est de la Loi elle-même, j'ai le droit d'en penser ce que je veux et de dire tout haut ce que j'en pense.

LE PRÉSIDENT. — En tout cas, vous n'êtes pas ici à la Chambre des Députés. Vous vous moquez du monde! L'article 330...

LA BRIGE. — L'article 330 punit de trois mois à deux ans quiconque s'est rendu coupable d'outrage public à la pudeur; je le connais aussi bien que vous.

LE PRÉSIDENT. — A ce compte, aussi bien que moi, vous savez qu'il s'applique à vous comme à tout autre.

LA BRIGE. — En principe, oui; en l'espèce, non.

LE PRÉSIDENT. — Comment non? L'acte qui consiste à se mettre nu devant la foule ne constitue pas le délit d'outrage à la pudeur?

LA BRIGE. — Oui, en principe; non, en l'espèce.

LE PRÉSIDENT. — Parce que?

LA BRIGE. — Parce que l'outrage n'est l'outrage que s'il est effectué, consommé, accompli, dans les conditions de publicité exigées par le législateur.

LE PRÉSIDENT. — Encore une fois, treize mille six cent quatre-vingt-sept personnes...

LA BRIGE. — ...ont vu mon derrière, c'est convenu. Et après ? Elles n'avaient qu'à ne pas le regarder.

LE SUBSTITUT. — C'est trop commode!

LA BRIGE. — Trop commode!... Est-ce que je l'ai mis à la fenêtre, mon derrière ?... exposé au soleil comme un melon pas mûr ?... « Nous avons distingué, dit l'huissier Legruyère, AU FOND D'UN APPARTEMENT... » — Ce qui est trop commode, monsieur, c'est de s'emparer du bien des autres et d'en user comme du sien; c'est de leur carotter leur monnaie sous le prétexte mensonger d'assurer leur droit au sommeil, à l'intimité et au repos, en vertu d'un pouvoir dont on ne dispose pas; délit prévu et puni par l'article 405.

LE PRÉSIDENT. — Ah çà, mais vous connaissez le Code...

LA BRIGE, *souriant.* — ...Comme un simple malfaiteur. Il est même inouï de penser que la connaissance du Code et la crainte de ses conséquences constituent le seul terrain commun aux gens de bien et à la crapule. *(Mouvement du président.)* Oh! monsieur le Président, pardon; il faudrait cependant s'entendre et régler à chacun son compte. *(Tirant un papier de sa poche :)* De l'exploit d'huissier que voici, — car si vous avez, vous, le constat qui me condamne, j'ai, moi, celui qui m'innocente, — il résulte que mon logement, situé cinq mètres au-dessus du niveau de la rue, en face d'un terrain non construit, échappe au regard des passants et, plus encore, à celui des voisins, par la raison qu'il n'y en a pas. Il faut donc que les mécontents qui se plaignent d'avoir vu mon derrière aient accompli des prodiges et payé dix sous pour le voir, et alors de quoi se plaignent-ils puisque je le leur ai montré ?

LE SUBSTITUT. — Vous compliquez la question à plaisir. Vous savez bien que la Justice et l'Administration font deux.

LA BRIGE. — Deux quoi ?... Je vous défie de le dire.

LE PRÉSIDENT. — Vos démêlés avec la Ville ne sont pas du ressort de la Correctionnelle. Si vous avez à vous plaindre des bureaux, prenez-vous-en à eux...

LA BRIGE. — ...et laissez-nous tranquilles; je prévoyais l'objection. Il est malheureusement fâcheux que les bureaux, alliés comme larrons en foire quand il s'agit de faire casquer le contribuable, excipent de leur incompétence et se cachent les uns derrière les autres, sitôt qu'il est question de lui régler son dû... En ce qui me concerne, voici : quitte avec les contributions, ayant, par conséquent, payé de mes deniers le droit de respirer — que Dieu me donna pour rien — puis-je, oui ou non, si j'ai trop chaud, tenir mes fenêtres ouvertes ?

LE PRÉSIDENT. — Oui.

LA BRIGE. — Dans un logement qui est le mien, puisque j'en acquitte les termes, puis-je, oui ou non, si je perds deux sous, me baisser pour les ramasser ?

LE PRÉSIDENT. — Oui.

LA BRIGE. — Dans ce même logement, puis-je, oui ou non, si la fantaisie m'en prend, me déguiser en Mexicain ?

LE PRÉSIDENT. — Oui.

LA BRIGE. — En Turc ?

LE PRÉSIDENT. — Oui.

LA BRIGE. — Et en Ecossais ?

LE SUBSTITUT, *avec éclat.* — Non!

LA BRIGE. — Non ?

LE SUBSTITUT. — Non!

LA BRIGE. — Voilà du nouveau, et voici une drôle de Justice, qui, mise au pied du mur, forcée par la Logique, en arrive à se prononcer entre la Turquie et l'Ecosse, au risque d'amener des complications et de troubler sur ses assises l'équilibre européen.

LE SUBSTITUT. — C'est bon! Assez! Cela suffit! Je vous vois venir avec vos gros sabots, vos histoires de deux sous et de jupe écossaise qui se soulève sous les courants d'air. M. le président a dit vrai : vous êtes venu ici pour vous moquer du monde.

LA BRIGE. — Du monde, non, mais de la Loi, qui a bien tort de crier au scandale quand un bon garçon comme moi se borne à la châtier en riant. Gare, si un jour les gens nerveux s'en mêlent! lassés de n'avoir pour les défendre contre les hommes sans justice qu'une Justice sans équité, éternellement préoccupée de ménager les vauriens, et toujours prête à immoler le bon droit en holocauste au droit légal dont elle est la servante à gages!

Cependant, depuis un instant, le président est entré en conférence avec ses deux assesseurs. La Brige ayant achevé, le substitut se lève, d'un mouvement exaspéré, mais le président, d'un geste pacificateur, le calme et l'invite à se rasseoir. Après quoi :

LE PRÉSIDENT. — La cause est entendue.

(Il prononce.)

Le Tribunal, après en avoir délibéré ;

Attendu qu'il résulte du constat de Legruyère, huissier, et de plaintes au nombre imposant de treize mille six cent quatre-vingt-sept, que La Brige, au mépris des lois sur la décence, a découvert, mis à jour et publiquement révélé une partie de son individu destinée à demeurer secrète ;

Attendu que le prévenu, tout en reconnaissant l'exactitude des faits qui font l'objet de la poursuite, objecte du droit absolu, dévolu à tout locataire, d'user à sa convenance d'un logis qui est le sien, et, notamment, de s'y dépouiller de tout voile si le caprice lui en vient, à condition, bien entendu, de n'être une cause de scandale pour les voisins ni les passants, ce qui est précisément son cas ;

Attendu que La Brige, contraint et forcé, par les exigences de l'été, de tenir ses fenêtres ouvertes, donc de livrer sa vie privée au contrôle d'une foule indiscrète et goguenarde, prétend que son domicile est devenu l'objet d'une violation de tous les instants : argument d'autant plus sérieux que si le premier venu est en droit de plonger chez les particuliers et de regarder ce qui s'y passe du haut d'un trottoir surélevé, il peut procéder logiquement à l'accomplissement de la même opération au moyen d'une échelle, d'une perche, d'une corde à nœuds ou de tout autre appareil gymnastique, et que, dès lors, l'intimité du chez-soi devient un mot vide de sens...

LA BRIGE.— C'est clair comme le jour.

L'HUISSIER. — Silence!

LE PRÉSIDENT, *prononçant. — Attendu qu'il n'est rien au monde de plus complètement sacré, de plus parfaitement inviolable, que la maison du prochain ; que Cicéron promulgue cette vérité première et qu'il y a lieu de tenir compte du sentiment de ce jurisconsulte...*

LA BRIGE. — Parfaitement!... C'est dans le PRO DOMO : « *Quid est sanctius, quid est omni religione...* »

LE PRÉSIDENT. — Je vais vous faire mettre à la porte.

LA BRIGE. — Mille pardons!

LE PRÉSIDENT, *prononçant. — Mais d'autre part :*

Considérant que la Loi, en dépit de ses lâchetés, traîtrises, perfidies, infamies, et autres imperfections, n'est cependant pas faite pour que le justiciable en démontre l'absurdité, attendu que s'il en est, lui, personnellement dégoûté, ce n'est pas une raison suffisante pour qu'il en dégoûte les autres ;

Considérant qu'a priori *un gredin qui tourne la Loi est*

moins à craindre en son action qu'un homme de bien qui la discute avec sagesse et clairvoyance ;

Considérant qu'en France, comme, d'ailleurs, dans tous les pays où sévit le bienfait de la civilisation, il y a, en effet, deux espèces de « droit », le bon droit et le droit légal, et que ce modus vivendi *oblige les magistrats à avoir deux consciences, l'une au service de leur devoir, l'autre au service de leurs fonctions ;*

Considérant, enfin, que si les juges se mettent à donner gain de cause à tous les gens qui ont raison, on ne sait plus où l'on va, si ce n'est à la dislocation d'une société qui tient debout parce qu'elle en a pris l'habitude ;

Pour ces motifs :

Déclare La Brige bien fondé en son système de défense...

LA BRIGE. — Bravo!

LE PRÉSIDENT. — *...l'en déboute cependant...*

LE SUBSTITUT. — Très bien!

LE PRÉSIDENT. — ... *et, lui faisant application de l'article 330 et du principe « tout cela durera bien autant que nous », le condamne à treize mois d'emprisonnement, à 25 francs d'amende et aux frais.*

L'audience est levée.

Les juges se lèvent, tandis que l'œil au ciel, et de la voix de Daubenton au dernier acte du Courrier de Lyon :

LA BRIGE. — J'en appelle à la postérité!

LES BALANCES

Théatre Antoine, 26 novembre 1901.

PERSONNAGES

	MM.
LA BRIGE..	Dumény.
LONJUMEL	Leubas.

La scène se passe chez Lonjumel. — Ameublement sobre et sombre de petit avocat de province.

Au lever du rideau, Lonjumel est en scène, assis à sa table de travail et consultant ses dossiers.

UN DOMESTIQUE, *sur le seuil de la porte.* — M. La Brige demande si monsieur est visible.

LONJUMEL. — Faites entrer M. La Brige. *(Entre La Brige.)* Ah! Ah! te voilà, malfaiteur ?

LA BRIGE. — Comment va ?

LONJUMEL. — Sais-tu que je me demande si je dois te donner la main. Tu deviens très compromettant.

LA BRIGE. — Les rideaux sont baissés.

LONJUMEL, *souriant.* — C'est vrai.

LA BRIGE. — Et puis je viens te voir en client; ça me donne droit à des égards.

LONJUMEL. — Bah! Encore une délicatesse avec les juges de ton pays ?

LA BRIGE. — Ne m'en parle pas!

LONJUMEL. — Je me disais, aussi!... Car il y a bien six mois que je n'ai lu ton nom dans la *Gazette des Tribunaux ?*

LA BRIGE. — Il y en a sept tout rond puisque nous sommes en juin et que, pour la dernière fois, j'ai écopé en décembre. Oh! un rien, d'ailleurs, une misère : huit jours d'emprisonnement, vingt-cinq francs d'amende et deux cents francs de dommages-intérêts, comme coupable d'avoir été traité de filou par un voleur de grand chemin. *(Rires de Lonjumel.)* Tu ris ? Je ne dis rien que je ne prouve. C'était le 5 novembre dernier, je sortais...

LONJUMEL. — Assieds-toi.

LA BRIGE. — Merci. *(Il s'assied.)* Je sortais...

LONJUMEL, *lui présentant une boîte de cigarettes.* — Fumes-tu?

LA BRIGE, *prenant une cigarette.* — Je ne fais que ça...

Je sortais de Sainte-Pélagie, où j'étais demeuré un mois à l'abri des coups de soleil, rapport à un gredin qui, me devant cinq cents francs, avait été, par jugement rendu en bonne et due forme, condamné à me les rembourser.

LONJUMEL, *effaré*. — Quoi ?

LA BRIGE. — Quoi ? quoi.

LONJUMEL. — Qu'est-ce que tu me chantes ? Tu as été mis en prison parce qu'on te devait de l'argent ?

LA BRIGE. — Bien entendu.

LONJUMEL. — Pardonne à l'étonnement d'un avocat de province qui croyait connaître la Loi, pour lui avoir, pendant vingt ans, troussé les jupes et exploré les dessous.

LA BRIGE. — Les putains ont ceci de gentil qu'elles le sont toujours un peu plus qu'on ne pensait. Tel honnête homme acoquiné à une gueuse se croit à l'abri des surprises, qui demeure un beau jour stupéfait à voir son fumier embelli d'une turpitude nouvelle, et admirant par quel miracle la peste s'est faite choléra. *(Jetant sa cigarette.)* Ah çà, mais, c'est du cœur de chêne.

LONJUMEL. — Prends-en une autre.

LA BRIGE. — Pardon. Merci. — Donc Rambouille...

LONJUMEL. — Joli numéro !

LA BRIGE. — Oui ; le banditisme accepté dans toute sa putréfaction, et le marloutage légitime dans toute sa fétidité. — Donc, Rambouille me devait cinq cents francs. Las de perdre mon temps à les lui réclamer, de me casser éternellement le nez à une porte éternellement close, et de m'acheminer vers la ruine, lentement, trois sous par trois sous, en inutiles frais de timbres-poste, je pris enfin le parti d'assigner devant les juges ce drôle qui ne s'attarda même pas à discuter, reconnaissant le bien-fondé de ma créance et excipant purement et simplement d'insolvabilité légale.

LONJUMEL. — Quelle fripouille !

LA BRIGE. — Ce honteux système de défense ne fut couronné de nul succès. — Je te demanderai une troisième cigarette ; celle-ci vient de se casser dans ma main comme du verre.

LONJUMEL. — Prends donc.

LA BRIGE. — Pardon. — Un jugement, dont les attendus tenaient le milieu entre le tutu et le simple caleçon de bain, le condamna au paiement, non seulement du principal, mais encore des frais du procès. Malheureusement, la loi voulant que dans les causes entre particuliers, le gagnant paie pour le perdant si le perdant est insolvable, je me vis invité par le Greffe à solder sans délai... non, mais écoute ça.

LONJUMEL. — J'écoute.

LA BRIGE. — ...Six cent soixante-dix-sept francs, montant du jugement qui m'allouait vingt-cinq louis sans d'ailleurs me les faire avoir, la contrainte par corps étant abolie depuis 1867. Que penses-tu que je fis ?

LONJUMEL. — Tu n'avais qu'à payer.

LA BRIGE. — Il le faut croire, puisque m'y étant refusé (mon petit bien prudemment garé et mon petit appartement mis au nom d'une tierce personne), je fus appréhendé au col et fourré à Sainte-Pélagie, en vertu de cette même contrainte par corps dont les citoyens ne bénéficient plus, mais dont l'Etat continue, lui, à recueillir les avantages. — Tu en as encore une ?

LONJUMEL. — Une quoi ?

LA BRIGE. — Une cigarette. La mienne m'a crevé dans les doigts comme une groseille à maquereau.

LONJUMEL. — Prends la boîte de ton côté.

LA BRIGE. — Je suis confus.

LONJUMEL. — Mais non, mais non.

LA BRIGE. — Ma peine purgée, la malchance voulut que j'eusse soif et qu'entré boire un bock dans un petit café, je m'emparasse d'un journal qui traînait sur la table à portée de ma main. A cette vue : « Ne vous gênez pas, me cria une espèce d'enflé qui prenait un mêlé-cassis, à côté de moi. Ce n'est pas à vous, ce journal-là ! Voulez-vous bien me rendre ça tout de suite. En voilà encore un filou ! »

LONJUMEL. — Un filou ?

LA BRIGE. — Un filou !

LONJUMEL. — Tu cognas ?

LA BRIGE. — J'eusse pu le faire. Mais la Loi, qui ne permet pas ce qu'autoriseraient les biceps, refuse aux gens le droit à se faire justice eux-mêmes. Je me bornai donc à hausser les épaules en disant : « Vous en êtes un autre. » Bon ! ne voilà-t'y pas mon homme qui se dresse comme un ressort à boudin, se déclare insulté, requiert le témoignage de deux vieux imbéciles qui jouaient au jacquet, et m'assigne, deux jours après, en police correctionnelle ?

LONJUMEL. — Il fallait le poursuivre reconventionnellement.

LA BRIGE. — Je n'y manquai point.

LONJUMEL. — A la bonne heure.

LA BRIGE. — Malheureusement, il arriva que je me présentai à l'audience caparaçonné de probité, cependant que mon adversaire justifiait, lui, preuves en main, d'une condamnation à cinq ans de réclusion pour vol avec effraction dans une maison habitée. Le résultat, tu le prévois : le mot « filou », qui, de lui à moi, constituait une injure simple, de moi à lui devenait une diffamation; d'où pénalités différentes, selon qu'au Code il est écrit, et comme tu n'en ignores pas. Je connus la satisfaction d'entendre condamner à seize francs d'amende le sympathique cambrioleur, tandis que je filai, moi, à Fresnes, méditer loin des courants d'air sur la différence qu'il y a entre « filou » et « filou », et rechercher en vertu de quelles lois mystérieuses un même corps peut peser deux onces dans un des plateaux de la balance et trois kilos cinq cents dans l'autre. Du coup, ma foi, j'en eus assez.

LONJUMEL, *égayé.* — Pas possible!

LA BRIGE. — Depuis longtemps, une lassitude m'était venue; une vague tristesse, le sourd chagrin de ne plus me sentir chez nous, chez moi; ...comme si le pays qui me voit vieux, n'était plus celui qui me vit naître. — Mon cher, je nourris un soupçon, je porte en moi une pensée affreuse. *(Mouvement d'attention de Lonjumel.)* Je crois qu'un anarchiste, — non le stérile idiot qui surine au petit bonheur du coup de poignard les Chefs d'Etat et les Impératrices, mais un inspiré, entends-tu?... un Paraclet du crime, doté à son berceau du génie de la malfaisance! — ...je crois, dis-je, qu'un anarchiste, ayant soudoyé les concierges de Bicêtre, de Charenton, de Ville-Evrard et autres lieux, obtint d'eux qu'ils ouvrissent, une nuit, les portes des maisons de santé!

LONJUMEL. — Oh! sacristi!

LA BRIGE. — Et aussitôt, les fous, lâchés, s'échappèrent de leurs cabanons.

LONJUMEL. — Oh! sacrédié!

LA BRIGE. — Avec la complicité du gouvernement, qui sut tout mais n'osa rien dire, ils se répandirent par les routes, par les villes, par les campagnes, semant le trouble, étonnant les populations de leurs actes extravagants et de leurs discours insensés.

LONJUMEL. — Oh! sacrebleu!

LA BRIGE. — Tout d'abord, les gens d'esprit sain les regardèrent passer en riant, comme on regarde passer les masques, mais le moment ne tarda pas où ils commencèrent à s'entre-regarder, eux, pris d'inquiétude, en proie au doute; car si le propre de la raison est de se méfier d'elle-même, combien est persuasive l'éloquence des déments à prêcher qu'ils sont la sagesse!... Bientôt les carottes furent cuites : le mal dégringola dans le pire qui sombra dans l'irréparable. Insurgés contre le bon sens, les fous montèrent à l'assaut!... Ce fut un joli spectacle. Devant eux, les baguettes au poing, MM. les snobs battaient la charge, et leur soif d'inédit, de sensations nouvelles, d'horizons impénétrés, s'étanchait aux promesses de la vieille chanson de route rythmée aux peaux d'âne des tambours : « Y a la goutte à boire, là-haut; y a la goutte à boire. » En queue, boitait mais avançait tout de même, l'arrière-garde des timorés, les imbéciles qui craignent de passer pour des niais en ne marchant pas avec leur siècle, tandis que plus haut que les têtes, des camisoles de force, déployées au soleil, flottaient comme des étendards.

LONJUMEL. — Oh! sacrebleu! Oh! sacrédié! Oh! sacristi!

LA BRIGE. — Enfin la citadelle fut prise, conquise avec l'aide de Dieu, — lequel, agacé, à la longue, d'être mis à la porte de partout, s'était cruellement vengé en donnant aux fous la victoire; — et de cet instant : « Bonjour, Luc! »; pareillement le singe de la fable qui apercevait quelque chose mais ne distinguait pas très bien, on commença à ne plus comprendre nettement le pourquoi de ceci, le parce que de cela. Vue à travers le délire de la foule, la vie n'apparut plus, aux rares survivants épargnés par la catastrophe, qu'avec le flou déformé d'une silhouette glissant sur un verre dépoli. Les mots perdirent leur valeur, les faits leur signification. On ne mit plus au point ni les hommes ni les choses, et tel, qui se coucha dieu un soir, s'éveilla cuvette le lendemain. En vérité, je te demande pardon; tu dois me prendre pour le monsieur qui joue les Alceste en province. C'est une tartine du *Misanthrope* que je te sers là entre deux repas.

LONJUMEL, *souriant.* — J'allais dire : *Le Songe d'Athalie.*

LA BRIGE. — Il y a encore ça. *(A compter de cette réplique, La Brige ayant enfin trouvé une cigarette à son goût, tentera en vain de se procurer du feu ; ceci à l'aide d'allumettes placées à portée de sa main, et qui, frottées au bois de la table, aux rayures du porte-allumettes, au fond de culotte même de La Brige, refuseront de s'enflammer, avec une opiniâtreté touchante.)* Quoi qu'il en soit, trop de petits riens m'avaient, je te le répète, rendu la maison odieuse; depuis le mal devenu propre à chacun de vouloir gouverner les autres, jusqu'aux cigarettes infumables et aux allumettes qui ne prennent pas. Je résolus de tirer mon chapeau à une élite dont la tournure d'esprit avait cessé de me faire rire, et, retiré aux champs, — loin du bal, si j'ose m'exprimer ainsi, — d'y vivre, les nerfs enfin calmes, en la société des cochons. Je dis : des vrais cochons; et par de « vrais cochons », j'entends des cochons pour de bon; non de ces cochons à deux pieds et sans plumes dont Platon entretenait les philosophes d'Athènes, mais de ces délicieux compagnons aux oreilles en feuilles de chou, à la queue en mèche de vrille, aux yeux ruisselants d'intelligence, dont le seul aspect suffisait à réjouir le grand saint Antoine, qui se montrait pourtant assez méticuleux dans le choix de ses relations. — Un de mes amis, qui était une crapule, possédait à deux pas d'ici une petite propriété dont il cherchait à se défaire : je lui offris de me la céder. Il m'en demanda cent mille francs; je lui en proposai six mille; nous tombâmes d'accord à sept mille cinq cents. Huit jours après, j'étais chez moi. — Tu me suis ?

LONJUMEL. — Pas à pas.

LA BRIGE. — La maison me plaisait fort... — Oh! flûte!

LONJUMEL. — Qu'est-ce qui te prend ?

LA BRIGE, *la main secouée dans le vide.* — Est-ce bête!... un éclat d'allumette taillé en fer de lance, qui vient de m'entrer dans la peau comme un lardoir dans de l'escalope. C'est douloureux comme tout. — Où en étais-je ?... Ah! oui : — La maison me plaisait fort; pratique, salubre, aérée, irréprochable en un mot, à cela près que son toit d'ardoises appelait quelques réparations, et qu'elle-même empiétait un peu sur le trottoir.

LONJUMEL, *très simplement.* — Ah ah.

LA BRIGE. — Hein ?

LONJUMEL. — Ah ah.

LA BRIGE. — Quoi, ah ah ?

LONJUMEL. — Je dis : Ah ah.

LA BRIGE. — Pourquoi ?

LONJUMEL. — Pourquoi je dis : ah ah ?

LA BRIGE, *impatienté.* — Evidemment! Tu dis : « Ah ah »; eh bien, pourquoi dis-tu « Ah ah » ? On ne dit pas « Ah ah » comme ça, sans motif, à propos de rien.

LONJUMEL. — Aussi ai-je, pour dire « Ah ah », des

raisons connues de moi seul, que je t'exposerai tout au long quand le moment en sera venu. — De quoi t'inquiètes-tu ? Continue.

LA BRIGE. — Une semaine ou deux s'écoulèrent. Un matin que je fumais une pipe devant ma porte en regardant fonctionner les couvreurs qui, à califourchon sur l'arête de mon toit, arrachaient comme des dents les ardoises gâtées pour en mettre des neuves à la place, le garde champêtre vint à passer. — Zut!

LONJUMEL. — Encore un éclat de bois ?

LA BRIGE, *l'ongle aux dents.* — ... Une goutte de soufre bouillant qui s'est faufilée sous mon ongle; ... tu n'as pas idée comme ça me gêne!

LONJUMEL. — Veux-tu un peu d'huile ?

LA BRIGE. — Pas la peine. — Qu'est-ce que je disais donc ? Ah oui! — Le garde champêtre vint à passer. Il leva le nez, et, à la même minute, parut frappé de folie furieuse. « En bas! En bas, les couvreurs! hurla-t-il. Descendez! ...et plus vite que ça, ou vous allez voir, tout à l'heure, si je monte pas vous botter le derrière! » Je m'étais approché souriant, croyant à un malentendu, mais je n'eus pas le temps d'ouvrir la bouche. « Qu'est-ce que vous venez m'embêter, vous ? poursuivit le garde champêtre qui avait reçu de l'éducation. Fermez donc votre garde-manger; ça pourrait attirer les rats. » — « Mais, objectai-je, je fais réparer ma maison. » — « Justement, reprit-il; vous n'en avez pas le droit. »

LONJUMEL, *triomphant.* — Ah! ah!

LA BRIGE. — Hein ?

LONJUMEL. — Ah! ah!

LA BRIGE. — Quoi, ah! ah ?

LONJUMEL. — Je dis : Ah! ah!

LA BRIGE. — Ça recommence ?

LONJUMEL. — Oui, mais en majeur; même chanson, autre mélodie. Entre le « Ah! ah! » d'à présent et le « Ah ah » de tout à l'heure, le sens-tu, le demi-ton ? L'apprécies-tu, la nuance ? *(Riant.)* Eh! mon bon, je savais d'avance le dénouement de ton histoire qui tenait tout entière dans son commencement. Le garde champêtre, s'il avait tort dans la forme, avait raison dans le principe. Tu n'avais, en effet, pas le droit de faire réparer ta maison.

LA BRIGE. — A cause ?

LONJUMEL. — A cause qu'en termes techniques elle était frappée d'alignement; autrement dit, qu'en empiétant sur le trottoir, elle prenait le pas sur les maisons voisines et détruisait ainsi l'harmonie de la rue, puisqu'elle en tuait la perspective.

LA BRIGE. — Je ne pouvais pourtant pas la repousser à coups de pied ou en trancher la partie avançante avec un fil à couper le beurre.

LONJUMEL. — Non; mais des règlements sont là, qui, tout en reconnaissant à un propriétaire le droit de louer ou d'occuper une maison frappée d'alignement, lui refusent celui de la faire restaurer, de ralentir en quoi que ce soit l'action destructive du temps, sous les coups duquel, fatalement, elle s'écroulera un jour ou l'autre, d'usure et de vétusté. Soyons justes; on ne peut exiger d'un état de choses anormal qu'il se prolonge à l'infini.

LA BRIGE. — Tu parles d'or. Il n'en est pas moins vrai que, depuis le passage des couvreurs, ma maison restait trépanée, portait au crâne une plaie ouverte par laquelle la pluie et la grêle entraient comme des nourrices dans le parc Montsouris. En même temps, la brise légère, folâtrant parmi mes ardoises, les mêlait comme des dominos : d'où un vacarme insupportable, compliqué des clameurs d'un mendiant matinal, qui, quotidiennement, dès l'aube, me venait arracher aux douceurs du sommeil en vociférant sous ma fenêtre :

Ah ! ne t'éveille pas encore !

Il y a une justice au ciel. Un jour, la brise s'étant faite ouragan, une ardoise se fit hirondelle. Oiselle partie sur l'aile des vents, elle plana d'abord dans ce sens-ci, puis s'abattit, dans ce sens-là, sur le visage du chanteur, lequel cessa immédiatement de chanter, rapport à ce que l'huis de sa bouche, prolongé jusqu'à son oreille, ne se prêtait plus à l'émission de l'*ut* dièse avec l'élasticité et la perfection voulues. C'était un homme rancunier. Armé de l'article 320, qui prévoit et punit le délit de blessure par imprudence, il m'assigna...

LONJUMEL, *la main aux yeux.* — Cré nom d'un chien!

LA BRIGE. — Qu'est-ce qu'il y a ?

LONJUMEL. — ...du phosphore enflammé qui m'a sauté dans l'œil... Tu n'as pas idée comme ça me cuit.

LA BRIGE. — Veux-tu un peu d'eau ?

LONJUMEL. — Inutile. — Tu disais ?

LA BRIGE. — Je ne sais plus... Ah oui! — Armé de l'article 320, il m'assigna devant les juges du canton auxquels j'exposai mon cas : l'interdiction à moi faite de consolider ma baraque, dès lors, pour moi, l'impossibilité de l'empêcher de tomber par morceaux sur la figure des passants. Je croyais l'argument sans réplique.

LONJUMEL. — Tu te trompais.

LA BRIGE. — Du tout au tout! Comme il me fut très clairement expliqué : étranger à mes différends avec l'administration et payé pour juger en fait, le tribunal n'avait qu'à constater le délit et qu'à apprécier le dommage. Or, une ardoise à moi, enfuie d'un toit à moi, avait-elle ou n'avait-elle pas détérioré le faciès du plaignant ? Toute la question était là. Ainsi parla le Président dont l'allocution aboutit à une condamnation en six jours de prison avec application de la loi Bérenger, et en 1 500 francs de dommages et intérêts.

LONJUMEL. — Ce n'était pas cher.

LA BRIGE. — Un cadeau!... — C'est bien. L'incident clos, je regagne mes pénates, et qu'est-ce que je trouve sous ma porte ?... un avis de la Préfecture m'enjoignant de faire ravaler mon immeuble dans le plus bref délai possible, conformément à la circulaire sur le ravalement décennal. Je m'incline. Les maçons, mandés, arrivent le lendemain vêtus de blanc, coiffés d'auges, hérissés d'échelles qu'ils appliquent puis escaladent, tandis qu'accouru sur leurs traces, le garde champêtre, hors de lui, leur crie à tue-tête d'en descendre! En vain je tente de placer un mot, j'invoque l'ordre auquel j'obéis; cet homme bien élevé m'envoie paître, me dit de boucher mon sucrier crainte que les mouches n'entrent dedans, et passant outre au préfet, qu'il ignore, dresse contre moi procès-verbal au nom du maire, qu'il représente. Le pis est que les maçons ayant battu en retraite, j'étais, six semaines après, poursuivi de nouveau à la requête de la Voirie, pour infraction aux ordonnances sur le ravalement des maisons. Les nerfs commencent à me faire mal. Lettres, réponses, répliques, ripostes. Démarche auprès du maire qui ne connaît qu'une chose : l'intérêt de la localité; puis auprès du préfet qui n'en connaît que deux : la salubrité et l'hygiène. Je m'emballe. Le préfet tire un cordon de sonnette et dit à son garçon de bureau : « Mettez monsieur à la porte. » Energiquement déterminé à n'en avoir pas le démenti, je rapplique d'une traite à la mairie, où je tombe sur le garde champêtre qui m'accueille par ces mots : « Bandit!... Quand aurez-vous fini d'assassiner le peuple ? » J'apprends alors qu'en mon absence, une ardoise, une deuxième ardoise, échappée au toit paternel, s'était venue planter comme une bêche dans le cuir d'un marchand des quatre-saisons qui ahurissait le quartier en hurlant : « Les pommes de terre! » sous prétexte de les crier! — Et voilà, mon cher, où j'en suis. Retraîné en correctionnelle pour reblessure par imprudence (plus cette complication que la loi Bérenger va naturellement m'égorger de sa clémence à deux tranchants); deux fois en faute pour m'être deux fois incliné devant les institutions qui régissent le doux pays de France; acculé à l'obligation de faire ravaler ma maison, sous peine de contravention, et de ne pas la faire ravaler, sous peine de procès-verbal; conspué, haï, ridicule; j'expie cruellement ma folle ambition, le sot rêve où je m'étais complu, de vivre en paix avec tout le monde en ne faisant de mal à personne, uniquement soucieux des poules de ma basse-cour, des cochons de ma porcherie et des iris de mon jardin.

LONJUMEL, *après avoir réfléchi.* — Sans vouloir donner à tes... crimes plus d'importance qu'ils n'en ont, je te dois pourtant la vérité. Tu t'es mis dans un mauvais cas.

LA BRIGE, *l'œil au ciel.* — Je me suis mis!!!... — Alors, c'est grave ?... sérieusement ?

LONJUMEL. — D'autant plus grave, cher ami, que je cherche vainement dans toute cette histoire d'une limpidité de cristal, le je-ne-sais-quoi, ce petit rien du tout d'eau bourbeuse où l'astuce d'un bon avocat trouve toujours à pêcher un argument de défense.

Mouvement de La Brige.

LONJUMEL, *avec éclat.* — On n'innocente pas un homme qui n'a rien fait!... ou alors c'est très difficile.

LA BRIGE. — Bref ?

LONJUMEL. — Laisse-moi réfléchir. Je cherche.

Un temps. Puis :

LONJUMEL. — Tu es assuré ?

LA BRIGE. — Certainement.

LONJUMEL. — Pour beaucoup ?

LA BRIGE. — Pour une forte somme.

LONJUMEL. — Ah. — Dis-moi; tu parlais du bon Dieu, tout à l'heure. Est-ce que tu le connais ?

LA BRIGE, *étonné.* — Oui et non. Je le connais pour avoir entendu parler de lui; mais notre intimité ne va pas jusqu'à jouer au billard ensemble.

LONJUMEL. — C'est regrettable.

LA BRIGE. — Tiens!

LONJUMEL. — Oui.
LA BRIGE. — Pourquoi ?
LONJUMEL. — Parce qu'il y a tout à attendre de la fréquentation des personnes haut placées... Le bon Dieu, en somme, c'est la foudre...
LA BRIGE. — Eh bien ?
LONJUMEL. — La foudre, c'est l'incendie...
LA BRIGE. — Et puis ?
LONJUMEL. — L'incendie, c'est l'indemnité; et l'indemnité, c'est...
LA BRIGE. — C'est ?
LONJUMEL. — Dame!... C'est l'achat d'une seconde maison, cette fois à l'alignement des autres, et dont le toit, en bon état, ne menace plus les purotins ni les marchands de pommes de terre.

Long silence. Les deux hommes se regardent fixement.

LONJUMEL.. — Pourquoi me regardes-tu ?
LA BRIGE. — Pour rien. — Pourquoi ris-tu ?
LONJUMEL. — Je ne ris pas.

Nouveau silence. Enfin :

LA BRIGE, *hochant la tête.* — Sais-tu que tu en as de bonnes et que tu me donnes là un beau conseil ?
LONJUMEL. — Penses-tu que je te l'aurais donné, si je te croyais homme à le suivre ?
LA BRIGE. — Tu es un bon garçon; je t'aime de tout mon cœur. Tout de même, il est drôle de penser que des honnêtes gens comme nous puissent en venir, même par plaisanterie, à accepter l'idée de s'habiller en brigands pour obtenir leur juste dû, et à solliciter du crime ce que le bien-fondé de leur cause a inutilement imploré de l'imbécillité des choses et de la mauvaise grâce des hommes.

Lonjumel lui tend la main. Mais la Brige, qui n'a pas renoncé à l'espoir de fumer — enfin ! — une cigarette, vient de dépister une allumette dernière, oubliée sur un coin de meuble. Il s'en empare en hâte. Avec mille précautions, il la frotte au drap de sa culotte, à la semelle de sa bottine, aux lames du parquet, aux montants de la porte. Vains espoirs !... efforts superflus.
Alors, souriant et résigné :

LA BRIGE. — Et puis, va donc mettre le feu avec des allumettes pareilles!

Le cabinet d'un homme de lettres. Une porte au fond, une autre à droite. A gauche en pan coupé, une fenêtre praticable. Tableaux, estampes, etc. Face au souffleur, une table chargée de papiers. Au premier plan, adossé au mur de gauche, un de ces pupitres hauts sur pieds en usage chez les écrivains qui ont coutume de travailler debout.

SCÈNE PREMIÈRE

TRIELLE, *seul, debout devant son pupitre et comptant du bout de sa plume le nombre des lignes qu'il vient de pondre.* — 274, 276, 278, 280 et 285. — Encore trente lignes sensationnelles, dont une vingtaine d'alinéas, une décoction de points suspensifs et une coupure à effet pour finir; si, avec cela, le lecteur ne se déclare pas satisfait, il pourra s'aller coucher. Quel métier! *(Il trempe sa plume dans l'encre, se dispose à écrire, soupire, s'étire, bâille longuement.)* Ça t'ennuie, hein ?... Allons, vieux, du courage. Prends ton huile de foie de morue!

Il se décide et se met à la besogne, se dictant à lui-même à haute voix :

« *Cependant, bien que l'antique horloge de Saint-Séverin eût depuis longtemps, dans le silence de la nuit, sonné les trois coups de trois heures...* »

S'interrompant.

Les trois coups de trois heures!... Quel métier!

Il ricane, hausse les épaules, puis poursuit :

« *...le vieillard continuait sa lente allée et venue. Un manteau de couleur foncée l'enveloppait des pieds à la tête, et des larmes échappées de ses yeux roulaient sur sa barbe de neige.* »

S'interrompant :

C'est vertigineux d'ânerie...

Il poursuit :

« *O honte! murmurait-il, ô cruel attentat dont mon honneur, après vingt ans, garde encore la brûlure ardente !* »

S'interrompant :

...et troublant d'imbécillité.

Il poursuit :

« *Quoi, je porterai éternellement le fardeau de mon humiliation ! Quoi, jusqu'aux portes du tombeau, je sentirai le sang de ma blessure couler lentement, goutte à goutte !* »

S'interrompant :

Ce petit ouvrage est tellement bête que rien ne l'égale en bêtise, sauf le lecteur qui s'en délecte.

Il poursuit :

« *La neige s'était mise à tomber...* »

Coups violents frappés dans la porte de droite.

Bon! ma femme, à présent.

Il dépose sa plume. Nouvelle grêle de coups dans la porte.

Eh! une minute, que diable!

Il va à la porte qu'il ouvre.

SCÈNE II

TRIELLE, VALENTINE

VALENTINE. — Eh bien, en voilà du mystère! Tu fais donc de la fausse monnaie ?

TRIELLE. — Du tout. J'avais poussé le verrou, étant pressé par ma copie et craignant qu'on me dérange. Entre.

VALENTINE, *entrant.* — Ferme vite la porte, que l'inspiration ne se sauve pas.

TRIELLE. — Tu as toujours quelque chose d'aimable à me servir.

VALENTINE. — Eh! on n'a pas idée, aussi, de se donner de l'importance au point de se mettre sous clé comme une bijouterie de luxe. Tu te prends au sérieux, ma parole.

TRIELLE. — Tu es bête.

VALENTINE. — En tout cas, je n'ai pas le ridicule de me confondre avec Lord Byron. Toc!

Clignement d'œil.

TRIELLE. — Ne sois donc pas méchante par système, Valentine. Où es-tu allée pêcher que je me confonde avec Lord Byron ? Je t'explique que mon travail... *(Au mot de travail, Valentine part d'un bruyant éclat de rire.)* Tu es mal venue à me le jeter au nez. Si tu crois que je le fais pour mon plaisir, tu te trompes.

VALENTINE. — Et si tu crois le faire pour le plaisir des autres, tu te trompes encore bien davantage.

TRIELLE. — Quel singulier agrément peux-tu prendre à ne me dire que des choses blessantes ou ayant l'intention de l'être ?... Bah! nous verrons bien, de nous deux, celui qui rira le dernier. *(Valentine, étonnée, le regarde.)* Patience, mon petit loup, patience!

VALENTINE. — Quoi ?

TRIELLE. — Patience! te dis-je; l'heure est proche.

VALENTINE. — Sais-tu ce que tu me rappelles ?

TRIELLE. — Un daim.

VALENTINE. — C'est prodigieux! Tu as le don de la divination.

TRIELLE. — N'est-ce pas ? Voilà comment nous sommes dans le feuilleton à trois sous la ligne. Mais peut-être ferions-nous bien de ne pas pousser plus avant dans le domaine du marivaudage, et d'aborder les choses sérieuses. Tu as à me parler ?

VALENTINE. — C'est probable. A moins que je ne sois venue exprès pour jouir de ta compagnie et recueillir comme une manne bienfaisante les paroles tombées de tes lèvres.

TRIELLE. — Je n'oserais l'espérer. Et alors, tu désires ?

VALENTINE. — De l'argent.

TRIELLE. — Tu n'en as donc plus ?

VALENTINE. — Belle question! Non, je n'en ai plus. Nous sommes le 1er octobre.

TRIELLE. — C'est ma foi vrai.

VALENTINE. — Je n'en ai plus!... Je n'en ai plus!... Je serais bien aise, si j'en avais encore, de savoir où je l'aurais pris. Supposes-tu que je me lève la nuit pour te voler ?

TRIELLE. — Qui te parle de voler, bon Dieu, et quelle nouvelle querelle viens-tu me chercher là ? Je ne suppose rien du tout. Je te donne, le premier de chaque mois, l'argent nécessaire au ménage; pendant que le mois court, l'argent file, et la bourse est à sec quand le mois est à bout, c'est aussi simple que cela.

VALENTINE. — Puisqu'il en est ainsi, paye-moi ce qui me revient et conserve tes belles phrases pour les mettre dans tes romans. Ils en ont plus besoin que moi. Toc!

Clignement d'œil.

TRIELLE. — Patience!
VALENTINE. — Tu dis ?
TRIELLE. — L'heure est proche!... plus proche, même, que je ne le pensais.
VALENTINE. — Sais-tu ce que tu me fais ?
TRIELLE. — Je te fais suer.
VALENTINE. — C'est décidément très curieux! Tu devrais t'établir liseur d'âmes.
TRIELLE. — J'y songerai sur mes vieux jours. En attendant, nous allons régler nos petits comptes. *(Il va à sa table et en fait jouer le tiroir d'où il extrait des billets de banque.)* Nous disons ?
VALENTINE. — Huit cents; tu le sais bien.
TRIELLE. — Huit cents. *(Feuilletant les billets.)* Un, deux, trois...
VALENTINE. — Il y a le terme.
TRIELLE. — Je le paierai à part... Quatre, cinq, six... Je vais te donner le reste en monnaie.
VALENTINE. — Si tu veux.
TRIELLE. — Ça te sera plus commode. *(Tirant de son gousset un peu d'or et d'argent qu'il aligne au bord de la table.)* Et cinquante, six cent cinquante. Voilà l'affaire.
VALENTINE, *surprise.* — Qu'est-ce que c'est que ça ?
TRIELLE. — Ton argent.
VALENTINE. — Quel argent ?
TRIELLE. — L'argent pour le mois.
VALENTINE. — Il n'y a pas le compte.
TRIELLE. — Comment, pas le compte ?
VALENTINE. — Non.
TRIELLE. — Si.
VALENTINE. — Non. Est-ce que tu deviens imbécile ? De huit cents francs ôtez six cent cinquante ?
TRIELLE. — Reste cent cinquante francs.
VALENTINE. — Eh bien ?
TRIELLE. — Eh bien quoi ?
VALENTINE. — Donne-les-moi.
TRIELLE. — Ah, non.
VALENTINE. — Pourquoi donc ?
TRIELLE. — Parce que tu me les dois.
VALENTINE. — Moi ?
TRIELLE. — Oui, toi.
VALENTINE. — Qu'est-ce que tu me chantes ? Tu ne m'as pas prêté d'argent. D'ailleurs, je n'ai pas l'habitude de te carotter des avances. Je suis bonne ménagère,

peut-être; j'ai de l'économie et de l'ordre, et tu as eu le temps de t'en apercevoir depuis cinq ans que nous sommes mariés.

TRIELLE. — Tu t'écartes de la question. Il ne s'agit pas de tes rares vertus, mais bien de tes imperfections, lesquelles, hélas! sont sans nombre. Tu te moques de moi. Et tes cent cinquante francs d'amende ?

VALENTINE. — Décidément je parle à un fou. Quels cent cinquante francs d'amende ?

TRIELLE. — Les cent cinquante francs d'amende que j'ai eu le regret de t'infliger en punition de tes écarts de langage, impertinences diverses, rébellions en tout genre, et cætera et cætera. *(Mutisme ahuri de Valentine.)* Tu ne comprends pas ?

VALENTINE. — Pas une syllabe.

TRIELLE. — Je vais te lire le détail; ça t'ouvrira les idées.

Il tire de sa poche un petit calepin qu'il ouvre, et il en commence la lecture.

Septembre. Du 1er : Pour avoir tranché une question sans en connaître le premier mot, puis, convaincue de son erreur, s'y être cramponnée de parti pris avec une insigne mauvaise foi, afin d'avoir raison quand même et d'exaspérer le sieur Trielle, homme modéré, patient et doux.......3 fr. 95

VALENTINE. — Hein ? Qui ? Quoi ? Qu'est-ce ?

TRIELLE. — *Du 2 : Pour avoir, le sieur Trielle ayant exprimé le désir de dîner un quart d'heure plus tôt, fait servir un quart d'heure plus tard, et répondu audit Trielle qui se plaignait sans acrimonie : « Si tu n'es pas content, va-t'en dîner ailleurs. »* ....6 fr. 70

VALENTINE. — Ah çà...

TRIELLE. — *Du 3 : Pour avoir traité le sieur Trielle de crasseux et de sale grigou parce qu'il se refusait à acheter, comme inutile et coûteuse, une lanterne à verres de couleur en imitation de fer forgé* .... 2 fr. 50

Du 4 : Pour avoir dit au sieur Trielle qui regrettait l'absence d'abatis dans le bouillon : « Tu répètes toujours la même chose », — ce qui n'était que trop vrai ! .. 1 fr. 45

Du 5 : Pour lui avoir dit : « Te rappelles-tu la fois où je t'ai pardonné d'être rentré à sept heures du matin ? » 71 fr.

VALENTINE, *suffoquée.* — Combien ?

TRIELLE. — 71 francs.

VALENTINE. — C'est pour rien.

TRIELLE. — Quand on a pardonné aux gens, on ne

doit pas être tout le temps à le leur corner aux oreilles. Et, du reste, pardonné quoi ? Je t'ai expliqué cent fois que j'avais manqué le dernier train.

VALENTINE. — Et mon œil ? Je ne te crois pas.

TRIELLE. — Crois ce qu'il te plaira de croire; mais si tu dois me poursuivre de ta miséricorde, me larder de ta grandeur d'âme et me persécuter, jusqu'à ce que mort s'ensuive, du souvenir de tes bienfaits, tu peux les garder pour toi : je leur préfère tes rancunes. Tant qu'à faire que d'être ta victime, j'aime autant ne pas t'en avoir d'obligation. Toc! *(Clignement d'œil.)* Je continue : *Du 6 : Pour avoir été surprise en train de démantibuler la lanterne de l'antichambre, ceci dans le but de forcer le sieur Trielle à en acheter une autre, à verres de couleur, en imitation de fer forgé* .... 4 fr. 90

Du 7 : ...

VALENTINE. — Ça va durer longtemps ?

TRIELLE. — Quoi? Le système des amendes ? Tant que tu ne seras pas revenue à un plus juste sentiment des égards auxquels j'ai droit et que j'exige désormais.

VALENTINE. — Des égards!

TRIELLE. — Oui.

VALENTINE. — C'est à mourir de rire.

TRIELLE. — Bien entendu. Voilà cinq ans que je m'ingénie à excuser ton injustice et que je me crée des devoirs tout exprès pour avoir le souci de les remplir. Aujourd'hui, je pousse la prétention jusqu'à supposer que, peut-être, un jour, une fois, par hasard, tu as pu t'en apercevoir et en avoir été touchée : c'est donc moi qui suis dans mon tort. Eh bien! ma fille, j'y suis, j'y reste. J'en ai par-dessus les épaules et tu commences à m'embêter.

VALENTINE. — Nous ne sommes pas dans une écurie. Je n'ai pas l'habitude qu'on me parle sur ce ton-là.

TRIELLE. — Tu n'auras que la peine de la prendre.

VALENTINE. — C'est ce que nous verrons.

TRIELLE. — C'est tout vu.

VALENTINE. — Mon cher...

TRIELLE. — Tu veux entrer dans des explications ? Entrons; ça nous promènera. Voilà, je te le répète, cinq années que ma bonne volonté crédite ta mauvaise grâce, et qu'obstiné à dépister ton cœur — ton cœur qui est là, car il y est! — je pardonne chaque jour à la veille, dans l'espérance, toujours déçue, du lendemain. Les premiers temps de notre mariage, je tentai de la persuasion, et t'exaltant comme il convenait les avantages de la concorde, la joie des unions introublées, je te tins des discours dictés par la douceur et par la mansuétude mêmes... Peines perdues. Une fois que j'avais en vain, une heure, procédé par le raisonnement, la patience m'échappa. Je me levai, je te pris par le fond de tes jupes, puis, t'ayant étroitement logée sous mon bras gauche, de ma dextre agitée du geste familier aux lavandières à l'ouvrage, je t'administrai...

VALENTINE. — Voilà une belle action d'éclat! Je te conseille de triompher! Brute! Lâche! Goujat!

TRIELLE. — J'userai de ta permission et triompherai selon mon droit. Car cet acte d'autorité, que je n'accomplis pas en pure perte, t'inspira de saines réflexions. Oh! il n'eût tenu qu'à moi d'en entretenir les fruits à l'aide de nouvelles fessées appliquées avec à-propos, mais une première épreuve dont je sortais bouleversé, malade de tristesse et de dégoût, m'enleva toute idée d'en tenter une seconde, en m'édifiant sur mon peu d'aptitude à jouer les Père-Fouettard. Je ne suis, en effet, ni un lâche, ni un goujat, ni une brute, ainsi qu'il te plaît à dire. Je suis tout simplement, mon Dieu! un pauvre diable d'homme de lettres...

VALENTINE. — ...sans aucune espèce de talent.

TRIELLE. — ...sans aucune espèce de talent, mais qui aimerait bien, cependant, trouver dans son petit intérieur une paix qui, peut-être, à la longue, lui permettrait d'en acquérir. C'est alors que j'imaginai, passé à un autre genre d'exercice, de me venger sur le mobilier.

VALENTINE, *ironique*. — C'était malin.

TRIELLE. — Très malin même, puisque le jour où d'un coup de tabouret je fis voler en éclats le miroir de l'armoire à glace, tu restas muette d'ahurissement, de quoi j'éprouvai une joie telle qu'en moins de six semaines j'immolai sans regret, à mon ardente soif de silence, deux chaises, le pot à eau, le casier à musique, la lampe, la pendule, la soupière, le buste de ton oncle Arsène (orgueil de notre humble salon), et divers autres objets de première nécessité. Le fâcheux est, ô Valentine, qu'il n'en soit pas du mobilier comme du phénix qui renaît de ses cendres. La perspective d'avoir à en acheter d'autre me gâta vite l'âpre jouissance que je goûtais à casser les meubles; une fois encore je dus chercher autre chose. Seulement quoi ? M'en aller ? Peut-être. Mais où aller ? Car tout est là pour un homme dont les goûts bourgeois répugnent au concubinage comme à la triste vie d'hôtel. Je commençais à désespérer quand le ciel me suggéra l'idée de te faire désormais, purement et simplement, payer de ta poche tes fautes; solution heureuse, j'ose le croire, définitive en tout cas, et à laquelle je m'arrête. De cette heure donc, tu peux en toute tranquillité, forte du serment que je te fais de ne me plus mettre en colère sous quelque prétexte que ce soit, donner libre cours aux élans de ton infernal caractère. Quoi que tu dises, quoi que tu fasses, tu n'auras de moi ni une chiquenaude, ni le moindre rappel à l'ordre : je mettrai cela sur la note, simplement. Tu paieras à la fin du mois. Hurle, braille, rugis, vocifère, fais du scandale tout ton soûl, trouble tant que tu voudras le repos des voisins; tu n'as à t'occuper de rien : tu paieras à la fin du mois. Plus de querelles, j'en ai assez. Plus de pugilats, j'en suis las. Energiquement déterminé à avoir la paix chez moi et ne l'ayant pu obtenir ni par les bons procédés, ni par les moyens extrêmes, je prends le parti de l'acheter avec tes propres deniers, chose qui ne fût point arrivée si tu me l'avais donnée pour rien. J'ai dit. Je ne te retiens plus. Bonjour. Tu peux t'en retourner à tes occupations. Je suis au désespoir de te quitter si vite, mais le devoir m'appelle, l'heure me presse, et mon journal n'attend pas.

VALENTINE. — Quand tu auras assez causé, tu le diras.

TRIELLE. — J'ai assez causé.

VALENTINE. — C'est heureux. Mes cent cinquante francs.

TRIELLE. — Pas un sou.

VALENTINE. — Tu ne veux pas me les donner ?

TRIELLE. — Non.

VALENTINE. — C'est une idée fixe ?

TRIELLE. — Oui.

VALENTINE. — La maison est lourde.

TRIELLE. — Je le sais.

VALENTINE. — Nous avons des charges.

TRIELLE. — Je ne dis pas.

VALENTINE. — Je te préviens qu'avec 650 francs, il me sera impossible d'y faire face.

TRIELLE. — Tu leur tourneras le dos.

VALENTINE. — A ton aise. Nous en serons quittes pour vivre de pain et d'eau claire.

TRIELLE. — Jamais de la vie. N'en crois rien. Tu t'arrangeras comme tu pourras, mais si je ne trouve pas à mes repas la nourriture saine et copieuse que réclame mon bon appétit, indice de ma conscience calme, j'irai manger au café, — à tes frais, bien entendu. Il serait rigolo que je sois mis au pain sec chaque fois que tu auras été insupportable, ou que tu te seras fait pincer démantibulant une lanterne pour m'en faire acheter une autre en imitation de fer forgé.

VALENTINE. — C'est ton dernier mot ?

TRIELLE. — Le dernier.

VALENTINE. — Bien. *(Etendant le bras vers la croisée.)* Tu vas me donner mon argent ou je vais me jeter par la fenêtre.

TRIELLE. — Par la fenêtre ?

VALENTINE. — Par la fenêtre.

TRIELLE, *tranquillement, va à la fenêtre qu'il ouvre.* — Saute! *(Un temps.)* Allons, saute!

Valentine demeure immobile, attachant sur Trielle des yeux chargés de haine. Enfin :

VALENTINE. — Tu serais trop content, assassin!

Trielle referme la fenêtre et redescend en scène.

VALENTINE, *le poursuivant.* — Assassin! Assassin! Assassin!

TRIELLE, *à sa table, courbé sur son calepin.* — *Octobre. Du 1er : pour avoir menacé le sieur Trielle de se suicider sous ses yeux, tentant ainsi d'exploiter la tendresse de cet excellent mari.* .... 4 fr. 95

VALENTINE. — Lâche! Lâche! Lâche!

TRIELLE. — *Pour ne l'avoir pas fait.*........ 10 sous

VALENTINE. — Oh! je le sais, va, ce que tu cherches!... Je le sais, où tu veux en venir! Tu soupires après mon trépas!

TRIELLE. — Trépas! *(Ecrivant.) Soixante-quinze centimes... pour s'être servie, au cours de la conversation, de locutions empruntées au lexique de Népomucène Lemercier.*

VALENTINE. — Voilà trop longtemps que je souffre sans me plaindre, j'en ai assez! Je retourne dans ma famille.

Elle sort en coup de vent.

SCÈNE III

TRIELLE, *seul.*

Comme si rien ne s'était passé, il est revenu à son pupitre. Là :

TRIELLE, *se dictant à lui-même.* — « *Mais le vieillard, tout à sa pensée, semblait ne pas s'en être aperçu. Soudain, élevant vers le ciel un regard de hautain défi : Eh bien, cria-t-il, sois maudit, Dieu d'inclémence, Dieu d'injustice! Toi qui n'as pas écouté mes prières, demeure à jamais abhorré! Je jette ton nom en pâture à l'exécration des générations à venir.* » Et allez donc, turlurette!

S'épongeant le front.

Quel métier!

Il poursuit :

« *Comme il achevait ces épouvantables blasphèmes...* »

S'interrompant :

Et le terrassier se plaint de son sort!

Il poursuit :

« *... un bruit de pas troubla le silence de la rue.* »

S'interrompant :

Et le mineur élève des revendications!

Il poursuit :

« *De blême qu'il était, le vieillard devint livide.* »

S'interrompant :

Et le cocher se met en grève!

Il poursuit :

« *Si c'était lui, murmura-t-il. Oh! connaître enfin cet ennemi! le tenir haletant sous mon genou! arracher à son épouvante un aveu dans un dernier râle! A ce moment, un étranger déboucha de la rue de La Harpe. Le vieillard bondit comme un tigre, mais aussitôt une étrange défaillance s'empara de tout son être : ses jambes fléchirent sous le poids de son corps, et, poussant un cri terrible, il s'évanouit!* » J'ai dit : trente lignes sensationnelles. Sensationnelles; je suis tranquille. Reste à savoir si elles sont trente. Comptons.

Il additionne du bout de sa plume. Réapparition de Valentine vêtue d'un manteau de voyage et tenant une valise à la main.

SCÈNE IV

VALENTINE, TRIELLE

Valentine traverse la scène et gagne la porte du fond.

VALENTINE. — Eh bien, adieu.
TRIELLE. — Ah! c'est toi, tu t'en vas. Eh bien, adieu.
VALENTINE. — Tu n'as rien à me dire ?
TRIELLE. — Non. Pourquoi ?
VALENTINE. — Je ne sais pas. Je pensais que, peut-être...
TRIELLE. — Tu te trompais.
VALENTINE. — Je te fais mes excuses.
TRIELLE. — Il n'y a pas de quoi.
VALENTINE. — En somme, on peut se quitter faute de pouvoir s'entendre et conserver pourtant de l'estime l'un pour l'autre.
TRIELLE. — C'est évident.
VALENTINE. — N'est-ce pas ?
TRIELLE. — Sans doute.
VALENTINE. — Alors c'est bien entendu ?
TRIELLE. — Quoi ?
VALENTINE. — Tu n'as rien à me dire ?
TRIELLE. — Rien du tout.
VALENTINE. — Eh bien, adieu.
TRIELLE. — Eh bien, adieu.

Trielle se remet à la besogne.

VALENTINE. — C'est égal, on m'aurait rudement étonnée, si on était venu me dire hier que tu me flanquerais à la porte aujourd'hui.
TRIELLE. — Je ne te flanque pas à la porte.
VALENTINE. — C'est le chat. Qu'est-ce que tu fais alors ?
TRIELLE. — Je ne te retiens pas. C'est tout.
VALENTINE. — Mais...
TRIELLE. — Tu veux t'en aller, va-t'en. Tu ne penses pas que je vais te garder de force, m'imposer à ton aversion et te fixer au mur comme un gros papillon, avec un clou dans l'estomac.

Un temps.

VALENTINE. — ...Et comme ça... ça ne te fait rien ?

TRIELLE. — Qu'est-ce qui ne me fait rien?

VALENTINE. — Que je m'en aille.

TRIELLE. — Ça ne te regarde pas. De quoi te mêles-tu ?

VALENTINE. — Il me semble pourtant qu'après cinq ans de ménage, tu pourrais, sans te compromettre, me quitter sur une bonne parole.

TRIELLE. — Je te souhaite de te bien porter et de trouver, là où tu vas, le bonheur que je n'ai pu réussir à te procurer sous mon toit. Je t'ai un peu battue, je t'en demande pardon, bien que les coups que je te donnai m'aient été certainement plus douloureux qu'à toi et qu'au fond je sois excusable de m'être conduit en dément le jour où tu m'as rendu fou. Ceci dit et le procès jugé de cette page d'histoire ancienne, je vis en paix avec moi-même. J'ai la conscience d'avoir été un tendre et fidèle mari. Patient à ton exigence, résigné à ta dureté, esclave aux petits soins de tes moindres caprices et travaillant dix heures par jour à écrire des romans ineptes mais qui me valaient la joie de te pouvoir donner un chez toi où tu avais chaud et des robes qui te faisaient belle, j'ai tout fait pour te rendre heureuse. Tu ne t'en es pas aperçue, n'en aie pas de remords, c'est dans l'ordre. La femme ne voit jamais ce que l'on fait pour elle, elle ne voit que ce qu'on ne fait pas.

VALENTINE. — En tout cas, tu pourrais m'embrasser.

TRIELLE. — Si tu veux.

Il va à elle, l'embrasse froidement, redescend ensuite à l'avant-scène.

VALENTINE, *dans un mouvement de sortie.* — Eh bien, adieu.

TRIELLE. — Eh bien, adieu.

Valentine, lentement, passe la porte, mais à peine a-t-elle disparu, qu'elle rentre, dépose sa valise, et revenant à son mari :

VALENTINE. — Donne-les-moi, mes cent cinquante francs.

TRIELLE, *avec douceur.* — Non.

VALENTINE. — Je t'en prie!

TRIELLE. — Je ne peux pas, je t'assure.

VALENTINE. — Pourquoi ?

TRIELLE. — Parce que j'ai eu la faiblesse de te pardonner trop de fois et que tu me l'as fait payer trop cher.

Car avec vous, encore, il n'y a pas de milieu : si vous ne passez pas par nos mains, c'est nous qui passons par les vôtres. Alors flûte!... *(Valentine veut parler.)* N'insiste donc pas, je te dis que tu perds ton temps. Et puis, que fais-tu là ? Tu ne t'en vas plus ? A cause ? Je croyais que tu souffrais trop. Allons va, ma petite fille, sauve-toi. Retourne auprès de tes parents. Cela vaudra mieux pour nous deux.

VALENTINE. — Je t'en supplie, je t'en conjure, donne-moi mes cent cinquante francs! Si tu ne me les donnes pas, je vais devenir folle!

TRIELLE. — Pour ce que ça te changera...

VALENTINE. — Ecoute.

TRIELLE, *un peu agacé, un peu amusé aussi.* — Oh!

VALENTINE, *se cramponnant à lui.* — Laisse-moi donc parler. Pour les cent cinquante francs...

TRIELLE. — Encore les cent cinquante francs!

VALENTINE. — ...Tu me les retiendras un autre jour... le mois prochain... quand tu voudras, mais pas aujourd'hui, mon Dieu! pas aujourd'hui!... Aujourd'hui, vois-tu, je les veux!... il me les faut!... j'en ai besoin!

TRIELLE, *étonné de la façon dont le mot a été prononcé.* — A ce point-là ?... Regarde-moi un petit peu, Valentine. Tu as fait une bêtise ? *(Mutisme éloquent de Valentine.)* Naturellement. Laquelle ?

VALENTINE. — Tu ne crieras pas trop fort ?

TRIELLE. — Je tâcherai. Va toujours.

VALENTINE. — Eh bien, j'ai un effet à payer aujourd'hui.

TRIELLE. — Tu as souscrit un effet ?

VALENTINE. — Oui.

TRIELLE. — Cela ne m'étonne pas de toi. Ce qui me surprend, c'est que tu aies trouvé à le passer. La loi refusant à la femme le droit de signer des billets sans l'autorisation de l'époux, le tien est nul et sans valeur.

VALENTINE. — Pardon.

TRIELLE. — Comment pardon ?

VALENTINE. — Sans doute. *(Très simplement.)* J'ai imité ta signature pour faire croire qu'il était de toi.

TRIELLE, *abasourdi.* — Et tu viens me dire cela avec ton air tranquille ?... Mais c'est un faux!

VALENTINE. — Qu'est-ce que ça fait ?

A cette réponse inattendue, faite d'ailleurs sur le ton de la plus absolue bonne foi, Trielle demeure sans un mot. Il contemple longuement la jeune femme, comme frappé d'admiration.

TRIELLE. — Allez donc répondre à cela! *(Il complète sa pensée d'un large geste d'impuissance. Puis :)* De combien le billet ?

VALENTINE. — Cent cinquante.

TRIELLE. — Mazette! Tu n'y vas pas avec le dos de la cuillère. *(Un temps.)* Une acquisition, peut-être ?

VALENTINE. — Une acquisition, en effet.

TRIELLE. — Indispensable ?

VALENTINE. — Si on veut.

TRIELLE. — Nécessaire, au moins ?

VALENTINE. — Cela dépend.

TRIELLE. — Enfin, utile ?

VALENTINE. — Oui et non.

TRIELLE, *effleuré d'une idée.* — Une lanterne à verres de couleur ?

VALENTINE, *baissant le nez.* — En imitation de fer forgé.

TRIELLE. — Elle y est arrivée! Ça y est!... Sais-tu que des gamins reçoivent des calottes qui les ont méritées moins que toi ? A-t-on idée d'un tel appétit de lanterne!... *(Il garde le ton de la dispute, mais la conviction n'y est plus. Au fond, on sent qu'il perd pied devant cet excès d'enfantillage.)* Enfin!... Et où l'as-tu fourrée, cette œuvre d'art ? Va me la chercher, que je la contemple!... que j'en grise mes yeux extasiés! *(Mais Valentine ne bouge pas.)* Allons! Cours! Vole! Bondis! — Non ? *(Valentine en effet, de la tête, a eu un* NON *embarrassé.)* Tu ne veux pas ? *(Même jeu de Valentine.)* Tiens, tiens, tiens... Regarde-moi encore. *(Avec une grande douceur :)* Tu l'as cassée ?

VALENTINE. — En l'apportant. *(Et comme Trielle fixe sur elle un regard empli d'une immense allégresse :)* Ce n'est pas ma faute, à moi, si c'était de la camelote. Elle avait un œil! mais un œil!... Tout le monde y aurait été pris. Alors, qu'est-ce que tu veux, je me suis laissée tenter... C'est donc de là que j'ai proposé au marchand, comme si j'étais venue de ta part, de nous faire crédit jusqu'à la fin du mois, moyennant un petit écrit. Alors, le marchand a dit oui. Alors, je lui ai remis l'écrit... que j'avais préparé d'avance. Alors il m'a remis la lanterne enveloppée dans un grand papier; et une fois à la maison, quand j'ai défait le papier pour avoir la lanterne, le machin m'est resté dans une main, le chose dans l'autre. Voilà comment c'est arrivé.

Tout ce récit a été dit d'une voix larmoyante de petite pauvre, secouée de sanglots mal contenus. Trielle l'a écoutée gravement, se gardant bien d'interrompre, la tête agitée, par moments, de ces hochements approbatifs qui se moquent avec l'air d'apprécier. Mais Valentine ayant achevé :

TRIELLE, *la parodiant.* — Le machin t'est resté dans une main, le chose dans l'autre!... *(Changeant de ton.)* Tiens, tu es trop bête, tu me désarmes! Les voilà tes cent cinquante francs. Et puis imite-la encore, ma signature; tu verras un peu si, ce coup-là, je ne te fais pas mettre en prison. Tu n'as pas honte!

VALENTINE. — Merci, Edouard.

TRIELLE, *faussement indigné.* — Faussaire!... Canaille!... — Mouche ton nez!

VALENTINE. — Et les autres ?

TRIELLE. — Quels autres ?

VALENTINE. — Les autres cent cinquante francs.

TRIELLE. — Ah çà, par exemple, c'est le comble! Il faut encore... ?

VALENTINE. — Dame! Ce n'est que juste. Ceux-là, c'est pour payer ton billet.

TRIELLE, *l'œil au ciel.* — Mon billet! — Allons file! Que je ne te revoie plus, que je n'entende plus parler de toi!

VALENTINE. — Alors, tu ?...

TRIELLE. — Quand la Banque passera, je verrai ce que j'ai à faire.

Du coup, délivrée à la fois de la crainte d'une diminution et de la terreur du gendarme, Valentine se sent touchée. Elle va à Trielle, le fixe longuement dans les yeux. Puis d'une voix où se trahit la profonde surprise d'une personne qui fait tout à coup une découverte inattendue :

VALENTINE. — C'est pourtant vrai que tu es un bon mari.

TRIELLE. — Il est fâcheux que tu t'en aperçoives le jour, seulement, où je réussis à te faire peur.

Elle ne répond que d'un petit mouvement de corps, tendre et câlin; un remords qui se fait caresse. Elle se glisse dans son bras dont ensuite, de force, elle se ceinture la taille, et elle demeure nichée, honteuse, le front reposé à l'épaule du jeune homme qui l'a laissée faire sans rien dire.

TRIELLE, *mélancoliquement.* — Οἷα κεφαλή, dit le renard d'Esope, καὶ ἔγκεφαλον οὐκ ἔχει [1].

VALENTINE. — Qu'est-ce que tu dis?

TRIELLE. — Rien. C'est du grec.

VALENTINE, *vaguement flattée.* — Comme tu es gentil quand tu veux!

Elle sort lentement, son argent à la main. Trielle la suit du regard. Que de puérilité, mon Dieu !... Que d'inconscience !... Que de faiblesse !... — Elle disparaît enfin. Trielle reste seul. Alors, il hausse les épaules, et, d'une voix qu'on entend à peine, il murmure, le cœur plein de pitié, cette simple exclamation :

TRIELLE. — Misère!...

Cependant le travail le réclame. De nouveau il revient à son pupitre, où achevant de contrôler l'importance de son feuilleton :

317, 319, 320. Le compte y est. *(Il dit, trempe sa plume dans l'encre, puis se dictant à lui-même :)* « *La suite au prochain numéro.* »

[1] *Prononcer :* oïa képhalè cail egképhalone ouk ékeille. Belle tête, mais de cervelle, point !

LA CONVERSION D'ALCESTE

THÉATRE-FRANÇAIS, 15 JANVIER 1905.

PERSONNAGES

	MM.
ALCESTE	M. MAYER.
PHILINTE	DESSONNES.
ORONTE	ANDRÉ BRUNOT.
M. LOYAL	CROUÉ.
CÉLIMÈNE	Mme LARA.

A Louise LARA

La pièce se passe chez Alceste, six mois environ après Le Misanthrope *de Molière. Les personnages Alceste, Philinte, Oronte et Célimène portent les mêmes costumes que dans* Le Misanthrope. *Seul, Alceste a changé la couleur de ses rubans.*

SCÈNE PREMIÈRE

ALCESTE, PHILINTE

ALCESTE

Philinte, je vous sais bon gré de vos avis;
Je les ai médités longuement, puis suivis,
Et, cet aveu peut-être a lieu de vous surprendre,
Je conviens que la vie est à qui sait la prendre.
Oui, c'est mal rendre hommage à la divinité
Que fixer sur son œuvre un œil trop irrité.
Au pardon qui sourit la sagesse commence;
Il n'est pas d'équité sans un peu de clémence;
Tel se casse les reins en tombant dans l'excès,
Qui fait du monde entier l'objet d'un seul procès.
Aussi, sans m'aveugler aux défauts qu'on lui treuve,
Je prétends désormais, d'une vision neuve,
Envisager ses torts, — mieux, ses petits travers, —
Et sortir de la peau de l'homme aux rubans verts.
Assez et trop longtemps ma folle turbulence,
Aux ailes des moulins butant ses fers de lance,
Vint faire la culbute en l'herbe des fossés,
Le nez en marmelade et les jupons troussés.
Ce n'est pas tout, d'ailleurs. Ma loyauté robuste
En ses emportements ne fut pas toujours juste.
J'en garde le remords et suis mal satisfait
D'avoir gourmé des gens qui ne m'avaient rien fait.
C'est ainsi que jadis, j'en conviens et sans honte,
J'eus tort, Philinte, tort, grand tort avec Oronte.

Il est irréprochable à ce que j'en connais!
Il malmène la Muse et fait mal les sonnets,
Soit! Mais me force-t-il à les signer ? En somme,
S'il est mauvais poète, il est fort honnête homme.
Donc, quel besoin pour moi, quelle nécessité,
De lui cracher son fait avec brutalité ?
La révolte est choquante où le dédain s'impose,
Et c'est le fait d'un fou que s'emporter sans cause.

PHILINTE

J'ai peine à retrouver l'Alceste d'autrefois
Dans celui qui pourtant me parle par sa voix.
Un cœur pacifié qu'on n'y soupçonnait guère
Bat-il sous le harnois du vieil homme de guerre,
Ou votre esprit chagrin veut-il plus simplement
Se donner ma surprise en divertissement ?
Qu'un langage aussi neuf me causerait de joie,
Si...

ALCESTE

Ma sincérité paye en bonne monnoie,
Philinte, et c'est l'excès de mon seul repentir
Que vous trahit ma bouche inhabile à mentir.
Oui, mon esprit baigné de nouvelle lumière
Se rouvre, grâce à vous, à sa candeur première,
Je renais au bonheur d'être indulgent et bon,
Et le calme en mon cœur rentre avec le pardon.
Plus d'une fois pourtant, bafouée, outragée,
Votre prudence, ami, fut mal encouragée;
De vos sages conseils je méconnus le prix...
Je m'excuse humblement de n'avoir pas compris.
J'étais aveugle et sourd, et c'est là ma défense.

PHILINTE

Alceste, un mot de plus me serait une offense,
Brisons sur ce sujet.

ALCESTE

Qui fut dur pour autrui
Doit à sa probité de l'être aussi pour lui.
Ma conscience et moi ferions meilleur ménage
Si je n'avais joué d'un si sot personnage
Et si j'eusse rossé le pauvre genre humain
De moins de coups baillés au hasard de la main.
A mes yeux dessillés, chaque jour, se révèle
De quelque ancienne erreur quelque marque nouvelle;

En un second procès je m'étais engagé;
Eh bien, depuis hier, le procès est jugé,
Et je dois confesser que, contre mon attente,
Ma cause a...

PHILINTE

Triomphé ?

ALCESTE

De manière éclatante!

PHILINTE

Fort bien!

ALCESTE

Ainsi riposte avec grandeur la Loi,
Naguère, injustement prise au collet par moi.
Et Célimène, encor!... Doux, et tendre, et jeune être!
Que je restai longtemps malpropre à la connaître,
Et que l'égarement de mes transports jaloux
Fut dur à ses vingt ans traqués comme des loups!
De longs jours, de longs mois, marquant d'effronterie
L'innocent enjouement de son espièglerie,
Hargneux à sa jeunesse, aveugle à sa pudeur,
De mon lâche soupçon j'insultai sa candeur!
Avouez qu'elle eût pu, de quelques représailles
Avec quelques raisons gâter nos épousailles!
Il n'en fut rien, pourtant. Depuis que sur nos mains,
L'amour serra les nœuds du plus doux des hymens,
Célimène, à mes vœux souple et conciliante,
Reflet, à s'y tromper, des grâces d'Eliante,
Egayant ma maison, rassurant mon honneur,
En toute occasion fait paraître un grand cœur.
Oui, Philinte, au butor qui l'avait mal jugée,
Elle sourit, pardonne, et pense être vengée
De sa seule vertu triomphant noblement,
Et laissant aux remords le soin du châtiment!...
(Soupirant.)
Qu'il m'est cruel!

PHILINTE

Allons! la vie est ainsi faite
Que chacun tranche un peu de son petit prophète,
Bloqué comme en les murs d'une étroite prison
Dans le besoin d'avoir seul et toujours raison.
Dieu l'ordonne et le veut; que sa loi s'accomplisse!
Mais doit-on pour cela se couvrir d'un cilice

Et porter comme un deuil le tort d'avoir bronché
Où tant de fois déjà d'autres ont trébuché ?
Morbleu, non! Le scrupule où votre humeur se bute
Ne vaut pas, croyez-moi, l'honneur qu'on le discute.
Condamnez donc vos torts d'un esprit plus rassis,
Et pour d'autres objets réservez vos soucis.
L'erreur où l'on vous vit, de l'humaine nature
Est l'antique, commune et banale aventure.
Des leçons de la vie éternel apprenti,
Le juste n'est jamais qu'un pécheur converti!

Alceste le regarde longuement, sans rien dire.

PHILINTE

Vous ne répondez point ?

ALCESTE

Que répondre ?... J'écoute.

(Lui tendant les deux mains :)

Et rends grâces au ciel qui vous mit sur ma route.

La porte s'ouvre. Flipotte paraît.

SCÈNE II

LES MÊMES, ORONTE

PHILINTE

Que veut Flipotte ?

FLIPOTTE

Oronte est là.

ALCESTE

Comment ?

ORONTE, *entrant.*

Il est

(A Philinte.)

Votre humble serviteur.

(A Alceste.)

Et votre plat valet.

Ne prenez pas à mal la façon dont j'en use,
Ma bonne intention me doit servir d'excuse.
Touchez là, s'il vous plaît. Je vous vois, Dieu merci,
Bien portant.

ALCESTE

Il est vrai.

ORONTE

Je m'en loue!... Enforci;

ALCESTE

Peut-être.

ORONTE

Engraissé;

ALCESTE

Mais...

ORONTE

J'admire en vous...

ALCESTE

De grâce!

ORONTE

... Ce soupçon d'embonpoint qui n'exclut point la grâce;

ALCESTE

Monsieur...

ORONTE

...Ce regard vif...

ALCESTE

Laissons là...

ORONTE

Ce teint frais...

ALCESTE

Oh!

ORONTE

...Et l'air de jeunesse épandu sur vos traits!

ALCESTE

Vous me flattez.

ORONTE

Touchez encor là, je vous prie.
Flatter ?... Moi ?... Serviteur à la flagornerie.
Je dis ce que je pense et paye argent comptant.

ALCESTE

C'est fort bien.

ORONTE

Devant Dieu...

ALCESTE

Permettez...

ORONTE

... qui m'entend

ALCESTE

J'en conviens.

ORONTE

...me voit...

ALCESTE

Oui.

ORONTE

... lit dans mon cœur...

ALCESTE

Sans doute.

ORONTE

Comme en un livre...

(Alceste essaie de placer un mot.)

... ouvert...

ALCESTE

Bien entendu.

ORONTE

... m'écoute

Donc, me juge...

ALCESTE

Il est vrai.

ORONTE

... je n'ai jamais menti!

Or, vous avez bon pied...

ALCESTE

Monsieur...

ORONTE

... bon appétit... [1]

ALCESTE

Je reconnais...

ORONTE

... bon œil...

ALCESTE

Souffrez que...

ORONTE

... bon visage!
Mon cœur, de tout ceci, tire un heureux présage.
Oui, j'exulte de joie à vous voir bien portant.
J'y prends plaisir.

ALCESTE

Tant mieux.

ORONTE

Vous m'en voyez content!

ALCESTE

Bien obligé.

ORONTE

... charmé!

ALCESTE

Merci.

ORONTE

... ravi!... tout aise!

ALCESTE, *bas à Philinte.*

Philinte, au nom du ciel, obtenez qu'il se taise.

ORONTE, *qui suit son idée.*

Enchanté!

PHILINTE

Voulons-nous nous asseoir ?

[1] Rime douteuse en apparence. Catulle Mendès me l'a sévèrement reprochée, au nom de la rigueur classique. J'objecte que Molière lui-même fait dire à Oronte ceci :

Je viens, pour commencer entre nous ce beau nœud,
Vous montrer un sonnet que j'ai fait depuis peu.

ORONTE

Grand merci.

Les trois hommes s'assoient.

(A Alceste :)

Or çà...

(Brusquement, à Philinte :)

Mais je vous trouve à souhait, vous aussi.

PHILINTE

Moi ?

ORONTE

Gros, gras, le teint frais, l'œil vif!

ALCESTE, *bas.*

Il recommence!

Au poids de l'or, Philinte, achetez son silence!

ORONTE

Vous ne me croyez pas ?... Je veux bien, si je mens,
Que la foudre...

PHILINTE

Il suffit. Laissez les compliments,
Et veuillez, sur le but où tend votre visite...

ORONTE

Je m'explique.

ALCESTE et PHILINTE, *satisfaits.*

Ah!

ORONTE

Messieurs, l'orgueil, ce parasite,
Fils du sot amour-propre et de la vanité,
Conseille mal les gens dont il est écouté;
Car le fiel, son cousin, la haine, sa cousine,
Compliquent de poisons les venins qu'il cuisine.

Alceste et Philinte échangent un coup d'œil désespéré.

Ennemi des vains mots, des discours superflus,
Des exordes lassants qui n'en finissent plus,
Et des péroraisons que leur pédanterie
Allonge de Paris jusqu'à La Queue-en-Brie,
Je viens à vous tout franc, et je vous dis :

(Lui tendant la main) :

Voilà!
Pour la troisième fois, s'il vous plaît, touchez là.
Touchez!

PHILINTE, *à part.*

Touchant!

ALCESTE

Touchons! Je touche! Sans rancune?

ORONTE, *très franc.*

Sans arrière-pensée et sans aigreur aucune!

ALCESTE

Vrai?... Les griefs d'hier?... L'histoire du sonnet?...
Et les sévérités prises sous mon bonnet?...
Et ma mauvaise foi de parti pris butée
A la sotte chanson que je vous ai chantée?...

ORONTE, *l'interrompant.*

Point! Elle est excellente et j'en ai beaucoup ri.
L'âme simple du peuple y parle au roi Henri!
Ah! « Reprenez Paris! » Ah! « J'aime mieux ma mie! »
Quant au sonnet, c'était une simple infamie,
Dont les tercets fâcheux et l'absurde huitain
Fleuraient à quinze pas leur petit Trissotin.
Ma verve, qui vous doit de s'être corrigée,
Reste donc, croyez-le, votre bien obligée.
Je fais d'ailleurs de vous un cas tel que j'entends
Vous en donner ici des gages éclatants.

Alceste veut parler, mais déjà Oronte a tiré un papier de sa poche.

Ce deuxième sonnet, par le fond, par la forme,
A votre poétique est de tous points conforme,
Et vos justes conseils dont j'ai su profiter
M'en ont dicté les vers faits pour vous contenter.
Comme il a trait aux yeux d'une mienne parente
Qui voulut bien pour moi se montrer tolérante,
J'ai cru de mon devoir d'y semer à foison
L'hyperbole, l'image et la comparaison.
(Il annonce.)

Sonnet composé à la gloire de deux jeunes yeux
amoureux,
et dans lequel le poète,

avide de louanger comme il faut,
de célébrer comme il convient,
leur feu, leur mouvement, leur éclat, leur lumière,
cherche vainement,
même dans le domaine du chimérique et de l'irréel,
une image digne de leur être opposée.

(Il lit :)

« *Ce ne sont pas des yeux, ce sont plutôt des dieux,*
« *Ayant dessus les rois la puissance absolue.*
« *Des dieux ?... Des cieux, plutôt, par leur couleur de nue*
« *Et leur mouvement prompt comme celui des cieux.*

« *Des cieux ?... Non!... Deux soleils nous offusquant la vue*
« *De leurs rayons brillants clairement radieux !...*
« *Soleils ?... Non !... mais éclairs de puissance inconnue,*
« *Des foudres de l'amour signes présagieux...*

« *Car, s'ils étaient des dieux, feraient-ils tant de mal ?*
« *Si des cieux ? Ils auraient leur mouvement égal !*
« *Des soleils ?... Ne se peut ! Le soleil est unique.*

« *Des éclairs alors ?... Non !... Car ces yeux sont trop clairs !*
« *Toutefois je les nomme, afin que tout s'explique :*
« *Des yeux, des dieux, des cieux, des soleils, des éclairs !* » [1]

PHILINTE

C'est grand comme la mer.

ALCESTE, *à part.*

Et bête comme une oie.
Mais de ce malheureux pourquoi gâter la joie ?...
Qu'il soit grotesque en paix!

ORONTE

Eh bien, sur mon sonnet ?

ALCESTE

Franchement, il est bon à mettre au cabinet
De lecture [2].

ORONTE, *ivre d'orgueil.*

Non ?

ALCESTE

Si!

[1] Honorat Laugier de Porchères, *Sonnet à la duchesse de Beaufort.*
[2] Le mot est en avance d'un siècle, mais la parodie excuse l'anachronisme.

ORONTE

Cela vous plaît à dire.

(Humblement.)

Sans doute, il a charmé tous ceux qui l'ont pu lire,
Mais...

ALCESTE

Je suis du parti de tous ceux qui l'ont lu.
Et le ciel m'est témoin que le sonnet m'a plu.

PHILINTE

La langue en est hardie, et franche, et décidée!

ALCESTE

L'idée avec bonheur y succède à l'idée.

PHILINTE

Il est plein d'un aimable et tendre sentiment.

ALCESTE

J'en aime fort la fin... et le commencement.

PHILINTE

Puis, la rime au bon sens s'adapte et s'associe.

ALCESTE

C'est une qualité qu'il faut qu'on apprécie.

PHILINTE

Il est assurément meilleur que le premier.

ALCESTE

Par l'agrément, surtout, de son ton familier.

PHILINTE

Et ce « présagieux »!

ALCESTE

Ah! permettez, de grâce,
Que pour « présagieux », monsieur, on vous embrasse!

PHILINTE

Je suivrai, s'il vous plaît, l'exemple que voici,
Et pour « présagieux », je vous embrasse aussi.

ORONTE

Le plaisir de briller, propre aux gens du vulgaire,
Présente des douceurs qui ne me tentent guère;
Mais quoi! l'auteur toujours aime à voir imprimés
Et livrés au grand jour les vers qu'il a rimés.
Vous estimez les miens ?

ALCESTE

De façon singulière!

ORONTE

Le soin vous revient donc de les mettre en lumière!

ALCESTE

En lumière ?

ORONTE

Oui.

ALCESTE

Comment ?

ORONTE

Si j'en crois les on-dit,
Au *Mercure Galant* vous avez du crédit.

ALCESTE

Moi ?

ORONTE

Vous.

ALCESTE

Aucun!

ORONTE

Si!

ALCESTE

Non!

ORONTE

Visé, qui le rédige,
Prétend pourtant...

ALCESTE

Aucun!

ORONTE

Si vous...

ALCESTE

Aucun, vous dis-je!

ORONTE

Si vous vouliez...

ALCESTE

Aucun!

ORONTE

Monsieur, deux ou trois mots
Lancés avec chaleur et glissés à propos,
Et voici qu'aussitôt ma jeune renommée
Voit s'ouvrir devant elle une porte fermée;
Le *Mercure Galant*, dont je vous dois l'accès,
S'offre comme un tremplin à mes premiers essais.
Et la gloire...

ALCESTE

Monsieur, trêve à tant d'insistance.
Mon intervention n'est point de circonstance,
Au *Mercure Galant* je suis fort peu prisé,
Et d'absurdes on-dit vous ont mal avisé.
Veuillez donc m'épargner d'inutiles harangues

Un temps.

ORONTE

Peste! je vous vois apte à parler plusieurs langues;
Vous êtes habile homme et pratiquez fort bien
L'art de risquer des mots qui n'engagent à rien.

ALCESTE

Moi?

ORONTE

Votre bonne grâce étonne par son zèle,
Mais c'est perdre le temps que d'attendre après elle,
Et sur votre assistance on peut toujours compter,
A la condition de n'en point profiter.
(Mouvement d'Alceste.)
Ces manières d'agir, tout à fait mal reçues
Des gens qui n'aiment pas les cœurs à deux issues,
Ne sont point de mon goût, je vous le dis tout net.
Voilà qui vous renseigne. Et quant à mon sonnet,
— Dût mon opinion ne pas être la vôtre —
Il est mauvais ou bon, mais étant l'un ou l'autre,
Pourquoi le renier si vous l'avez goûté?
Pourquoi, s'il vous déplaît, l'avez-vous tant vanté?

ALCESTE, *qui commence à s'énerver.*

Rodrigue, dans *Le Cid*, dit : « Ote-moi d'un doute... »
Voilà bien d'une attaque où je ne comprends goutte!

ORONTE

Monsieur...

ALCESTE

Monsieur...

ORONTE

Monsieur, il faut prendre parti :
Ou vous mentez...

ALCESTE, *bondissant.*

Je mens!

ORONTE

... Ou vous avez menti.

PHILINTE, *s'interposant.*

Oronte!

ALCESTE

Ah! mais, pardon!... Ceci n'est plus de mise...

PHILINTE

Alceste!

ALCESTE

Vous passez la limite permise!
J'ai menti!

PHILINTE, *à Alceste.*

Calmez-vous.

ORONTE

Je...

PHILINTE, *à Oronte.*

Calmez-vous aussi.

ALCESTE, *exaspéré.*

Je vais vous mettre hors, des deux mains que voici!

PHILINTE

Oh!

ALCESTE

Quoi! le plat rimeur d'un stupide poème...

ORONTE

Si stupide soit-il, il l'est moins que vous-même.

PHILINTE

Eh! là!

ORONTE

Dois-je souffrir que cet âne bâté...

ALCESTE

Parbleu! mon cas est neuf et vaut d'être conté.
On me lit un premier sonnet; je le condamne.
Le poète entre en rage et je suis traité d'âne.
Il m'en lit un second; j'y donne mon bravo.
L'auteur entre en fureur : je suis âne à nouveau!
Donc âne si je blâme, âne encor si j'encense!
Je voudrais pourtant bien qu'on me donnât licence
De trouver qu'un sonnet est bon ou ne l'est pas,
Sans être ânifié dans chacun des deux cas!

ORONTE

Mes vers sont bons au point que, si je ne me leurre,
Vous les avez trouvés merveilleux, tout à l'heure.

ALCESTE

J'eus tort! Ils sont d'un bête à couper par morceaux!

ORONTE

Jetez donc à deux mains des perles aux pourceaux!

ALCESTE

Peste soit des grimauds et des vers imbéciles!

ORONTE

L'injure porte en soi des armes trop faciles.
Je vous laisse le pas...

ALCESTE

J'allais vous en presser.

ORONTE

... Tout en gardant pour moi ma façon de penser.
Il suffit. Je m'entends. Bonjour. Mes courtoisies
Tirent la révérence aux basses jalousies.
(Il salue.)

Mangez! Buvez! Dormez! Et puissent mes lauriers
Ne pas être pour vous de trop durs oreillers.

Il sort.

SCÈNE III

ALCESTE, PHILINTE

ALCESTE

Voilà, je vous l'avoue, une brute plaisante!
Donc, il ne suffit pas que, lâche complaisante,
Mon ardeur à bien faire, en sa servilité,
Ait imposé silence à ma sincérité ?
Qu'un quart d'heure durant, souffrant mort et martyre,
Je me sois jusqu'au sang mordu pour ne pas rire,
Piétinant de sang-froid — et le sachant très bien —
Ma pauvre bonne foi qui n'y comprenait rien ?...
Il faut encor que j'aide à tuer son libraire,
Ce maraud vaniteux qui chante au lieu de braire!
Un pied-plat de ses vers me vient assassiner :
Je ne condamne pas, donc je dois patronner ?
Ah! mais non!

PHILINTE

Aristote...

ALCESTE

Ah! non!

PHILINTE

... en un chapitre...

ALCESTE, *arpentant la scène.*

Et je me repentais!

PHILINTE

... de ses...

ALCESTE

Cuistre! Belître!

PHILINTE

... En un chapitre de...

ALCESTE, *même jeu.*

Je mens!

PHILINTE

... de...

ALCESTE

J'ai menti!

PHILINTE

... De ses...

ALCESTE, *même jeu.*

Je me repens de m'être repenti!

PHILINTE

Voyons, puisqu'Aristote en ses ésotériques...

ALCESTE

Je me ris d'Aristote et de ses rhétoriques!

PHILINTE, *souriant.*

C'est aller loin, sans doute, et, véritablement,
Votre sagesse encore en est au bégaiement.
Je la vois, pour ma part, assez mal renseignée,
Jetant tout à la fois le manche et la cognée
Parce qu'un fat risible et de soi-même épris
Nous a gratifiés d'un spectacle sans prix.
Chez Molière, après tout, quoi qu'on fasse ou qu'on die,
On paye le plaisir de voir la comédie;
Et vous vous gendarmez quand un homme de bien
Vient chez vous, à ses frais, vous la donner pour rien ?...
Morbleu! Le diable soit d'une philosophie
Qui semble s'attacher à compliquer la vie,
Et qu'un fâcheux instinct pousse à vouloir tirer
De tout sujet de rire un prétexte à pleurer!

Un temps.

ALCESTE

Bah! vous avez raison! Ma rudesse farouche
Rend hommage au bon sens qui rit sur votre bouche,
Et...

(A ce moment, bruit de voix à la cantonade.)

Mais quel importun nous trouble de ses cris ?

Il va à la porte du fond, qu'il ouvre. On voit alors M. Loyal en discussion avec Flipotte qui veut l'empêcher d'entrer.

SCÈNE IV

LES MÊMES, MONSIEUR LOYAL

ALCESTE

Monsieur Loyal!

MONSIEUR LOYAL, *entrant et saluant jusqu'à terre.*

Huissier près la Cour de Paris;
Séant au susdit lieu, place Sainte-Opportune.
Plaise au ciel vous tenir en sa faveur commune!
Je vous baise les mains, monsieur, pour cent raisons;
Et vous, monsieur, les pieds. De tout cœur.

(Il tire de sa poche et déploie une immense feuille de papier.)

Nous disons.
Euh...

(Il lit.)

« *J'ai, Jean, Paul, Gaspard, Loyal, à la requête...*
Suivent les noms. Je passe et vais au but.

(Il lit.)

« *Enquête,*
« *Ordonnance, constat, exploits, verbalisés ;*
« *Indemnité payée aux clercs mobilisés ;*
« *Fin de non recevoir du défendeur, dont acte*
« *Donné sur beau papier, d'écriture compacte,*
« *Paraphé de la main des témoins y présents ;*
« *Frais de vacation de messieurs les exempts,*
« *Gens courtois, comme on sait, et pleins de savoir-vivre :*
« *En tout soixante écus.* » C'est peu. Plus une livre
Et douze sous, pour frais de bureau. Nous disions ?
Ah! pardon! m'y voici.

(Il lit.)

« *Rapport, conclusions,*
« *Signification d'urgence à l'adversaire ;*
« *Pot-de-vin au greffier, au juge, au commissaire,*
« *Au procureur du roi ; pourboire au portier ; coût :*
« *Vingt pistoles tout rond.* » Ce qui n'est pas beaucoup.
Ah! j'oubliais!... un rien, d'ailleurs, une bêtise :
« *Quatre simples écus... doubles, pour expertise*
« *Dressée en bonne forme, à toutes fins d'emploi,*
« *Dans les termes requis et voulus par la Loi ;*

« *A l'avocat parlant en séance publique :*
« *Cent francs pour plaidoyer, cent autres pour réplique,*
« *Et cent sous pour avoir insulté des témoins*
« *Qui, s'ils restèrent cois, n'en pensèrent pas moins.*
« *Au juge, après arrêt et sentence propices,*
« *Avecque grand respect, quarante écus d'épices.* »
Une obole autant dire.

(Il lit.)

« *Ouï le jugement,*
« *L'avoir levé...*

ALCESTE

Pardon!...

MONSIEUR LOYAL

... « *Six livres* »...

ALCESTE

Un moment.
Le goût qu'aux jeux d'esprit on me vit toujours prendre
Se double du plaisir que j'éprouve à comprendre.
Qu'est ceci, s'il vous plaît ?

MONSIEUR LOYAL, *surpris.*

Qu'entendez-vous par là ?

ALCESTE

Qu'est ceci ?

MONSIEUR LOYAL, *même jeu.*

Quoi ceci ?

ALCESTE

Ceci.

MONSIEUR LOYAL, *même jeu.*

Ceci ?

ALCESTE, *agacé.*

Cela!
Vous parlé-je une langue à ce point bredouillée ?...

MONSIEUR LOYAL, *très simplement.*

C'est la note, monsieur, exacte et détaillée...

Étonnement d'Alceste qui, à son tour, ne comprend plus.

MONSIEUR LOYAL, *poursuivant*.

... Le pour-acquit des frais... de moi-même signé.

ALCESTE, *à Philinte*.

Quels frais ?

PHILINTE

Ceux du procès que vous avez gagné.

Ahurissement d'Alceste. Il se retourne vers M. Loyal, lequel approuve de la tête, et lui sourit aimablement.

ALCESTE

Philinte, vous savez si ma mansuétude
Pour l'immolation montre peu d'aptitude ?
Il n'en est pas moins vrai, que, juge impartial,
Je vais assassiner le bon monsieur Loyal!

MONSIEUR LOYAL

Qu'entends-je ?

ALCESTE, *marchant lentement sur Monsieur Loyal*.

Ah! c'est la note ?

PHILINTE

Eh! là!

ALCESTE

Sur les épaules
Je lui vais galamment rompre deux ou trois gaules!
Ah, c'est le pour-acquit ?

MONSIEUR LOYAL, *rompant*.

Les frais y sont comptés
A vingt pour cent en plus des tarifs adoptés.
(Se reprenant.)
En moins!

ALCESTE

Fripon! Pendard!

MONSIEUR LOYAL

L'existence est si dure!...
Il faut être indulgent aux gens de procédure!
Ne m'ouvrez pas, hélas! la porte du tombeau,
Je suis encore jeune et je suis resté beau!...
(A Philinte.)
Dites-lui donc, monsieur, de m'être pitoyable.
Je ne veux pas mourir, c'est trop désagréable.

Je ne suis qu'un pauvre homme aux ordres de la Loi,
Et j'ai quatorze enfants, dont plusieurs sont de moi!

PHILINTE, *qui rit.*

Alceste!

ALCESTE, *lancé dans une récapitulation.*

Un gueux m'attaque au détour de la route,
Je saisis du grief la Cour qui me déboute.
Je perds. Je paye. Bien. C'est dans l'ordre. Aujourd'hui,
Il advient que mon drôle a la Cour contre lui.
La Loi rend un arrêt que la Justice approuve;
(Le fait est à noter.) Je gagne, et je me trouve,
— Phénomène admirable autant qu'inattendu —
Plus perdre, ayant gagné, que si j'avais perdu!

PHILINTE

Mon Dieu...

ALCESTE

Mon Dieu, je sais ce que vous m'allez dire :
Plus le cas est comique et plus il en faut rire ?

PHILINTE

Sans doute.

ALCESTE

Eh bien, je ris. Quant à m'exécuter,
C'est, ne vous en déplaise, un point à discuter,
Et je vous supplierai d'avoir pour agréable
Qu'avec monsieur, chez lui, j'en cause au préalable.
(Il prend son chapeau, puis, à M. Loyal :)
En route!

MONSIEUR LOYAL

Mais, monsieur...

ALCESTE

Vos comptes ont besoin
D'être vérifiés et revus avec soin.
En route!

MONSIEUR LOYAL, *à part.*

Diantre soit de la cérémonie!

Entre Célimène.

ALCESTE, *à Philinte.*

Célimène qui vient vous fera compagnie.

ALCESTE, *à Monsieur Loyal.*

Allons!

Il sort.

MONSIEUR LOYAL, *l'œil au ciel.*

Dieu qui veillez sur les pâles humains,
Je remets en tremblant mes os entre vos mains!

Il sort à la suite d'Alceste.

SCÈNE V

CÉLIMÈNE, PHILINTE

Célimène et Philinte restent seuls. Soudain Philinte remonte, va coller son oreille à la porte du fond. Il écoute, redescend en scène; va à la fenêtre qu'il ouvre, se penche; regarde au-dehors; puis, revenu à Célimène qui l'a regardé faire sans rien dire :

PHILINTE

Et maintenant, madame, à nous deux!

CÉLIMÈNE

Oh! Philinte,
Ne renouvelez point votre éternelle plainte.
J'en ai l'oreille lasse, à ne vous rien farder,
Et ne suis plus d'humeur à m'en accommoder.

PHILINTE

Vous souffrirez pourtant...

CÉLIMÈNE

Silence!

PHILINTE

Mais...

CÉLIMÈNE, *même jeu.*

Silence!

PHILINTE

Parbleu, c'est trop d'audace, et c'est trop d'insolence!
Le ton où tu le prends, que l'arrogance emplit...

CÉLIMÈNE

Ne me tutoyez pas. Nous croyez-vous au lit?

PHILINTE

Madame, on se doit rendre aux rendez-vous qu'on donne.

CÉLIMÈNE

La paix!

PHILINTE

Je vous l'impose!

CÉLIMÈNE

Et moi, je vous l'ordonne!

PHILINTE, *exaspéré*.

Oh!

CÉLIMÈNE

Quel besoin, bon Dieu, de jeter les hauts cris?
Un galant comme vous égale trois maris.

PHILINTE

La peste vous étouffe, et vous et vos pareilles!

CÉLIMÈNE

Mais parlez donc moins fort; les murs ont des oreilles.
Si j'eus, pour mon malheur, le tort de vous aimer,
Il n'est pas à propos de les en informer.
Aussi bien, avec vous, je veux être sincère;
Une explication qui devient nécessaire
Me contraint à vous dire en bonne vérité
Que vous marchez tout droit vers l'importunité.
Votre ombrageux amour, trop prompt à la querelle,
Change de plus en plus Clitandre en Sganarelle,
Philinte. Sur ce point, qu'il daigne ouvrir les yeux.
Le mien n'y risque rien, que de s'en porter mieux.
Tenez-vous-le pour dit.

PHILINTE

Alceste...

CÉLIMÈNE

En cette affaire
Je conçois assez mal ce qu'Alceste vient faire.
Je vous trouve plaisant, mon cher, quand vous venez
Me bailler froidement de ce nom par le nez.
Osez donc, s'il vous plaît, me regarder sans rire.
Et m'épargnez des mots inutiles à dire.

PHILINTE

Le pauvre homme!

CÉLIMÈNE

Plaît-il ?... Vous avez dit ? Comment ?...
Le pauvre homme ? Ouais! le mot part d'un bon senti-
[ment!
A « Pauvre homme », sans doute, il faut rendre les armes,
Et ce pauvre « Pauvre homme » attendrit jusqu'aux larmes.
Tout au plus, j'oserai vous demander pourquoi
Vous prenez, en parlant, l'air de parler pour moi.
Alceste, de vos soins, eut sa part, ce me semble,
Et nous l'avons un peu sacré « Pauvre homme » ensemble.
Modérez donc l'ardeur d'un si noble courroux.
Est-ce que, par hasard, j'ai commencé sans vous ?
(Mouvement de Philinte.)
Eh! quelle rage, aussi de me prendre pour cible ?
Qu'ai-je donc fait, mon Dieu, de si répréhensible ?
Pourquoi ces airs de dogue et ce ton irrité ?
Je ne vous comprends pas, Philinte, en vérité.
On croirait qu'avec vous en couchant côte à côte
J'aurais fait quelque mal et commis quelque faute.

PHILINTE, *stupéfait.*

Pourtant vos torts...

CÉLIMÈNE

Quels torts ?

PHILINTE, *avec grandeur d'âme.*

S'aveugler à tel point ?...
C'est les avoir deux fois, que ne les sentir point!
Que le cœur de la femme est fait d'étrange sorte,
Et que l'homme sur elle, en loyauté l'emporte!
Quoi donc! Il faut qu'ici je me voie obligé
De prendre cause et fait pour l'époux outragé ?
C'est à moi — triste effet de l'humaine faiblesse —
(J'en conviens sans détour mais non pas sans noblesse)
Qu'il faut, d'Alceste... ?

CÉLIMÈNE

Au temps où me faisant sa cour
Alceste à mes genoux rugissait son amour,
Ce troubadour transi, doublé de belluaire,
Eut parfois l'art et l'heur de ne me pas déplaire.

Outre qu'à franc parler la peur qu'il m'inspirait
N'était pas à mes yeux sans charme et sans attrait,
A sentir sous mon pied cette bête matée
Se débattre à la fois soumise et révoltée,
Et son regard chargé de haine et de poison
Du matin jusqu'au soir m'insulter sans raison,
Vainquant avec péril et dès lors avec gloire,
Je goûtais à son prix l'orgueil de la victoire.
D'accord. — Mais aujourd'hui qu'il montre, humanisé,
Les talents d'agrément d'un ours apprivoisé,
Apte à la contredanse et souple à la voltige,
Ce qu'il acquiert en grâce, il le perd en prestige.
Tel vainqueur de tournoi cesse de me toucher,
Qui, déposant l'armure avant de se coucher,
Désormais sans haubert, sans casque et sans cuirasse,
N'est plus qu'un crustacé veuf de sa carapace.
Dans l'emploi des Acaste et des Prince Charmant,
Notre homme à m'émouvoir tâche inutilement.
Il y marque une ardeur à nulle autre seconde,
Mais, n'étant plus quelqu'un, il devient tout le monde,
Et tournant au fâcheux, d'irritant qu'il était
Il ne garde plus rien du peu qui lui restait.
Alceste converti n'a plus de raison d'être.
Le mari n'est jamais qu'un laquais ou qu'un maître.
La femme a, sur ce point, des raisons qui font loi.
Le ciel, qui les voulut, en sait seul le pourquoi.

Cependant, depuis un instant, Alceste est rentré sans que Célimène et Philinte s'en soient aperçus. Il demeure immobile, au fond du théâtre.

PHILINTE, *après un silence.*

Tout en ne voyant pas, lorsque je m'examine,
Que la malignité soit le but où j'incline,
Et bien que mon humeur se complaise fort peu
A jeter, comme on dit, de l'huile sur le feu,
Il me faut confesser de façon simple et nette
Que vous avez raison des pieds jusqu'à la tête.
Oui, mon cœur de droiture et de justice épris
Se rend à des griefs dont il sent tout le prix,
Madame; et de regret mon âme tourmentée
Gémit de vous avoir un moment disputée.
L'amour est quelquefois prompt à l'emportement,
Mais on sait ce que c'est qu'un courroux d'un amant,
Et...

CÉLIMÈNE

Philinte, il suffit. Ces paroles sensées
Font l'honneur de celui qui les a prononcées.

En gage de réconciliation, elle lui présente sa main, que Philinte couvre de baisers.

Vous comprenez enfin ?

PHILINTE

Je vous comprends si bien
Que votre sentiment concorde avec le mien.
Je me serais gardé d'en rien mettre en lumière;
Mais puisqu'il vous a plu de parler la première,
Je ne vous cache pas qu'Alceste, à mon avis,
Est vraiment ridicule autant qu'il est permis.

CÉLIMÈNE

Il eut toujours un peu la sottise en partage.

PHILINTE

Oui; mais s'en croyant moins, il en a davantage.

CÉLIMÈNE

D'autant plus que ses airs d'amnistier les gens,
Pour ceux qui n'ont rien fait sont fort désobligeants.

PHILINTE

Je me disais aussi : « Ce donneur d'eau bénite
« A quelque chose en soi qui me blesse et m'irrite! »

CÉLIMÈNE

L'ennuyeux animal!

PHILINTE

Le triste compagnon!

CÉLIMÈNE

Je l'aimais mieux bourru!

PHILINTE

Je l'aimais mieux grognon!

CÉLIMÈNE, *s'éventant.*

Je goûte à le tromper des douceurs nonpareilles!

PHILINTE, *avec noblesse.*

Ma conscience en paix dort sur ses deux oreilles.

CÉLIMÈNE

Il n'a, de vous à moi, que ce qu'il a cherché.

PHILINTE

On est toujours puni par où l'on a péché.

CÉLIMÈNE, *souriant à Philinte.*

Cœur généreux et pur!

PHILINTE, *attendri.*

Ame sincère et tendre!

CÉLIMÈNE

Que nous sommes bien faits, ami, pour nous comprendre!

PHILINTE

Pour être l'un à l'autre et, dans tout, de moitié!
Et...

A ce moment Alceste tousse légèrement. Du même mouvement Philinte et Célimène se tournent vers le fond du théâtre et l'aperçoivent.

CÉLIMÈNE et PHILINTE, *ensemble.*

Oh!

ALCESTE, *désignant successivement Célimène, puis Philinte.*

Mon seul amour, et ma seule amitié!

SCÈNE VI

ALCESTE, PHILINTE, CÉLIMÈNE

ALCESTE, *qui est descendu en scène.*

Certes, en m'engageant sur la nouvelle route
Où m'obligea mon cœur hanté d'un dernier doute,
Je ne savais que trop où me portaient mes pas,
Et le fossé promis au chemin de Damas;
Mais je n'aurais pas cru, quand j'ai risqué l'épreuve,
Que les pleurs de mes yeux me fourniraient ma preuve,
Et que le crime, au seuil de ma propre maison,
Me viendrait démontrer combien j'avais raison!...

L'indignation s'empare de lui. Célimène et Philinte échangent un coup d'œil inquiet. Mais non. Des larmes ont jailli de ses yeux, qu'il essuie silencieusement; et sa raison recouvrée prend le dessus sur la fureur. Un grand temps. Il poursuit enfin.

N'importe, tout est bien, puisque je puis en somme,
Ayant fait jusqu'au bout mon devoir d'honnête homme,
N'ayant rien obtenu, mais ayant tout tenté,
De mon stérile effort invoquer la fierté!
Las de l'humain commerce et de sa turpitude
— Dont j'avais le soupçon, dont j'ai la certitude! —
Dépouillé du bonheur qui fut un temps le mien,
Maître de l'affreux droit de n'espérer plus rien,
Il m'est permis d'aller... — Qu'on m'y vienne pour-
[suivre! —
Traîner au fond d'un bois la tristesse de vivre,
En tâchant à savoir, dans leur rivalité,
Qui, de l'homme ou du loup, l'emporte en cruauté.

Il sort.

LA CRUCHE [1]

Théatre de la Renaissance, 27 février 1909.
Théatre Michel, 1913.
Comédie-Française, 5 février 1919.

PERSONNAGES

	Renaissance	Théatre Michel
	MM.	MM.
LAVERNIÉ	Lucien Guitry.	Claude Garry.
LAURIANE	Félix Galipaux.	Galipaux.
MARVEJOL	Berthier.	Bélières.
UN GAMIN	X...	
	Mmes	Mmes
MARGOT	Jeanne Desclos.	Juliette Margel.
CAMILLE	Marguerite Caron.	Marie Marcilly.
URSULE	C. Delys.	

[1] Pierre Wolff, collaborateur.

ACTE PREMIER

A Chennevières; un jardin planté d'iris et de roses, qu'une haie, au fond, sépare d'une allée banale sur laquelle donnent de petites villas. A droite du théâtre, la maison. A gauche, la barrière d'entrée. Au lever du rideau, assise, Margot se livre à un travail de femme. Lauriane, en bras de chemise, le chef coiffé d'un panama, et un arrosoir à la main, fait fonctionner le bras d'une pompe placée à gauche du théâtre.

SCÈNE PREMIÈRE

LAURIANE, MARGOT

LAURIANE. — Certes, je peux le dire à voix haute : je me soucie des palmes académiques comme de mon premier caleçon de bain. Il n'en est pas moins vrai que le doute où je vis de savoir si je les ai ou si je ne les ai pas me crée un odieux état d'âme. Tu es sûre qu'on ne trouve pas l'*Officiel* à Chennevières ?

MARGOT. — Sûre. Je te l'ai déjà dit cent fois.

LAURIANE. — A Champigny ?

MARGOT. — Pas davantage.

LAURIANE. — Et à La Varenne ?

MARGOT. — Pas plus.

LAURIANE. — Drôle d'idée que j'ai eue d'avoir choisi ce patelin pour y venir passer mes vacances!... Je la retiens, la banlieue! En tout cas, tu pourrais me laisser passer; tu vois bien que je vais tirer de l'eau.

MARGOT, *qui se range*. — Oh! pardon.

LAURIANE, *le bras en mouvement sur le levier de la pompe*. — C'est comme Lavernié. Si jamais ma chienne fait des petits, tu parles, ma fille, non mais tu parles si je lui en mets un de côté.

MARGOT. — Qu'est-ce qu'il t'a fait ?

LAURIANE. — Il m'a fait que l'*Officiel* est mis en vente à six heures du matin, qu'il est près de cinq heures du soir, que ce grand imbécile me laisse sans nouvelles, et que quand on a dit aux gens : « Je t'enverrai une dépêche sitôt qu'il y aura du nouveau », on ne doit pas les laisser sur le gril comme de simples Saint-Laurent. C'est vrai, ça... Mais range-toi donc! C'est curieux, ce besoin d'être toujours dans mes jambes!... *(Il passe devant Margot, les arrosoirs à la main, gagne la haie qui isole son petit jardin de l'allée banale de la ville. Là, brusquement :)* Tiens, Camille!...

MARGOT. — Qui, Camille ?

LAURIANE. — La femme de Marvejol.

MARGOT. — Eh bien, ne te gêne plus. Tu pourrais dire : « Madame ».

LAURIANE. — Tu n'as pas la prétention de me donner des leçons de savoir-vivre ?

MARGOT. — Je n'ai aucune prétention, tu le sais bien.

LAURIANE, *ironique*. — Tu as tort; tu devrais en avoir, à la beauté, et même à l'intelligence.

MARGOT. — Pourquoi essayes-tu de m'humilier ? Je ne t'ai rien dit de blessant, moi. Simplement, je te fais remarquer que tu pousses un peu loin la familiarité avec des gens que tu connais à peine et auxquels nous ne sommes liés que par des relations de voisinage.

LAURIANE. — C'est ton avis ?

MARGOT. — C'est mon avis.

LAURIANE. — Eh bien, tu me rases, voilà le mien.

MARGOT. — N'en parlons plus.

LAURIANE, *les yeux sur Camille qui vient d'apparaître par la droite et dont on voit le haut du corps par-dessus la haie de séparation*. — Cette femme me ferait passer par un trou de souris... *(Haut.)* Belle dame...

SCÈNE II

LES MÊMES, CAMILLE

CAMILLE. — Bonjour, monsieur Lauriane; bonjour, madame Lauriane.

MARGOT. — Bonjour, chère madame.

LAURIANE. — Madame Marvejol, je suis votre serviteur. Madame est allée à Paris ?

CAMILLE. — Oh! un saut entre deux trains! Juste le

temps qu'il faut à une Parisienne pour dépenser vingt francs au Louvre en acquisitions inutiles.

LAURIANE. — Bah! quelles acquisitions?

MARGOT. — Tu es indiscret, Charles.

CAMILLE. — Ne m'en parlez pas! Je n'ai rien trouvé à mon goût. Ces grands magasins sont d'un pauvre!... Où est mon mari?

LAURIANE. — Marvejol? Il est où vous l'avez mis. Ayant reçu de vous une consigne qu'il observe, ce modèle des époux taquine le goujon, les jambes dans l'eau et la tête au soleil. Ah! le gaillard est bien dressé... *(Bas.)* Si vous saviez comme votre chapeau vous va bien.

CAMILLE, *à part*. — Qu'est-ce qui lui prend?

Fausse sortie.

LAURIANE. — Dites-moi, chère madame...

CAMILLE, *redescendant*. — Cher monsieur?

LAURIANE. — Vous n'auriez pas eu par hasard l'idée d'acheter l'*Officiel?*

CAMILLE, *stupéfaite*. — Ma foi, non.

MARGOT. — Charles!

LAURIANE. — Et après?... Au lieu de te mêler de ce qui ne te regarde pas, tu ferais mieux d'engager madame à venir se reposer chez nous, en attendant le retour de M. Marvejol.

CAMILLE. — Vous êtes trop aimables.

LAURIANE. — Allons donc! Des cérémonies! Vous prendrez bien un verre de bière.

CAMILLE, *hésitant*. — Merci.

MARGOT. — Merci oui?

CAMILLE, *qui se décide*. — Merci oui.

MARGOT. — A la bonne heure.

CAMILLE. — J'enlève mon chapeau et je reviens.

LAURIANE, *à mi-voix, ému*. — Vous êtes bonne.

CAMILLE, *riant*. — Il fait chaud, et j'ai soif, voilà tout. A tout à l'heure.

MARGOT. — C'est cela.

CAMILLE, *à part, remarquant que Lauriane ne la perd pas des yeux*. — Il m'agace!

LAURIANE, *à part*. — Elle m'excite.

Camille sort.

SCÈNE III

LAURIANE, MARGOT

Lauriane reprend ses arrosoirs qu'il avait déposés à terre et commence à donner à boire à ses rosiers, tout en fredonnant un petit air.

LAURIANE. — Et, le plus joli de l'affaire, c'est qu'il en avait fait la sienne.

MARGOT. — Qui ?

LAURIANE. — Lavernié!... Tu as toujours l'air de ne pas savoir ce qu'on veut te dire. *(Il hausse les épaules.)* En a-t-il assez fait de l'esbroufe! Et : « mes relations » par-ci... et « mon crédit » par-là... et je « vais t'enlever ça en cinq sec »... Vantard, va!... — Il crevait de soif...

MARGOT. — Lavernié ?

LAURIANE. — *Le Maréchal Niel!* Tu n'es jamais à la question... *(Tout en parlant, il a inondé d'un filet d'eau un rosier garni de magnifiques roses jaunes.)* Est-il assez beau, ce gaillard-là ? On jurerait du beurre salé... *(Poursuivi de son idée fixe.)* Heureusement que ça m'est égal. Je me connais, je sais ce que je vaux, j'ai ma propre considération et ça suffit à mon bonheur. Quant aux hochets de la vanité, serviteur de tout mon cœur!

Il chante.

Tu, tu, tu,
La y tou la la!

Dieu que t'as l'air bête!...

MARGOT. — Merci. Tu es plein d'attentions pour moi, et je mène à tes côtés une existence pleine de charmes.

LAURIANE. — Veux-tu en changer ? A ton aise! la porte est là, et la gare n'est pas loin. Nous ne sommes pas mariés, ma fille.

MARGOT. — Crie-le donc plus haut. Les voisins pourraient ne pas avoir entendu.

LAURIANE. — Les voisins ? Je m'en fiche, des voisins... Et puis, d'abord, pourquoi n'es-tu pas à la cave ?

MARGOT. — A la cave ?

LAURIANE. — Naturellement! Non seulement tu devrais y être; tu devrais en être revenue... *(Camille réapparaît au fond.)* Tiens! voilà notre invitée. Grouille-toi un peu, sacrebleu!... Va chercher une bouteille de bière! Quel malheur, bon sang, d'être rivé à une empotée pareille!

MARGOT. — Plains-toi.

LAURIANE. — C'est bon!

CAMILLE, *de l'autre côté de la barrière.* — Je vous fais fuir ?

MARGOT. — Je reviens.

Elle sort.

SCÈNE IV

LAURIANE, CAMILLE

LAURIANE, *ouvrant à Camille la barrière qui donne accès à son jardin.* — Entrez donc!

CAMILLE. — Parions que je vous dérange.

LAURIANE, *très aimable.* — Vous plaisantez. Tenez, asseyez-vous là.

CAMILLE. — Merci.

Elle prend son ouvrage. Lauriane la regarde, l'air attendri.

LAURIANE. — Vous êtes bien ?

CAMILLE. — Je suis bien.

LAURIANE. — Très bien ?

CAMILLE. — Tout à fait bien. Mais vous étiez, je crois, en train de faire boire vos rosiers. Je vois d'ici un *Maréchal Niel* qui réclame votre assistance et une *Gloire de Dijon* qui souffre de la pépie.

LAURIANE. — Le *Maréchal* a bu comme un chantre de village et la *Gloire de Dijon* a les pieds dans la vase, comme un simple Marvejol.

CAMILLE. — C'est bien, ce que vous dites là.

LAURIANE. — Moins bien que ce que vous faites.

CAMILLE. — Tout de bon ?

LAURIANE. — Qu'est-ce que ça représente ?

CAMILLE. — Une maison dans des arbres.

LAURIANE. — Le fait est qu'il n'y a pas d'erreur. Ça, c'est les arbres, et ça, c'est la maison... C'est rudement bien imité. Et quand on songe, Seigneur, qu'un travail comme celui-là a pu sortir de petites menottes comme celles-ci. Donnez un peu la patte.

CAMILLE, *lui donnant la main.* — Vous lisez dans les mains ?

LAURIANE. — Des fois.
CAMILLE. — Qu'y voyez-vous ?
LAURIANE. — Des choses.
CAMILLE. — Quelles choses ?
LAURIANE. — Des choses...
CAMILLE. — Enfin, expliquez-vous...
LAURIANE. — Soit, je m'explique... *(Il tombe à genoux.)* Camille, je vous aime.
CAMILLE. — Hein ? Quoi ? Qu'est-ce ?
LAURIANE. — Camille, je vous aime.
CAMILLE. — C'est une plaisanterie!... Voulez-vous bien vous relever ? Oh! mais nous allons nous fâcher.
LAURIANE. — Camille, écoutez-moi.
CAMILLE. — Encore une fois, monsieur Lauriane.
LAURIANE. — Je vous jure que ce n'est pas l'air de la campagne...
CAMILLE. — Mais relevez-vous donc.
LAURIANE. — Jamais!
CAMILLE. — Vous allez être ridicule; prenez garde...
LAURIANE. — Cœur de roche!
CAMILLE. — En voilà assez! Cette petite bouffonnerie champêtre a plus que suffisamment duré : l'instant est proche où elle deviendrait fastidieuse. Une dernière fois, debout! D'ailleurs, voici Mme Lauriane.
LAURIANE. — Naturellement.

SCÈNE V

LES MÊMES, MARGOT

MARGOT. — Tu es souffrant ?
LAURIANE. — Pourquoi ?
MARGOT. — Tu es rouge comme un coquelicot.
LAURIANE. — Tiens, j'en ai le droit, je suppose, depuis deux heures que j'use mon huile de bras à faire fonctionner la pompe!... Il n'y a pas de prise d'eau, ici. Si on m'y revoit, dans cette maison, j'ose dire que ce sera dans un songe.
MARGOT. — Tu as encore l'air de t'en prendre à moi!
LAURIANE. — Je sais ce que je dis.
MARGOT, *les larmes aux yeux.* — Oh! Oh! Oh! Oh!
LAURIANE. — Et puis, pas de musique! Je ne suis pas d'humeur à la supporter!... pas plus que tes airs de

victime!... Aussi bien, je l'avais oublié, nous avons à causer.

CAMILLE. — Je vous gêne?

LAURIANE. — En aucune façon, chère amie. Je vous prierai même de demeurer, car l'instant est venu pour moi d'ouvrir aux étrangers la porte de ma maison et de mettre ma vie au soleil.

MARGOT. — Vous allez voir que j'ai encore commis des crimes.

LAURIANE. — Pas de grands mots!... *(Se fouillant.)* Où l'ai-je fourré ?... Le voici... Qu'est-ce que c'est que ça ?

MARGOT. — Un pierrot.

LAURIANE. — Un pierrot... Je ne te l'ai pas fait dire!... l'espoir du printemps et l'amour d'une mère! Au faîte de ce hêtre se balançait doucement un nid qui faisait mon attendrissement, où se battaient, s'ébattaient, se débattaient trois nouveau-nés, sans barbe et sans moustache encore!... Et c'était pour moi une fête de jeter en passant un sourire aux espiègleries de leur ingénuité. Total : l'appartement vide, et la mère en pleurs sur la branche!... Le chat de madame a passé par là!... Charmant animal!... Que je le chope au bout de mon fusil, et je lui colle deux balles dans la peau; vous verrez si ça fera un pli. Pan! Pan!

MARGOT, *souriant.* — Tu n'as pas de fusil.

LAURIANE. — C'est possible. Que je mette la main dessus alors; et je lui fais sauter la queue d'un coup de hache. Bing!

MARGOT. — Tu n'as pas de hache.

LAURIANE. — Non ? Eh bien, je l'enverrai, la tête la première, voir au fond du puits si j'y suis.

MARGOT. — Il n'y a pas de puits.

LAURIANE. — Je me tue à le dire! Encore un des avantages de cette extraordinaire maison. Ah! je t'en aurai, des obligations!... Je t'en dois des actions de grâces!... Allons! plus un mot! Silence! Ne m'oblige pas à te rappeler qu'il n'y a qu'un maître chez nous.

MARGOT. — Croyez-vous, hein ?

CAMILLE. — Il plaisante... Voyons, monsieur Lauriane...

LAURIANE. — Chère madame, je n'ai l'habitude d'exposer au grand jour ni mes pleurs ni mes plaies. Mettons que je plaisante et n'en parlons plus.

Il remonte.

CAMILLE, *bas, à Margot.* — Il n'est pas méchant, au fond.

MARGOT. — Je sais bien... Mais tout de même... C'est à en tomber malade, voyez-vous...

LAURIANE, *au fond, l'œil au loin parti à la découverte du facteur rural qui ne vient pas.* — Toujours pas de dépêche!... *(Un gamin entre en courant et hors d'haleine.)* Qu'est-ce qu'il y a ? Tu n'es pas le facteur, toi ?

LE GAMIN. — Non, m'sieu.

LAURIANE. — Eh bien ?

LE GAMIN. — M'ame Marvejol, s'il vous plaît ?

CAMILLE. — C'est moi, petit. Que me veux-tu ?

LE GAMIN. — C'est un monsieur qu'est là-bas, au bord de la rivière, qui pêche et qui a les pieds dans l'eau. Alors, il m'a dit comme ça de dire comme ça à madame que chaque fois qu'il allait pêcher, madame lui emportait ses chaussures; alors que madame les lui rende, rapport qui peut pas revenir sans.

Lauriane rit.

CAMILLE, *vexée.* — Pourquoi riez-vous ? Simple distraction... Va à côté, petit, la bonne t'en fera un paquet.

LAURIANE. — C'est tout de même extraordinaire ce télégramme qui n'arrive pas! *(A Ursule qui est venue sur le seuil de la porte y secouer son panier à salade.)* Le télégraphiste n'est pas venu ?

URSULE. — Le télégraphiste ? Si, monsieur.

LAURIANE. — Le télégraphiste est venu ?

URSULE. — Y a au moins une heure.

LAURIANE. — Quoi faire ?

URSULE. — Apporter une dépêche.

LAURIANE. — Pour qui ?

URSULE. — Pour vous.

LAURIANE. — Eh bien, où est-elle ?

URSULE, *la tirant de sa poche.* — La voici. J'attendais que Monsieur me la demande.

LAURIANE. — Buse! Brute!... A-t-on idée de ça!... et vous croyez que des êtres pareils, la Société ne ferait pas mieux de les détruire ?

URSULE, *épouvantée.* — Monsieur veut me détruire ?

LAURIANE. — Zut! Silence! Sortez de mes yeux, vous et votre panier à salade! Vous m'exaspérez, tous les deux!

URSULE, *disparaissant.* — Eh bien, en voilà une affaire!

Lauriane, du doigt, fait éclater le pli; il y jette un coup d'œil, pousse un cri et disparaît précipitamment à l'intérieur de l'habitation, laissant Margot et Camille stupéfaites.

CAMILLE. — Eh bien ?

MARGOT. — Comment ?

CAMILLE. — Qu'est-ce qu'il y a ?

MARGOT. — Je ne comprends pas... Il attendait une dépêche... mais... je ne sais...

CAMILLE. — Une mauvaise nouvelle, peut-être!

MARGOT. — J'espère que non... D'ailleurs, le voici...

Lauriane, en effet, apparaît, transfiguré, rajeuni de vingt ans. Il a passé une redingote qu'il achève de refermer sur lui. Margot s'est élancée, mais lui, sans violence, l'écarte de la main droite, va droit à Camille et se penche pour l'embrasser.

LAURIANE. — Belle dame...

CAMILLE. — Ah çà!...

LAURIANE, *en l'embrassant.* — Permettez!

CAMILLE. — Il m'effraye.

LAURIANE, *en embrassant Margot sur les deux joues.* — Et toi aussi, ma fille, toi aussi!... Nous ne sommes pas toujours d'accord, mais une minute comme celle-ci fait oublier bien des mauvaises journées! Enfin, ne parlons plus de ces choses attristantes! L'éponge est passée. Tout est dit.

MARGOT, *très étonnée.* — Mon Dieu...

LAURIANE, *lui tendant la dépêche.* — C'est fait. Lis.

MARGOT, *lisant.* — « Vu le ministre. L'affaire est dans le sac. J'arrive. »

CAMILLE. — Quelle affaire ?

LAURIANE, *badin.* — Curieuse...

CAMILLE. — Les palmes! Dieu me pardonne!

LAURIANE, *modeste.* — Elles-mêmes!

CAMILLE, *à Margot.* — Vous ne pouviez pas le dire plus tôt, cachottière!

MARGOT. — Si je m'étais trompée...

LAURIANE, *de même.* — Le mal n'eût pas été si grand... Pour l'importance que ça a...

CAMILLE. — Vous êtes trop modeste.

LAURIANE. — Allons donc!

CAMILLE. — Mes compliments!

LAURIANE. — Vous plaisantez!

CAMILLE. — Du tout!

LAURIANE. — Vraiment ?

CAMILLE. — Vraiment !

LAURIANE, *désignant Margot.* — Alors, merci pour elle. *(A Margot.)* Tu entends, on te complimente. *(A Camille.)* Je vous ferai d'ailleurs remarquer qu'elle affecte un manque évident d'enthousiasme.

MARGOT. — Moi ?

LAURIANE. — Et que, sans se lancer dans des démonstrations incompatibles avec sa nature de fer-blanc, elle pourrait accueillir d'un visage moins tragique la distinction dont je suis l'objet... *(Margot veut parler)*... distinction, en somme flatteuse, et dont tout l'honneur est pour elle.

MARGOT. — Mais c'est un parti pris !... Mais cela devient odieux !

LAURIANE. — Ça va bien.

MARGOT, *à Camille.* — Lui ai-je dit quelque chose ?

CAMILLE. — Tenez, vous êtes un monstre... ! Pauvre petite ! *(Elle l'embrasse.)* Courez donc l'embrasser, vous aussi.

LAURIANE, *bas.* — Devant vous ?

CAMILLE. — Pourquoi pas ?

LAURIANE. — Puisque vous l'ordonnez !... *(il embrasse Margot du bout des lèvres.)* Sur ce, l'incident est clos... Fais voir la dépêche... *(La relisant.)* « Dans le sac ! » Sacré Lavernié ! Ça me fait plaisir aussi pour lui ! Nous allons nous faire du bon sang !

CAMILLE. — Quel Lavernié ?

LAURIANE, *étonné.* — Henri Lavernié.

CAMILLE. — Le peintre ?

LAURIANE. — Vous le connaissez ?

CAMILLE, *très hésitante.* — De nom... un peu.

Ursule entre.

SCÈNE VI

LES MÊMES, URSULE

LAURIANE, *vivement et à mi-voix.* — Chtt !... Ursule !... *(Désignant du doigt sa boutonnière.)* Nous allons rire ! *(A Ursule.)* Qu'est-ce qu'il y a, ma bonne Ursule ?

URSULE. — Je venais demander à madame...

LAURIANE, *familier.* — Approchez, Ursule ; approchez. Le dîner sera-t-il bon ce soir ?

URSULE. — Je l'espère, monsieur.
LAURIANE. — Elle l'espère! Brave fille!... Qu'est-ce que vous avez à me regarder comme ça! Aurais-je une tache sur mon vêtement ?
URSULE. — Je n'en vois point.
LAURIANE. — Regardez bien... Non ?... Rien ne vous frappe ?
URSULE. — Non, monsieur.
LAURIANE, *furieux.* — Rompez!... Assez causé comme ça!
URSULE. — Mais, monsieur...
LAURIANE. — Assez causé!... *(Ursule sort. A part.)* En voilà une que je ficherai à la porte à la première occasion... *(Mais il aperçoit Marvejol.)* Chtt!... Marvejol!... On va rigoler. Plus un mot!...

SCÈNE VII

LAURIANE, CAMILLE, MARGOT, MARVEJOL

Marvejol entre, les lignes sur l'épaule, le filet à la main.

MARVEJOL. — Mesdames, bonsoir!... Bonsoir, madame Lauriane... *(A Camille.)* Bonsoir, Coco!... *(A Lauriane qui l'attend de pied ferme à l'autre bout du théâtre, souriant, l'air futé et malin d'un monsieur qui en a fait une bien bonne.)* Bonjour, vous! *(A Camille.)* Dis-moi, Coco ?... C'est très gentil à toi de m'accompagner jusqu'au bord de l'eau... mais dès que j'ai le dos tourné, tu me confisques mes souliers... *(S'interrompant, à Lauriane :)* Pourquoi sifflez-vous ?
LAURIANE. — Allez toujours, vous m'intéressez.
MARVEJOL. — ... tu me confisques mes souliers et on ne te revoit plus.
CAMILLE. — Coco!
MARVEJOL. — Je ne suis pas jaloux... *(A Lauriane qui siffle toujours.)* Ah çà!... *(A Camille)* mais c'est un système qui m'empêcherait de courir après toi, si jamais, un jour, je le devenais... *(En regardant Lauriane.)* Coco, tu m'as fait une farce!
LAURIANE. — Est-il bête!
CAMILLE. — Comment. Tu ne vois pas ?...

Elle désigne la boutonnière de Lauriane.

MARVEJOL *s'approche, se penche, et, très simplement, sans le moindre étonnement.* — C'est pour ça ?... Oh! tout le monde les a, aujourd'hui.

LAURIANE, *hors de lui, se retourne brusquement vers Margot.* — Qu'est-ce que tu fais là, toi ?

MARGOT. — Rien.

LAURIANE. — Ce n'est pas une occupation. Lavernié nous arrive. La chambre d'ami ?

MARGOT. — Elle est prête.

LAURIANE. — Ça m'étonne. Ton dîner ?

MARGOT. — J'ai mis le pot-au-feu.

LAURIANE. — Ça ne m'étonne pas. Tu sais pourtant bien que Lavernié ne peut pas le voir en peinture!

A ce moment.

LAVERNIÉ, *apparaissant par-dessus la haie, comme tout à l'heure.* — Pas un mot de vrai. J'adore la plate-côte, au contraire!

SCÈNE VIII

LES MÊMES, LAVERNIÉ

LAURIANE. — Lavernié!

LAVERNIÉ, *entrant.* — En personne!

MARGOT, *courant à lui.* — Henri!... Bonjour! Bonjour! Ah! bonjour!

LAVERNIÉ. — Bonjour, ma petite Margot! Tournez-vous par ici, que je voie si vous êtes toujours la plus jolie, comme la Suzon de la chanson. — Bon! Tout va bien. Montrez vos dents.

MARGOT, *gênée.* — Henri...

LAVERNIÉ. — Montrez vos dents, que diable! puisque j'ai plaisir à les voir. — Est-ce que je ne vous ai pas, un jour, baptisée la princesse Quenottes ?

MARGOT. — Si!

Elle rit.

LAVERNIÉ, *ravi.* — Splendeur! Magnificence! Féerie! — Mon Dieu, que j'ai d'amitié pour vous!

Il l'embrasse.

LAURIANE. — Ne t'épate pas.

LAVERNIÉ. — C'est ce que je fais.

Il embrasse Margot sur l'autre joue.

LAURIANE. — Grappille! Grappille!

LAVERNIÉ. — Je cueille des pêches; on a le droit. Et puis, laisse-nous tranquilles, hein. C'est mon amie, cette enfant-là! c'est mon chou et ma préférée!... Pas, Margot?

MARGOT. — Bien sûr.

LAVERNIÉ. — Tu entends? *(Il rit, puis, revenant à Lauriane, il lui serre la main avec beaucoup d'affection.)* Qu'est-ce que tu deviens, autrement?

LAURIANE. — Et toi?

LAVERNIÉ. — Oh! moi, mon bon, je suis comme beaucoup d'autres : je deviens vieux tout doucettement. Je m'éveille tous les matins avec un jour de plus que la veille, et j'en pleure de rage jusqu'au soir. A part cela, je relis les lettres des maîtresses qui m'ont trompé et des amis qui m'ont trahi; je compte mes rides du bout de mon doigt en me regardant dans la glace, et quand j'ai une minute à moi, je retouche mon testament, ou j'y ajoute un codicille. Enfin, je me distrais, quoi! je m'amuse.

LAURIANE. — Farceur!... que je te présente, au fait! Mon ami, mon vieil ami, Henri Laverníé. Madame et monsieur Marvejol, nos voisins et nos amis.

On se salue. Les hommes échangent des poignées de main.

LAURIANE. — Et maintenant, que la fête commence!... Ursule!

Apparition de la bonne.

URSULE. — Monsieur?

LAURIANE. — Montez la valise de monsieur. Débarrasse-toi de ton chapeau. Veux-tu un panama?

LAVERNIÉ. — Merci.

LAURIANE. — Une vieille casquette à moi?

LAVERNIÉ. — Non.

LAURIANE. — Un verre de madère?

LAVERNIÉ. — Rien du tout.

LAURIANE. — Laverníé, tu n'es pas gentil... J'aurais aimé, le verre en main, et une émotion dans la voix...

LAVERNIÉ, *apercevant la boutonnière de Lauriane.* — Qu'est-ce que tu as donc là?... Ote ça!...

LAURIANE. — Quoi?

LAVERNIÉ. — Ote ça!...

LAURIANE. — Mais...

LAVERNIÉ. — Ote ça, je te dis...

Il s'éloigne et va au couple Marvejol.

LAURIANE, *abasourdi.* — Qu'est-ce qui lui prend ?

MARVEJOL, *à Lavernié.* — N'avez-vous pas, cher monsieur, exposé au Salon dernier une vue de Venise ?... Exquise d'ailleurs, et d'un ton...

LAVERNIÉ. — Je ne fais que le portrait, cher monsieur...

MARVEJOL, *gêné.* — Ah! Parfaitement!

MARGOT, *à Lauriane, étonnée de voir Ursule dresser le couvert dans le jardin.* — On dîne dans le jardin ?

LAURIANE, *en haussant les épaules.* — Dans la cave. Aimes-tu mieux que ce soit sur le toit ? *(A Lavernié.)* Nous dînons dehors, n'est-ce pas ?... Tu n'y vois pas d'inconvénient ?

LAVERNIÉ. — Au contraire. *(Regardant les palmes de Lauriane.)* Encore!... Ote donc ça!...

LAURIANE. — A cause ?

LAVERNIÉ. — A cause... Pas devant le monde. Tout à l'heure...

LAURIANE, *à part.* — Ah çà!... Ah çà!...

CAMILLE, *dans un coin, bas à Lavernié qui s'est approché d'elle.* — En voilà une surprise!

LAVERNIÉ, *bas.* — Si je m'attendais à cela!...

CAMILLE, *bas.* — Qu'est-ce que tu fais ici ?

LAVERNIÉ, *bas.* — Vous êtes donc à Chennevières ?

CAMILLE, *bas.* — Tu le sais bien! Je te l'ai écrit.

LAVERNIÉ, *bas.* — Rien reçu.

CAMILLE, *bas.* — C'est extraordinaire.

LAVERNIÉ, *bas.* — D'ailleurs, j'étais en voyage. Je t'en ai informée.

CAMILLE, *bas.* — Rien reçu non plus! — Où cela ?

LAVERNIÉ, *bas.* — Poste restante, comme toujours. Place Clichy. A. B. C.

CAMILLE, *bas.* — A. B. C. ! Imbécile! *(Rectifiant.)* X. Y. Z... 555!

LAVERNIÉ, *bas.* — Tout s'explique!

CAMILLE, *bas.* — Tu connais donc les Lauriane ?

LAVERNIÉ, *bas.* — Il faut croire.

CAMILLE, *bas.* — Tu ne me l'avais jamais dit.

LAVERNIÉ, *bas.* — Tu ne me l'avais jamais demandé.

CAMILLE, *haussant les épaules, bas.* — En voilà une réponse!... Quand te verrai-je ?

LAVERNIÉ, *bas.* — Un de ces jours.

CAMILLE, *bas.* — Je veux savoir tout de suite.

LAVERNIÉ, *bas.* — Eh bien... Chut! On nous regarde!

Apparition d'Aurélie, la bonne des Marvejol. Elle passe la tête par-dessus la haie qui sépare les deux jardins.

AURÉLIE. — Madame est servie.
MARVEJOL. — Allons, Coco!
CAMILLE. — Vous venez tous prendre le café chez nous, hein? *(A Lavernié.)* Monsieur nous fera bien le plaisir d'être des nôtres?
LAVERNIÉ. — Avec joie, madame.
CAMILLE. — Alors à tout de suite.
LAURIANE, *impatient.* — Entendu.
MARVEJOL. — Et on fera un trente et un.
LAURIANE, *de même.* — Ça va!...
MARVEJOL. — Passe devant, Coco.

SCÈNE IX

LAURIANE, MARGOT, LAVERNIÉ

MARGOT. — Et, maintenant, à table.
LAURIANE, *intrigué.* — Eh bien?
LAVERNIÉ. — Eh bien... *(Entre Ursule portant la soupière.)* Pas devant la bonne.
LAURIANE, *bas.* — Je vais l'expédier... *(Haut.)* Rompez! on vous a assez vue. *(Sortie d'Ursule.)* Elle est partie. Qu'est-ce qu'il y a?
LAVERNIÉ. — Il y a de l'erreur.
LAURIANE. — De l'erreur?
LAVERNIÉ. — De l'erreur.
LAURIANE. — Rapport?
LAVERNIÉ, *désignant le ruban.* — A ça!
LAURIANE. — A mes palmes?
LAVERNIÉ. — A ces palmes.
LAURIANE. — Je ne comprends pas un mot.
LAVERNIÉ. — Tu les portes.
LAURIANE. — Sans doute.
LAVERNIÉ. — Pourquoi?
LAURIANE. — Parce que c'est mon droit.
LAVERNIÉ. — Non!
LAURIANE. — Si!
LAVERNIÉ. — Non!
LAURIANE. — Tu te fiches du monde. On ne m'a pas donné les palmes pour que je les mette dans un placard.
LAVERNIÉ. — On ne t'a rien donné du tout.
LAURIANE. — Si!
LAVERNIÉ. — Non!

LAURIANE. — Si!
LAVERNIÉ. — Tu as reçu ma dépêche ?
LAURIANE. — Oui.
LAVERNIÉ. — Eh bien ?
LAURIANE. — Elle est limpide : « L'affaire est dans le sac. »
LAVERNIÉ, *rectifiant.* — Dans le lac.
LAURIANE. — Comment dans le lac ?
LAVERNIÉ. — Parfaitement, tu as mal lu.
LAURIANE. — Lis toi-même.

Il lui présente le bleu.

LAVERNIÉ, *après avoir lu.* — Un S pour un L; une coquille!...
LAURIANE, *les poings serrés.* — Alors, il y a de l'erreur ?
LAVERNIÉ. — Je te le disais.
LAURIANE. — N... de D...! *(Entre Ursule.)* Chut!... pas devant la bonne... *(Haut.)* Qu'est-ce que c'est ? Le bœuf ? Enlevez-le! Monsieur Lavernié ne l'aime pas.
LAVERNIÉ. — Oh! mais pardon!
LAURIANE. — Filez!

Coups de tonnerre. Quelques gouttes tombent.

MARGOT. — Faites des œufs sur le plat. — Tiens, la pluie. Nous devrions rentrer.
LAURIANE, *hors de lui.* — Fiche-nous la paix, avec ta pluie! Nous sommes très bien ici!... Dans le lac!... Dans le lac!...
MARGOT, *qui s'est levée et qui a été prendre sur une chaise son ombrelle.* — Tu t'énerves ?...

Elle ouvre son ombrelle.

LAURIANE. — Laisse-moi tranquille! Dans le lac!!! Tu devais voir le ministre ?
LAVERNIÉ. — Je l'ai vu. Il a été fort aimable.
LAURIANE. — Qu'est-ce qu'il t'a dit ?
LAVERNIÉ, *il se couvre la tête avec son mouchoir.* — Des choses tout à ton éloge, d'abord; puis, que tu passerais à ton tour de bête.
LAURIANE. — Eau bénite de cour!
LAVERNIÉ, *étendant la main.* — Eh! ça tombe!
LAURIANE. — Et après ?
LAVERNIÉ, *en ouvrant son parapluie.* — « J'apprécie vivement, m'a-t-il déclaré, les mérites de M. Lauriane, fonctionnaire zélé autant qu'intelligent. Malheureusement la distinction flatteuse...

LAURIANE, *arrachant le ruban et le jetant à la volée.* — Voilà ce que j'en fais! Continue.

LAVERNIÉ. — ...que vous sollicitez pour lui est l'objet de nombreuses convoitises. Songez donc qu'à lui seul, le ministère auquel appartient votre ami présente trente-sept candidatures dont six au moins sont justifiées. »

LAURIANE. — Et il n'a pas ajouté que j'avais une tache dans ma vie ?... Jouez donc l'étonnement, tous les deux! *(A Margot.)* Tu sais bien ce que je veux dire.

MARGOT, *à Lavernié.* — Au fait! vous allez voir, Henri, c'est encore à moi qu'il doit ça.

LAURIANE. — Oui, c'est à toi.

MARGOT. — Voilà! Dois-je rire ou pleurer ?

LAURIANE, *en se levant.* — Tu dois te taire. *(Ursule entre avec des œufs sur le plat. Lauriane lui arrache le plat des mains.)* Ça va bien, allez! *(Ursule sort.)* Il n'y en a qu'un qui a le droit d'élever la voix ici. C'est moi. Que tu brises ma carrière, passe encore!... Mais que tu me casses les oreilles, non.

MARGOT, *les larmes aux yeux.* — Je brise ta carrière, moi!

LAVERNIÉ. — Dieu! que tu es embêtant!

LAURIANE. — Car plus je réfléchis, et plus je me souviens! Avec ton air de ne pas y toucher, sais-tu bien que, grâce à toi, j'ai tout manqué, tout perdu, tout raté, tout gâché! Un mariage superbe, inespéré! Une place merveilleuse au Tonkin! De l'avancement. De l'augmentation! Ces palmes!... Ces palmes auxquelles je ne tenais pas... mais que je désirais avoir pour flatter ta vanité! Autant de rêves envolés! Eh bien, j'en ai ma claque, là! Ce métier de forçat m'est devenu odieux... *(En frappant du poing sur la table.)* J'en ai assez! J'en ai assez! J'en ai assez!

MARGOT *se lève, sort tout en larmes et murmure entre deux sanglots.* — Oh! moi aussi, j'en ai assez!

SCÈNE X

LAURIANE, LAVERNIÉ

LAURIANE. — Si tu veux du fromage ?

LAVERNIÉ. — Merci. *(Long silence, puis, allumant une cigarette :)* Toi, tu ne seras content que le jour où Margot aura fait des blagues.

LAURIANE. — Margot ? C'est une cruche, Margot!

LAVERNIÉ. — Une cruche ?

LAURIANE. — Oui.

LAVERNIÉ. — Eh bien, méfie-toi de la mener à l'eau un peu plus souvent qu'il ne faudrait; tu pourrais te faire éclabousser. En vérité, c'est inimaginable. Voilà une enfant délicieuse, qui t'aime, te fait honneur, emplit cette maison de sa jeunesse qui l'embaume et de son rire qui l'égaye, et tu n'as d'autre ambition, tu n'entrevois d'autre dessein, tu ne poursuis d'autre but que le but idiot de la faire tourner en bourrique!... Gare!... Tu joues là un jeu dangereux. On a vu des femmes se venger quand on ne leur avait rien fait, et Margot aurait une excuse.

LAURIANE. — Tout de bon ?

LAVERNIÉ. — Tout de bon.

LAURIANE. — Sais-tu que tu la défends avec une certaine chaleur ?

LAVERNIÉ. — C'est tout naturel.

LAURIANE. — Comment donc!

LAVERNIÉ. — Tu dis cela avec un drôle d'air... *(Rires mystérieux de Lauriane.)* Oh! cartes sur table, je t'en prie; notre amitié est trop ancienne pour se pouvoir accommoder d'équivoques et de faux-fuyants. Si tu as une pensée de derrière la tête, tu vas lui donner la volée ou je vais, moi, boucler ma valise, prendre mon chapeau et cavaler!

LAURIANE. — Tu t'emballes!...

LAVERNIÉ. — J'en ai le droit. Comme tous les gens qui n'ont rien à cacher, je suis pour les maisons de verre. Parle.

LAURIANE. — Les amoureux sont inouïs! Ils crient leur secret sur les toits et ils s'étonnent que les couvreurs, qui ont des oreilles, les entendent!

LAVERNIÉ, *très surpris.* — Je suis amoureux ?

LAURIANE. — De Margot.

LAVERNIÉ. — Moi ?

LAURIANE. — Tu me prends pour un aveugle. Je ne m'aperçois pas de ton petit manège, peut-être ? et je ne te vois pas depuis longtemps tourner autour de ses jupes!... Allons, sois franc! En as-tu envie ?

LAVERNIÉ. — Oui, parbleu! Et c'est le moindre hommage que je puisse rendre à la beauté de cette charmante fille. Mais de là à lui faire la cour quand tu n'y es pas et à tourner autour de ses jupes, il y a une nuance. N'insiste pas, tu me blesserais. Je n'ai pas coutume d'abuser de la confiance des personnes pour leur dérober leur argent, leur montre ou leur bonne amie.

LAURIANE. — Aucun rapport.

LAVERNIÉ. — Je te demande pardon. La femme d'un ami est son bien au même titre que sa bourse.

LAURIANE, *spirituel.* — Ou que son parapluie.

LAVERNIÉ. — Parfaitement. Et pour moi, si jamais je pinçais un copain, fût-ce le plus ancien et le meilleur, à me chahuter ma maîtresse, je lui casserais les reins, tu m'entends ? et ceci, sans l'ombre d'un scrupule.

LAURIANE. — Moi pas.

LAVERNIÉ. — Ouat!

LAURIANE. — Fais-en l'expérience.

LAVERNIÉ. — Comment ?

LAURIANE. — Margot te plaît, prends-la.

LAVERNIÉ, *abasourdi.* — C'est pour rire, je pense.

LAURIANE. — Du tout. Mon cher, tu ne me connais pas.

LAVERNIÉ. — Je te connais à peine, en effet. Cela ne remonte guère qu'à trente-cinq ans, au temps où nos pans de chemise passaient par nos fonds de culotte. Tu as toujours été le même : épateur, bluffeur et faiseur d'embarras.

LAURIANE. — « Jeune homme, dit le proverbe, emporte-toi moins, tu ne t'en porteras que mieux. » Non, mais tu es extraordinaire avec tes allures de César. Suis-je obligé de partager tes petites manières de voir et dois-je être un reflet de ta vie ? Je suis un indépendant, moi!

LAVERNIÉ. — Ça y est! Voilà ce que je craignais.

LAURIANE. — Et tu le sais très bien, d'ailleurs. Seulement, tu ne veux pas en convenir, étant un être compliqué, subtil et paradoxal.

LAVERNIÉ. — Paradoxal! Paradoxal!... Eh! je le hais, le paradoxe! J'en ai l'exécration, le dégoût et la crainte, comme d'une fille publique qu'il est!

LAURIANE. — Et avec qui l'on couche.

LAVERNIÉ. — A l'occasion, pour rire, mais qu'on n'épouse pas, n... de D... !... Seigneur! qu'il est donc difficile d'arriver à se faire comprendre!

LAURIANE. — Tu as raison. Restons-en là. Je ne discute pas avec les enfants.

LAVERNIÉ. — Pourquoi donc ? Je discute bien avec des andouilles, moi qui te parle.

LAURIANE. — Trop aimable!

LAVERNIÉ. — Mon cher Lauriane, j'ai horreur des phrases à effet et des daims qui battent la caisse sur la peau d'âne des mots creux. Voilà une heure que tu sues sang et eau à essayer de m'intéresser, tu ne m'intéresses pas, c'est bien simple. Tu veux me la faire, tu ne me la feras pas, c'est bien simple. Fais ton profit de ces paroles et rends grâce à mon affection, si elle a sa rude franchise, d'avoir aussi sa probité. Car c'est vrai, elle me plaît, Margot; et elle me plaît même beaucoup! et cela ne date pas d'aujourd'hui! et si on me la donnait, je sais bien ce que j'en ferais! et il est inouï de penser que nous ayons pu en venir, moi à te faire de pareils aveux, et toi, Lauriane, à les entendre!

LAURIANE. — Puis-je te demander poliment, avec tous les égards voulus, la permission de placer un mot? Tu me l'accordes? Oui? C'est heureux! Sache donc, ceci pour ta gouverne, que j'ai plein le dos de Margot; que ma liaison avec elle a plus que suffisamment duré, mes habitudes n'étant pas de m'éterniser dans le collage, et que, d'ailleurs, en fût-il autrement, jamais une femme, jamais — tu m'entends, à ton tour? — ne me brouillera avec un ami. *(Lavernié hausse les épaules.)* Alors, là, raisonnablement, tu penses que je pourrais hésiter une seconde entre un vieux camarade d'enfance, comme voilà toi, et Margot, dont je connais le passé, après tout, et qui n'est jamais qu'une...

LAVERNIÉ. — Tu vas dire une lâcheté.

LAURIANE. — Mais, mon cher, j'ai ramassé ça...

LAVERNIÉ. — Elle est dite. C'est la dernière. Tu finirais par me fâcher et je ne suis pas venu chez toi pour avoir le désagrément de te jeter au nez des choses désobligeantes. Je me résume. J'ai pour cette enfant autant de tendresse que d'estime et prétends qu'elle a plus à se plaindre de toi que tu n'as à te plaindre d'elle, un homme de ton âge, et du mien, demeurant toujours, quoi qu'il arrive, l'obligé du bras qui enlace, du regard qui sourit et de la bouche qui sent bon. Ceci soit dit pour elle. Quant à son honnêteté, je ne la discute même pas, et c'est un point de la question qui a sa petite importance, sans que tu aies l'air de t'en douter.

LAURIANE. — Son importance? Quelle importance? Je ne sais pas ce que tu veux me dire. Je te répète que chacun, en ce bas monde, pratique la vie à sa façon. Tu as tes idées, j'ai les miennes, et c'est mon droit, quand le diable y serait, de prendre la chose gaiement, si les autres jouent de la musique sur le même instrument que moi.

LAVERNIÉ. — Tu me fais suer!

LAURIANE. — Transpire à ton aise! *(Il se lève.)* Je vais prendre le café chez le voisin. En ce qui concerne Margot, ne te gêne pas, si le cœur t'en dit. Dans le cas contraire, allonge-toi à côté, comme ils disent en Normandie. *(Tirant sa montre.)* Neuf heures moins le quart. Ah! diable!... Tu viens ?

LAVERNIÉ. — Je ne sais pas... Tout à l'heure...

LAURIANE. — Comme tu voudras. Je suis là, moi. *(Fausse sortie.)* Tu devrais mettre ton pardessus.

LAVERNIÉ. — Je n'ai pas froid.

LAURIANE. — Mets-le tout de même; c'est prudent, par ces sales temps-là. C'est vrai, ça, on attrape la mort et puis, après, on est tout surpris d'être malade.

Il sort. Lavernié le suit du regard. Petite pantomime trahissant son incertitude d'esprit. Il prend une cigarette, l'allume, en tire une bouffée, puis la rejette. Claquement agacé de son pouce contre son index. Appel impatienté des lèvres. On le sent perplexe, hésitant, très troublé de ce qu'il vient d'entendre et ne sachant ce qu'il doit croire. Quelques instants s'écoulent. Enfin Margot paraît.

SCÈNE XI

LAVERNIÉ, MARGOT

MARGOT. — Je suis prête. Tiens, vous êtes seul ?

LAVERNIÉ. — Oui. Ah çà! mais regardez-moi donc un peu. Vous pleurez ?

MARGOT. — C'est fini. Votre bras.

LAVERNIÉ. — Votre mouchoir.

MARGOT. — Pour quoi faire ?

LAVERNIÉ. — Donnez toujours. *(Elle obéit. Lavernié lui séchant les yeux :)* Beaux yeux mouillés, auxquels on a fait de la peine! Si on ne dirait pas des pervenches, l'été, à quatre heures du matin! Qu'est-ce qu'il y a ?

MARGOT. — Rien.

LAVERNIÉ. — Qu'est-ce qu'il y a ?... Un peu de franchise, sacrebleu! Vous n'avez pas confiance en moi ?

MARGOT. — Oh! que si!...

LAVERNIÉ, *amusé*. — Elle a bien dit ça!... Un bon point à la jeune Margot. Allons, venez vous asseoir là, près de moi, et causons tous les deux. Qu'est-ce qu'il y a, encore une fois ?

MARGOT, *à voix basse*. — Je veux retourner à l'atelier.

LAVERNIER, *étonné*. — A l'atelier ?... Où ça ?

MARGOT. — Chez Mme Thibaut.

LAVERNIÉ. — Qui, Mme Thibaut ?

MARGOT. — Mon ancienne patronne, la dame de la rue d'Aboukir : « Plumes et fleurs », près de la rue Montmartre. J'y étais encore mieux qu'ici. Je n'y gagnais pas des mille et des cent, cependant, et je peux me vanter d'en avoir boulotté, des cornets de pommes de terre frites et des moules à huit pour un sou! sans compter qu'il y a des moments, l'hiver, après qu'on a veillé, où c'est rudement dur de se lever à sept heures pour être à huit à l'atelier. N'importe, c'est le métier d'honnête fille qui veut ça!

LAVERNIÉ. — Oui, il a quelques exigences.

MARGOT. — Oh! s'il ne s'agissait que de se lever à la lampe, de déjeuner quand ça se trouve et de dîner quand ça se rencontre, on pourrait encore s'entendre. Seulement, voilà : il y a le cœur, l'imbécile, le stupide cœur!...

LAVERNIÉ. — Si c'est du vôtre que vous parlez, ne dites pas de mal de cet innocent. Il ne vous a jamais donné que de bons conseils.

MARGOT. — Il ne m'a fait faire que des sottises!

LAVERNIÉ. — Vous êtes jalouse, vous.

MARGOT. — Je voudrais bien.

LAVERNIÉ. — C'est fini de me prendre pour une bête ?

MARGOT, *protestant*. — Oh!

LAVERNIÉ. — C'est fini ?... Voyons, Margot, pourquoi manquer de sincérité ? Quel besoin de machiner son âme comme un théâtre, d'y adapter des trappes où on ne se prend pas le pied et des jeux de glace qui ne trompent personne, quand il serait si simple de dire : « J'ai du chagrin, Laverníé; j'aime mon amant qui ne m'aime pas; je lui suis fidèle et il me trompe. » Oui, mon mignon, voilà comment parle un bébé qui n'a pas honte de son cœur pur, de son cœur ingénu et tendre. Et Lavernié, qui est un bon garçon, en somme, prend dans ses mains les petites pattes de Margot...

MARGOT, *émue*. — Henri...

LAVERNIÉ. — ...la gronde, la sermonne, la raisonne, fait à ses grands yeux les gros yeux, et lui crie d'une voix courroucée : Qu'est-ce qui m'a bâti une toquée pareille ?... Voulez-vous bien ne plus pleurer! Votre amant vous adore, nigaude! *(Changeant de ton.)* Car la voilà, la vérité : il vous aime, je vous jure qu'il vous aime, et quant à sa fidélité, j'en répondrais comme de la vôtre. Mais regardez-moi donc en face, sapristoche! Est-ce que j'ai l'air, oui ou non, d'un monsieur qui sait ce qu'il dit ?

MARGOT. — Vous savez surtout ce que vous faites... Votre amitié me gâte, comme toujours. Seulement, vous vous trompez... *(Muette interrogation de Lavernié. Poursuivant :)* en tout, ou à peu près. Je suis fidèle. Oh! çà!... Quant au reste... Ecoutez : vous me demandiez tout à l'heure si j'avais confiance en vous ? Vous allez voir à quel point : Henri, je n'aime pas mon amant.

LAVERNIÉ, *ironique.* — Au contraire.

MARGOT. — Vous ne le croyez pas ?

LAVERNIÉ. — Non, mon gros. D'autant moins que, si je le croyais, je ne comprendrais pas, je l'avoue...

MARGOT. — ...Pourquoi je suis devenue sa maîtresse?

LAVERNIÉ. — Dame!

MARGOT. — Je suis devenue sa maîtresse par la raison que je suis incapable d'être la mienne. Il voulait; je ne voulais pas; à la fin, j'ai bien voulu : voilà tout le roman de mes amours qui est, en même temps, toute l'histoire de ma vie. Je ne veux pas; on veut; à la fin, je veux bien : c'est aussi simple que cela et voilà, en deux coups de crayon, le portrait de votre petite amie. Ce n'est pas de chance, d'être ainsi bâtie. Que voulez-vous que j'y fasse ? On ne se refait pas. Du reste, la chance et moi...

Geste vague.

LAVERNIÉ, *se moquant.* — Ça, c'est pour faire l'intéressante.

MARGOT. — Je ne fais pas l'intéressante; je dis seulement : « La chance et moi... », parce que, vraiment, la chance et moi... Jamais je n'ai eu de chance; jamais. A la maison, maman me battait sous prétexte que je faisais la noce. A l'atelier, on se moquait de moi parce que, justement, je n'avais pas d'amoureux et que, par-dessus le marché, je ne trouve rien à répondre quand on me tourne en ridicule. Je ne sais que pleurer! Ce n'est pas de ma faute!... Tout cela, inévitablement, devait me livrer, un jour ou l'autre, au premier passant venu qui me tendrait les bras. Ce fut Charles qui passa. J'étais à plaindre : il me plaignit. Il en eut l'air, du moins, mais je n'en demandais pas plus, car c'est le malheur de ma vie de m'en remettre aux apparences et de croire les gens sur parole. Tous les soirs, à la sortie du travail, je le trouvais qui m'attendait au coin de la rue Vide-Gousset et de la place des Victoires. Nous nous en revenions ensemble par le Métro, et, des fois, avant de se quitter, comme c'était dans la belle saison, on s'arrêtait à prendre un petit quinquina, chez un troquet de Ménilmontant, où il y a des tables sous les arbres. On était bien, on était seuls... La fraîcheur tombait, comme elle tombe; la nuit venait, comme elle vient; on entendait de temps en temps siffler au loin les trains de Ceinture, comme à présent ceux de Vincennes... *(Baissant la voix, comme honteuse.)* Ça fait qu'un soir je me suis laissé prendre la main, un autre soir la taille, un autre soir la bouche... comme, toute petite, je me laissais prendre mes joujoux, mes sous, mes images, mon dessert, faute de savoir me défendre. Je n'ai jamais su me défendre. Je ne peux pas; on me demande, je donne.

LAVERNIÉ, *apitoyé*. — Misère!...

MARGOT. — Ensuite, ma foi, je crois bien que le bon Dieu m'a punie, car ça n'a guère bien tourné, mon équipée!... Que voulez-vous, c'est l'ordre et la marche avec moi, je commence par avoir confiance, je prends bon espoir, j'y mets du mien... — si vous saviez comme j'ai peu d'exigence, je ne demande qu'à être heureuse, je suis contente avec un rien!... — et puis, un beau matin... clic! c'est mon bonheur qui me casse dans les doigts, comme du verre. Est-ce bête, hein ? Enfin, c'est comme ça. Bref, au bout de six semaines, je savais à quoi m'en tenir : c'était la vie abominable.

LAVERNIÉ. — Ça n'a pas traîné!...

MARGOT, *avec douceur*. — Non...

LAVERNIÉ. — Pauvre enfant!... Alors ?

MARGOT. — Alors, j'ai tenu le coup de mon mieux, tendant le dos, espérant des lendemains meilleurs, comptant que ma douceur naturelle, ma bonne grâce, ma soumission, finiraient bien, un jour ou l'autre, par avoir le dernier mot. D'autant plus que j'étais toute prête à l'aimer en reconnaissance des choses gentilles qu'il avait d'abord faites pour moi, et que je me sentais toute bête, avec mon petit sentiment sur les bras, dont je ne savais plus quoi faire... A la fin, mes yeux se sont ouverts, j'ai compris que je perdrais mon temps et, du même coup, j'ai perdu mon courage. On se lasse, vous comprenez, des rebuffades continuelles et des mauvais procédés. Sans compter, n'est-ce pas, que si on est venu au monde avec une figure pas très belle et pas plus d'esprit qu'un petit chat, ce n'est pas une raison suffisante pour qu'on vous en fasse le reproche depuis le Jour de l'An jusqu'à la Saint-Sylvestre. Je vous le dis, Henri, croyez-moi : l'amour tenterait en vain de forcer une porte que gardent si jalousement l'injustice et la méchanceté. Il n'est pas ici chez lui! Il n'habite pas cette maison, ou s'il y est...

LAVERNIÉ. — S'il y est ?

MARGOT. — ...il y est bien caché.

Elle se lève.

LAVERNIÉ, *de qui une pensée a traversé l'esprit.* — Qu'est-ce que vous voulez dire ?

MARGOT. — Rien de plus.

LAVERNIÉ. — Bien vrai ?

MARGOT. — Sans doute.

LAVERNIÉ. — Vous me cachez quelque chose.

MARGOT, *qui commence à se troubler.* — Non.

LAVERNIÉ. — Si.

MARGOT. — Non.

LAVERNIÉ. — Vous aimez quelqu'un.

MARGOT. — Moi ?

LAVERNIÉ. — Oui, vous.

MARGOT. — Quelle plaisanterie!

LAVERNIÉ, *pesant sur les mots.* — Vous aimez quelqu'un.

MARGOT. — Vous êtes fou.

LAVERNIÉ, *lui prenant les mains.* — Regardez-moi en face.

MARGOT. — Henri!

LAVERNIÉ, *avec autorité.* — Là! Dans les yeux.

MARGOT. — Mais je vous regarde... mais je vous jure... mais quelle idée!... Je n'aime personne! personne! personne!

LAVERNIÉ. — Qui est-ce ?

MARGOT, *qui se débat.* — On nous attend, venez.

LAVERNIÉ. — Qui est-ce ?

MARGOT. — Lâchez mes mains...

LAVERNIÉ. — Qui est-ce ?

MARGOT. — Je ne vous le dirai pas. Vous ne le saurez jamais! *(Eclatant en sanglots.)* Je veux retourner à l'atelier! Je veux retourner à l'atelier!... Lâchez-moi, je vous en supplie!...

Brusquement, Lavernié comprend. Sa loyauté s'émeut, et, d'un mouvement rapide, il a lâché les mains de Margot. Celle-ci s'éloigne à pas lents, gagne la porte par où elle est venue.

LAVERNIÉ *la regarde s'éloigner ; on le sent en proie à une lutte intérieure. Soudain la tentation l'emporte ; alors, à demi-voix.* — Margot!

Margot, qui allait disparaître, se retourne. La nuit est venue complètement, mais à la faveur d'un rayon de lune filtré à travers les verdures du jardin, elle l'aperçoit, immobile, qui lui tend les bras en silence.

MARGOT, *éperdue.* — Henri!

C'est tout. Un saut et elle est à son cou. Ils se baisent aux lèvres, passionnément. On entend, dans l'éloignement, des chants de canotiers attardés sur la Marne. Le rideau tombe.

ACTE DEUXIÈME

Le théâtre représente un atelier de peintre. Ameublement artistique. Aux murs, des toiles sans cadres, alternées de cadres sans toiles. Statues, moulages, panoplies, divans. Au fond, une porte à deux battants; à droite, une porte plus petite donnant sur la chambre à coucher. A gauche, au premier plan, un chevalet soutenant une toile dont l'envers fait face au public. Au lever du rideau, Lavernié, seul en scène et debout devant son chevalet, est en train de copier un corsage de dentelle dont est revêtu un mannequin assis sur une chaise près de lui. Il a la cigarette aux lèvres et le pouce dans le trou de la palette. Scène muette. L'artiste couvre sa toile de larges coups de brosse, recule, cligne des yeux pour juger de l'effet. La porte de droite s'ouvre. Entre Margot. Elle a son chapeau à la main et ses gants.

SCÈNE PREMIÈRE

LAVERNIÉ, MARGOT

MARGOT. — C'est moi. Je me suis fait attendre, mais j'ai remis de l'ordre dans la pièce.

LAVERNIÉ. — Il ne fallait pas prendre cette peine. La concierge est là.

MARGOT. — Tu travailles ?

LAVERNIÉ. — Comme tu vois.

MARGOT. — Cela avance ?

LAVERNIÉ. — C'est fini. Quelques petites vigueurs dans le corsage, un vague nettoyage dans les fonds, et voilà la question tranchée.

MARGOT, *qui s'est approchée*. — Je peux dire mon petit mot ?

LAVERNIÉ. — Dis-le.

MARGOT. — J'ai une critique à faire.

LAVERNIÉ. — Fais-la.

MARGOT, *timidement*. — Les perles du collier me paraissent un peu grosses.

LAVERNIÉ. — Oh!... Des noyaux de pêche tout au

plus. Ordre supérieur, mon enfant! La clientèle féminine a comme ça de petites exigences où se trahissent ses instincts délicatement artistiques. Bah! la route est belle, comme dit l'autre. Ces joyaux reprendront leurs justes proportions, vus à travers les yeux de sottes qui se proposent de s'en repaître.

MARGOT. — Tu as du talent!

LAVERNIÉ. — Tu m'ennuies.

MARGOT. — Tu serais le seul à l'ignorer. Quel étrange besoin éprouves-tu de te placer toujours au-dessous de ton rang et de déprécier ton mérite ? C'est un chef-d'œuvre ce portrait. *(Laverníé hausse les épaules.)* Tu ne trouves pas ?

LAVERNIÉ. — Le fait du véritable artiste n'est pas de se complaire en ce qu'il fit, mais de le comparer tristement à ce qu'il aurait voulu faire.

MARGOT. — Ah!

LAVERNIÉ. — Oui. Passe-moi mon tube de blanc. Merci.

MARGOT. — Allons, adieu.

LAVERNIÉ. — Te voilà partie ?

MARGOT. — Il faut bien. Charles quitte son bureau à cinq heures. S'il était rentré avant moi, cela ferait des histoires.

LAVERNIÉ. — Ah! diable! Sauve-toi donc!

MARGOT. — A demain ?

LAVERNIÉ. — Si tu veux.

MARGOT. — A après-demain ?

LAVERNIÉ. — Si tu préfères.

MARGOT, *une impatience dans la voix.* — Enfin, à quand ?

LAVERNIÉ, *étonné.* — Quel ton prends-tu pour me poser cette question ? Viens quand il te plaira, aux heures qui te plairont. Tu seras toujours la bienvenue.

MARGOT. — Tu m'aimes ?

LAVERNIÉ. — Laisse-moi travailler.

MARGOT. — Tu ne m'aimes pas ? *(Laverníé se tait.)* Avoue que c'est vrai; je ne t'en garderai pas rancune. D'abord, je le sens; puis, j'ai si peu, si peu de chance, que je commence à m'y habituer.

LAVERNIÉ. — Es-tu heureuse avec moi, oui ou non ?

MARGOT. — Infiniment. Tu le sais bien.

LAVERNIÉ. — Alors, dors en paix, laisse-toi vivre, et ne me tourmente plus de questions auxquelles je ne veux pas répondre.

MARGOT. — Pourquoi ?

LAVERNIÉ. — Parce qu'il est des mots qui restent jeunes et qu'il n'en est pas de même des bouches qui les prononcent.

MARGOT. — C'est pour toi que tu parles ?

LAVERNIÉ. — J'en ai peur.

MARGOT. — Quel âge as-tu ?

LAVERNIÉ. — Quarante-cinq ans.

MARGOT. — Tu n'es pas vieux.

LAVERNIÉ. — Non, mais je ne suis plus jeune. C'est exactement la même chose. Il n'y a pas de milieu dans la vie : dès qu'on n'est plus jeune on est vieux, et au-dessus de cinquante ans on est tous du même âge.

MARGOT. — Si les hommes sont si vite finis, qu'est-ce que nous dirons, nous, les femmes ?

LAVERNIÉ. — Ne vous occupez pas de cela.

MARGOT. — Il me semble, pourtant...

LAVERNIÉ. — Tu te trompes. Comprends donc que le cœur des hommes ne change pas avec leurs traits, et que les femmes seront toujours jeunes pour eux, puisqu'ils auront toujours pour elles des âmes de collégien et des yeux de vingt ans.

MARGOT, *très simplement.* — Ah!

LAVERNIÉ. — Cela t'échappe ?

MARGOT. — Un peu.

LAVERNIÉ. — Sois franche. Tu comprends toujours ce que je te dis ?

MARGOT. — A chaque instant, du moins. Je comprendrais plus souvent si je voulais faire un petit effort, mais je n'aime pas réfléchir, cela me fatigue. *(Lavernié la regarde longuement.)* Je suis bête, n'est-ce pas ? Oh! je le sais. Charles est tout le temps à me le dire.

LAVERNIÉ. — Passer pour une bête aux yeux d'un crétin!... Joie!... Arrive ici, que je t'embrasse; tu es un être délicieux, et je t'aime, moins que tu le mérites, mais plus peut-être que je le voudrais... Ne fais pas le procès de l'existence, tu en parlerais sans la connaître. Elle ne t'a pas gâtée jusqu'à présent, n'importe! tu ne fais qu'en franchir le seuil, et le livre de la destinée ne se juge pas sur son prologue, comme un roman dont les premières pages ennuient. La vie ne vaut pas cher, la créature non plus, toute la question est de savoir laquelle des deux, de la créature ou de la vie, est le plus injuste pour l'autre. Nous la trancherons une autre fois. En attendant, ne t'occupe de rien que de rester ce que tu es, c'est-à-dire sincère, simple et bonne. Rappelle-toi que chaque jour, s'il amène sa peine, amène aussi son lendemain, et que de bons diables se rencontrent pour réparer, quand ils le peuvent, les petites maladresses du bon Dieu. Laisse donc mûrir des événements dont toi ni moi ne sommes les maîtres, et ne me regarde pas avec des yeux de mendiante : tu n'auras pas un sou de plus.

MARGOT. — Mon bien-aimé!

Ils se tiennent enlacés longuement. Coup de sonnette.

LAVERNIÉ. — Chtt! Passe à côté une seconde.

SCÈNE II

LAVERNIÉ, LAURIANE, *puis* CAMILLE

LAVERNIÉ, *qui est allé ouvrir.* — Tiens, Lauriane!

LAURIANE. — Te voilà, toi! Tu as de la veine que le hasard m'ait amené devant ta porte, autrement, je t'envoyais chercher avec une trique.

LAVERNIÉ. — Peste!

LAURIANE. — Est-ce que tu te moques du monde ? Comment, voilà trois semaines que nous sommes de retour... Ne dis pas que tu l'ignorais.

LAVERNIÉ. — Je ne l'ignorais pas, je le confesse!

LAURIANE. — Tu ne l'ignorais pas, tu le confesses! et tu n'as pas, en trois semaines, trouvé le moyen, une toute petite fois par hasard, de venir nous souhaiter le bonjour ? C'est honteux!

LAVERNIÉ. — Ne m'en parle pas; j'ai de la besogne jusque par-dessus les épaules.

LAURIANE. — Pauvre trognon! Tu peins la nuit ? A la lampe ou à la chandelle ?... Tu es un lâcheur, voilà mon opinion.

LAVERNIÉ. — Je la respecte.

LAURIANE. — A la bonne heure. Je te donne la main tout de même, mais c'est bien pour montrer que je suis une riche nature. Comment vas-tu ?

LAVERNIÉ. — On se défend. Et toi ?

LAURIANE. — On se maintient.

LAVERNIÉ. — Un cigare ?

LAURIANE. — Jamais! Ça attaque le cœur. Je ne fume que des cigarettes. *(Arrêté devant le chevalet.)* Joli, cela! Qui est-ce ?

LAVERNIÉ. — Une dame.

LAURIANE. — Elle en a un œil. Quel œil!... Et un collier! Oh! ce collier!... Des perles, hein?... Il n'y a pas d'erreur, c'est rudement bien imité... Qu'est-ce que je voulais donc dire?... Ah! oui. Tu ne fais rien ce soir?

LAVERNIÉ. — Rien que je sache.

LAURIANE. — Alors, je vais faire une course. Prends-moi donc à six heures et demie à la terrasse du petit café. On boira un vermouth et on dînera ensemble.

LAVERNIÉ. — Où ça?

LAURIANE. — A la maison.

LAVERNIÉ. — Chez toi?

LAURIANE. — Oui.

LAVERNIÉ. — Non.

LAURIANE. — Non?

LAVERNIÉ. — Non.

LAURIANE. — Voilà du nouveau. Qu'est-ce qui te prend? Tu as peur de mal manger?

LAVERNIÉ. — Etant facile à nourrir comme tous les gens qui n'aiment rien, je me soucie peu de la table. Non, j'ai, pour ne pas me rendre à ton invitation, dont je te suis fort obligé, des motifs d'un ordre spécial, que je te demanderai, mon cher Lauriane, la permission de garder pour moi.

LAURIANE, *très étonné*. — Ah?

LAVERNIÉ. — Et j'ajoute, toujours avec ta permission, que tu ne gagnerais rien du tout à les connaître.

LAURIANE. — En ce cas, je te prie de me les dire.

LAVERNIÉ. — Laisse-moi n'en rien faire.

LAURIANE. — Pardon! Je n'admets pas le droit que tu t'arroges de piquer ma curiosité et d'éveiller mon inquiétude. En voilà des façons!

LAVERNIÉ. — L'événement m'y contraint.

LAURIANE. — Je t'invite à parler.

LAVERNIÉ. — Tu as tort.

LAURIANE. — C'est possible. La suite le démontrera. En attendant, je m'installe ici, et n'en bougerai, je te le déclare, qu'après avoir reçu de ta bouche un éclaircissement qui m'est dû. *(Il prend place sur le sofa.)* J'ai dit. Je suis tout oreilles. Cause.

LAVERNIÉ. — Tu l'exiges? Eh bien, allons-y! Aussi bien, quelles que doivent en être les conséquences, mieux vaut une explication franche qu'une situation fausse.

LAURIANE. — C'est mon avis.

LAVERNIÉ. — Parfait. *Are you ready*?

LAURIANE. — *Yes.*

LAVERNIÉ. — *Go !* Je couche avec Margot. Voilà.

Un temps, puis :

LAURIANE, *égayé.* — Tiens! Tiens! Tiens!

LAVERNIÉ. — Le procédé, à première vue, peut te paraître un peu cavalier et sans gêne, mais à la réflexion tu me rendras cette justice que j'aurais été bien naïf de ne pas suivre tes conseils et de ne pas mettre à profit les libertés auxquelles tu m'avais convié.

LAURIANE, *se levant.* — Elle est bonne.

LAVERNIÉ. — Comment, elle est bonne ?

LAURIANE. — Tu la fais bien.

LAVERNIÉ. — Quoi, je la fais bien ?... *(Lauriane rit.)* Ah çà! tu ne me crois pas ?...

LAURIANE. — Quelle erreur! Je ne fais que ça.

LAVERNIÉ. — Sabre et mitraille! La vie est fertile en surprises et voilà bien la chose du monde à laquelle je m'attendais le moins... Ainsi, Margot et moi ?...

LAURIANE, *malin.* — Des dattes!

LAVERNIÉ. — Moi et Margot ?...

LAURIANE, *même jeu.* — Des navets!

LAVERNIÉ. — Et qui t'autorise, je te prie, à douter de mon affirmation ?

LAURIANE, *haussant les épaules.* — Ne te fais donc pas plus bête que tu n'es, Lavernié. *(Lavernié veut parler. Lauriane, l'interrompant :)* D'abord, si c'était vrai, tu ne viendrais pas me le dire, puis, le jour où Margot me trompera, ce ne sera pas avec toi, tu peux être tranquille *(Nouvelle interrogation de Lavernié. Lauriane, discrètement goguenard :)* Tu ne t'es donc jamais regardé dans la glace ?

LAVERNIÉ, *au comble de la joie.* — Très bien! Excellent! Parfait! Voilà une pierre dans mon jardin que je suis ravi d'y recevoir; elle m'enlèverait mon dernier remords si j'en eusse conservé quelqu'un. Rien de tel comme un coup de fer rouge sur l'amour-propre des gens pour cicatriser leurs scrupules.

LAURIANE, *ironique.* — Oui, mon vieux.

LAVERNIÉ. — Décidément, tu as pour moi toutes les prévenances, et tu es le roi des amis. Sacré Lauriane, va!

LAURIANE, *ironique.* — Oui, mon vieux.

Ils se regardent et rient. Échange de bourrades amicales.

Après quoi :

LAVERNIÉ, *avec le plus grand sérieux.* — Eh bien, alors, c'est entendu. L'affaire s'étant élucidée à la satisfaction de tous deux, je n'ai plus qu'à couronner tes vœux en choquant le verre avec toi à notre vieille amitié. Au petit café, tu dis ?...

LAURIANE. — A six heures et demie.

LAVERNIÉ. — Tu peux compter sur moi, j'y serai. Et pas de cérémonie, n'est-ce pas ?... La soupe et le bœuf...

LAURIANE. — ...les quatre mendiants.

LAVERNIÉ. — C'est bien cela. A tout à l'heure.

LAURIANE. — A tout à l'heure. Sacré Laverníé!

LAVERNIÉ. — Oui, mon vieux.

Lauriane va pour sortir. A ce moment, sur le seuil de la porte même qu'il vient d'ouvrir, Camille apparaît.

CAMILLE, *à Lavernié.* — Bonjour, maître.

LAURIANE. — Madame Marvejol, Dieu me damne!

CAMILLE. — Monsieur Lauriane, Dieu me pardonne! Charmée de vous rencontrer.

LAURIANE. — Qu'est-ce que je dirai, alors ? Inutile de vous demander des nouvelles de votre santé. Jamais on ne vous vit plus charmante et plus jeune. J'ai cru, quand vous êtes apparue, que c'était le printemps qui revenait.

CAMILLE. — Je me suis souvent demandé où vous alliez chercher les belles choses que vous dites.

LAURIANE, *galant.* — Je les lis dans vos yeux.

CAMILLE. — L'image n'est pas très claire, mais l'intention est excellente... *(A Lavernié.)* Eh bien, maître, vous ne dites rien ?

LAVERNIÉ. — Je...

CAMILLE. — Je vous dérange ?...

LAVERNIÉ. — Aucunement.

CAMILLE. — J'en suis bien aise. Je viens pour le portrait.

LAURIANE, *curieux.* — Un portrait ?

LAVERNIÉ, *surpris.* — Quel portrait ?

CAMILLE. — Comment quel portrait ?... Mon portrait!

LAURIANE. — Tu devais faire le portrait de madame, et tu...

LAVERNIÉ, *feignant de se souvenir.* — Où avais-je la tête ?

LAURIANE, *sévère.* — Je me le demande. *(A Camille.)* Ce n'est pas à moi que ces choses-là arriveraient.

CAMILLE. — Il faut se montrer indulgent avec monsieur Laverníé. Il est si pris depuis quelque temps, si occupé, si absorbé, qu'on ne saurait prendre en mauvaise part l'infidélité de ses souvenirs. N'est-ce pas, maître ?

LAVERNIÉ. — Il est vrai, madame, que j'ai mille excuses à vous faire; mais mes torts sont réparables, et si vous voulez bien me permettre de consulter mon agenda nous allons, dès à présent, fixer notre première séance.

CAMILLE. — Je vous en prie.

Lavernié remonte du fond.

LAURIANE, *bas à Camille.* — Camille!... ma chère Camille!... Vous savez que je vous aime toujours.

CAMILLE. — Vous êtes bien gentil, je vous remercie. Un simple conseil, mon ami; au lieu de butiner dans le parterre des autres vous feriez mieux...

Elle s'interrompt.

LAURIANE. — Je ferais mieux... ?

CAMILLE. — Ne faites pas attention, je ne sais pas ce que je dis... Ecoutez, vous allez descendre...

LAURIANE. — Bien.

CAMILLE. — Et vous m'attendrez à l'étage au-dessous. J'aurai peut-être à vous parler.

LAURIANE. — Je vous ai comprise. Vous êtes bonne... Merci... Ah! merci!

CAMILLE. — Allez!

LAURIANE, *haut à Lavernié.* — Dis donc, je file, moi.

LAVERNIÉ. — Bon voyage!

LAURIANE. — Et sois exact, hein ?

LAVERNIÉ. — Sois tranquille!

LAURIANE, *à la porte du fond et saluant Camille.* — Madame...

CAMILLE. — Bonjour, monsieur Lauriane.

Lauriane, avec un clignement d'yeux et un geste, indique à Camille l'étage au-dessous, puis sort.

SCÈNE III

LAVERNIÉ, CAMILLE

CAMILLE. — A présent, causons.

LAVERNIÉ. — J'allais le dire. Qu'est-ce que cette histoire de portrait ?

CAMILLE. — Tu le sais aussi bien que moi : un prétexte

à me trouver chez toi le jour où je m'y rencontre en face d'un étranger qui peut s'étonner de ma présence. Ne te fais pas plus bête que tu n'es.

LAVERNIÉ. — Encore!

CAMILLE. — Quoi?

LAVERNIÉ. — Ne t'inquiète pas. Une coïncidence qui me fait rire.

CAMILLE. — Ça doit être du propre.

LAVERNIÉ. — Allons bon!

CAMILLE. — Inutile de jeter les hauts cris, je sais ce que je dis et à qui je parle. Je suis lasse de tes allures louches et de tes airs de mystère. Sept fois, je suis venue pour te voir, et sept fois je me suis cassé le nez au veto d'une brute de portier planté sur le seuil de sa loge comme un poteau du Touring-Club... Et « Monsieur ne reçoit personne ». Et « Monsieur a donné des ordres ». Et « Monsieur a modèle ». Modèle!... Je le connais ton modèle... Un modèle de vertu qui pose les ensembles.

LAVERNIÉ. — La quantité de bêtises qu'une femme pas bête peut accumuler en peu de temps est une chose déconcertante. C'était un modèle d'homme.

CAMILLE. — Compliments! Tu tombes bien! Je t'ai vu l'embrasser... à Chennevières..., aussi vrai que ça sent le foin coupé à en attraper la migraine... Ça ne sent pas le foin coupé, peut-être?

LAVERNIÉ. — Et après?... *(Montrant le portrait.)* Prends-t'en à celle-là! Puis-je empêcher les gens dont je fais le portrait de se parfumer comme ils l'entendent?

CAMILLE. — Je ne coupe pas dans tes défaites.

LAVERNIÉ. — Comme tu voudras.

CAMILLE. — Trompée, mais pas dupe.

LAVERNIÉ. — A ton aise.

CAMILLE. — Regarde-moi dans les yeux et ose le prétendre, que tu n'as pas une maîtresse!

LAVERNIÉ, *qui se moque*. — Plusieurs.

CAMILLE. — Tu en es bien capable.

LAVERNIÉ. — Ah! Diable! Non!

CAMILLE. — Des blagues, tout cela, des paroles! Tiens, veux-tu que je te dise?

LAVERNIÉ. — Dis.

CAMILLE. — Eh bien! il y a une femme ici.

LAVERNIÉ. — Une femme?

CAMILLE. — Parfaitement!

LAVERNIÉ, *haussant les épaules*. — Tais-toi donc!

CAMILLE. — Combien veux-tu parier?

LAVERNIÉ. — Tu perdrais!
CAMILLE. — Cela me regarde. Cinq louis, cela va-t-il?
LAVERNIÉ. — Tu es folle.
CAMILLE. — Oui?
LAVERNIÉ. — A lier.
CAMILLE. — Nous allons bien voir.

Elle s'élance vers la pièce où est entrée Margot. Mais Lavernié l'a devancée, et maintenant il reste immobile, le dos tourné à la porte, qu'il vient de fermer à double tour.

LAVERNIÉ. — On ne passe pas.
CAMILLE. — Pourquoi?
LAVERNIÉ. — La pièce est en désordre. Je ne veux pas qu'on entre chez moi quand l'appartement n'est pas fait.

Camille et Lavernié se regardent.

CAMILLE, *éclatant en sanglots.* — Elle est là! Elle est là! Je savais bien qu'elle était là!
LAVERNIÉ, *s'efforçant de la calmer.* — Camille!
CAMILLE. — Ah! misérable traître! Menteur! Faiseur de faux serments! qui vous traite de folle en haussant les épaules et vous regarde jusqu'au fond de l'âme avec des yeux d'imposture, où le ciel est pris à témoin!... Quel écœurement! *(Tournée vers la chambre de Margot.)* Poison, va! *(A Lavernié qui fait un geste.)* N'ouvre pas la bouche, ou je te saute à la figure! Lâche! Lâche! Lâche! Jamais tu ne m'as aimée, jamais... Aie donc la bravoure d'en convenir, sois sincère une fois dans ta vie!... *(Montrant la porte du fond.)* Et l'autre, là-bas, le mari!... qui ne dit rien, ne sait rien, ne voit rien, s'en vient dans cette cocufière, comme un pauvre idiot qu'il est, faire l'espiègle et le petit farceur, pendant que sa femme rattache ses jupes de l'autre côté de la cloison!... Que les hommes sont bêtes, mon Dieu!... Donne-moi un verre d'eau, j'ai soif...

Lavernié va à un meuble placé dans un coin de l'atelier, prend une carafe, en verse le contenu dans un verre.

CAMILLE. — Quand je pense que j'ai cru en toi, que je me suis donnée à toi, que j'ai trompé pour toi le meilleur de tous les hommes! *(Lavernié lui présente le verre.)* Car Dieu sait ce qu'il est avec moi, ce pauvre ami... Et bon! *(elle boit)* et grand! *(elle boit)* et généreux! *(elle boit)* indulgent à mes injustices, patient à mon sale caractère, toujours un bon sourire aux yeux, une bonne parole à la bouche, un petit bouquet de fleurs à la main. Je l'ai trahi, pourtant. Faut-y que tu sois canaille! Tiens, je m'en vais. Tout cela me dégoûte, bonjour! Je vous méprise tous les trois, lui autant qu'elle, elle autant que lui, et toi autant que les deux autres. *(Camille se lève.)* Je ne me plains pas, d'ailleurs : je n'ai que ce que je mérite. Une honnête femme ne devrait jamais prendre qu'un amant digne de l'apprécier. C'est une leçon dont je paye les frais, mais dont je recueillerai les fruits. Et puis, inutile de m'écrire bureau restant, place Clichy, aux initiales X. Y. Z., numéro 555, je ne répondrais pas à tes lettres. Tu es mort pour moi! Adieu! *(Elle s'est dirigée vers la porte du fond, mais au moment de l'ouvrir, elle se retourne.)* Quoi ?

LAVERNIÉ. — Je n'ai rien dit. *(Camille attache sur Lavernié un regard chargé de haine, puis sort en refermant la porte avec violence. Lavernié, seul :)* Il est évidemment bien dur de ne plus être aimé quand on aime, mais cela n'est pas comparable à l'être encore quand on n'aime plus.

Il soupire longuement. Il prend le verre sur la table, le reporte où il l'avait pris, va à la porte de droite, se dispose à ouvrir, lorsqu'on entend sonner violemment et frapper de coups de pied la porte.

LAVERNIÉ, *sursautant.* — Qu'est-ce qui se permet ?...

Il va ouvrir. Lauriane paraît.

SCÈNE IV

LAVERNIÉ, LAURIANE, *puis* MARGOT

LAURIANE, *comme un fou.* — Margot! Margot!

LAVERNIÉ. — Quoi! Margot ?

LAURIANE. — Elle est ici! Allons, ne mens pas!... Il est inutile de feindre. Je te répète qu'elle est ici!

LAVERNIÉ. — Qui est-ce qui te dit le contraire?

LAURIANE. — Tu avoues!

LAVERNIÉ. — Permets!...

LAURIANE. — Avoues-tu, oui ou non?

LAVERNIÉ. — On n'avoue qu'un crime ou qu'un tort.

LAURIANE. — Pas de grands mots! Tu es son amant ?

LAVERNIÉ. — Il y a beau jour!

LAURIANE. — Canaille!

LAVERNIÉ. — Eh! là!...

LAURIANE. — Misérable! Polisson! Drôle!

LAVERNIÉ, *très calme.* — S'il y a un drôle ici, c'est toi!

LAURIANE. — Moi?

LAVERNIÉ. — Oui, toi! Et puis, un peu de calme, ou nous allons nous fâcher. Qui est-ce qui m'a bâti un fou furieux pareil?

LAURIANE. — Je te dis...

LAVERNIÉ. — Assez!

LAURIANE. — Mais...

LAVERNIÉ. — C'est bon! Je ne veux pas de scandale chez moi! Je tiens à la considération des concierges et du voisinage, et les faiseurs de chiqué feront bien de se tenir sur leurs gardes. Je suis homme à les empoigner par la boucle du pantalon et à les envoyer méditer dans la cage de l'escalier sur l'inconvénient qu'il y a à jouer les épileptiques devant les gens de sens rassis. *(Il ferme la porte du fond.)* Là-dessus, mon vieux, tu peux entrer et faire comme Cinna, prendre un siège. De quoi s'agit-il? Qu'est-ce qu'il y a?

LAURIANE. — Il y a que tu es un faux ami!

LAVERNIÉ. — En voilà la première nouvelle.

LAURIANE. — Il y a que ta conduite à mon égard a été le dernier mot de la traîtrise et de la félonie! Il y a que tu t'es joué de ma bonne foi, que tu as trompé ma confiance, et que tu as abusé de mon hospitalité.

LAVERNIÉ. — En quoi faisant?

LAURIANE. — En me dérobant ma maîtresse.

LAVERNIÉ. — Tu me l'avais donnée.

LAURIANE. — Moi!... Quand ça?

LAVERNIÉ. — Je précise : le 27 août dernier, rue de Sucy, au Bas-Chennevières, à huit heures quarante-cinq du soir; — le même jour où je t'avertissais du danger que l'on court à mener les cruches à l'eau, rapport aux éclaboussures.

LAURIANE. — Aucun souvenir.

LAVERNIÉ. — Aucun souvenir? Trop de cigarettes, Lauriane, ça attaque la mémoire. Alors, non... — Pardon, tout à l'heure... — tu ne me l'avais pas, ta maîtresse, fourrée de force entre les doigts, après avoir, pauvre petite, sacrifié sa dignité de femme et l'intimité d'un passé que tu entachais de gaieté de cœur à l'imbécile plaisir de te donner en spectacle et de jouer au casseur d'assiettes! Tu ne m'y as pas convié peut-être, à en prendre à mon aise et à faire comme chez moi?... Et : « J'en ai plein le dos, de Margot! » et « Je n'ai pas pour habitude de m'éterniser dans le collage! » et « Crois-tu que j'hésiterais jamais entre un camarade et une femme ?... » Mirages ? Illusions ? Chimères ? Tu ne m'as pas dit un mot de tout cela et c'est moi qui en ai menti ?

LAURIANE. — Si j'ai tenu un pareil langage, c'est que j'ai eu, pour le tenir, des raisons dont j'étais seul juge. Tu aurais dû le comprendre.

LAVERNIÉ. — Je ne l'ai pas compris.

LAURIANE. — Cela ne fait l'éloge ni de ta délicatesse ni de ta perspicacité.

LAVERNIÉ. — Veux-tu ma façon de penser ?

LAURIANE. — Que veux-tu que j'en fasse ?

LAVERNIÉ. — Ton profit. Tu es un grotesque.

LAURIANE. — Plaît-il ?

LAVERNIÉ. — Un grotesque! Je te le dis entre quat' z'yeux, afin que tu n'en ignores pas, et c'est bien la moindre des choses, qu'ayant péché par vantardise, tu expies par humiliation. Abrégeons. Où veux-tu en venir! Si c'est une affaire que tu me cherches, je suis à ta disposition.

LAURIANE. — J'avais fait mes preuves avant toi.

LAVERNIÉ. — N'en parlons plus. Alors ?

LAURIANE. — Alors ?... Alors, je suis bien aise de t'avoir dit ton fait. Voilà, mon bon. Quant à Margot, elle me payera cela, je te le déclare.

LAVERNIÉ. — Elle ne te payera rien du tout.

LAURIANE. — Parce que ?

LAVERNIÉ. — Parce que tu viens de dire un mot de trop; parce que l'amour-propre vexé d'un jocrisse convaincu de sottise est capable des pires lâchetés pour en assouvir ses rancunes, parce qu'enfin, en un mot comme en cent, c'est à moi, tu entends, Lauriane, c'est à moi seul, que Marguerite rendra désormais des comptes, s'il me plaît de lui en demander.

LAURIANE. — Ce serait raide.

LAVERNIÉ. — Ce sera ainsi.

LAURIANE. — C'est ce que nous verrons.

LAVERNIÉ. — C'est tout vu!... Et, d'ailleurs, l'incident est clos! et tu as dit assez de niaiseries pour une fois! et tu m'agaces, et tu m'assommes, et c'est bien simple, et la question va être tranchée tout de suite. *(Il va à la porte de droite qu'il ouvre.)* Marguerite, un mot, je te prie.

Entre Margot.

MARGOT, *à la vue de Lauriane.* — Charles!

LAURIANE. — Malheureuse!

LAVERNIÉ. — Toi, silence!... Margot, voici de quoi il retourne : Monsieur, qui avait eu la chance fabuleuse de trouver à placer ses grâces relatives et le peu de jeunesse qui lui reste entre tes mains blanches et propres n'a eu de cesse que tu n'aies échoué entre les miennes.

MARGOT. — Je ne comprends pas.

LAVERNIÉ. — Si j'essayais de te faire comprendre à quels extravagants calculs le besoin de faire le malin et d'étonner la galerie peut amener un imbécile, nous serions encore ici demain.

LAURIANE, *à mi-voix.* — Goujat!

LAVERNIÉ. — Je suis un bon garçon, de commerce doux et facile. Devant les insistances réitérées de monsieur, j'ai envoyé mes scrupules voir ailleurs si j'y étais et je suis devenu ton amant, pour son plus grand bien, pour le mien, et pour le tien également, je l'espère. Bon! A cette heure, autre musique. Monsieur, qui veut bien faire des libéralités à quiconque n'en usera pas, et se couvrir de gloire à bon compte, tombe ici comme un mascaret, m'accablant d'injures et de reproches et parlant de carte à payer. Tu m'aimes ?

MARGOT, *très gênée.* — Mon Dieu...

LAVERNIÉ. — Réponds. Tu m'aimes ?

MARGOT, *tout bas.* — Oui.

LAVERNIÉ. — Tu en es bien sûre ?

MARGOT, *de même.* — Bien sûre.

LAVERNIÉ. — Donne ta bouche. *(Il la baise aux lèvres.)* C'est signé, Margot. De cet instant, tu es ici chez toi et voici ta chambre à coucher. Quitte ton chapeau. Ote tes gants.

Un temps.

LAURIANE. — Ah! çà... mais... et moi ?

LAVERNIÉ. — Toi ?

LAURIANE. — Oui, moi ?... Qu'est-ce que je deviens, moi, dans tout ça ? Et de quoi est-ce que j'ai l'air ? « Ote tes gants! Voici ta chambre! C'est signé! » Tu aurais pu me consulter. J'avais le droit de placer un mot, je pense.

LAVERNIÉ. — Ton rôle est joué. Tu peux te retirer. Bonjour.

LAURIANE. — Je m'en irai quand ça me plaira.

Il quitte son pardessus.

LAVERNIÉ. — A moins que tu ne me mettes hors de moi.
LAURIANE. — Auquel cas ?
LAVERNIÉ. — Auquel cas, moi, je te mettrai hors d'ici.
LAURIANE. — Je me moque de tes menaces comme de toi-même. Je passerai le seuil de cette porte quand j'aurai parlé à madame.
LAVERNIÉ. — Qu'est-ce que tu veux lui dire ?
LAURIANE, *avec éclat.* — Cela ne te regarde pas. Si nous avons des secrets, je dois te les livrer ? Non, mais tu es extraordinaire! Veux-tu lire ma correspondance ? *(Tirant de sa poche un trousseau de clefs.)* Tiens, voilà les clefs de chez moi!
LAVERNIÉ, *après une courte réflexion.* — Garde tes clefs. Je te demande pardon. J'oubliais que tu peux avoir, toi aussi, tes affaires à mettre en ordre et de petits comptes à régler. Règle-les donc en paix, et surtout en silence, si tu désires, comme je le crois, ne pas envenimer l'incident de complications fâcheuses, que je regretterais autant que toi. Au cours des discours qui vont suivre, tu vas avoir à prononcer mon nom et à t'occuper de ma personne; à cet égard, tu as toute liberté de langage, je te prie même de ne pas te gêner. Tu m'as déjà appelé canaille, drôle, misérable et polisson, tu peux, dans cet ordre d'idées, aller de l'avant aussi longtemps et aussi loin qu'il te plaira : je n'y vois aucun inconvénient. Mais, en ce qui concerne celle-ci, c'est une autre paire de manches. Elle a droit à ma protection et, le cas échéant, à mon aide... Je la recommande à ta courtoisie... *(Il fixe Lauriane dans les yeux, puis le doigt en l'air.)* Ni menaces, ni gros mots, n'est-ce pas ? Je vous laisse causer. A tout à l'heure! Tu as un quart d'heure, montre en main.

Il sort.

SCÈNE V

LAURIANE, MARGOT

LAURIANE, *à Lavernié sorti.* — Toi tu as une certaine chance que j'aie reçu de l'éducation. Si je n'étais pas sous ton toit, j'irais t'apprendre les usages avec une bonne paire de claques! Y a-t-il des mufles, Seigneur! *(A*

Margot :) Voilà pourtant ce que tu m'attires! C'est à tes bons offices que je dois d'être traité comme la boue du paillasson par mon plus ancien camarade! Mes félicitations sincères! Tu as fait là de belle besogne! Ah! mauvaise race! Allons, lève-toi! partons! Je ne resterai pas ici une minute de plus. *(Il endosse son pardessus.)* Tu es sourde ? Je te dis de te lever. Après ce que je viens d'apprendre, je n'ai plus qu'à affranchir ma vie d'une liaison qui la déshonore, mais il faut que les choses soient faites correctement. Notre logis — le mien, à partir d'aujourd'hui — est plein d'affaires qui t'appartiennent, de petits bibelots, d'objets de toilette; tu vas venir enlever tout ça. Par la même occasion, nous arrêterons ensemble les conditions d'une séparation que tu as rendue inévitable. Je ne suis pas un cœur sec : je garde le souvenir des bonnes heures vécues en commun. J'entends donc, je ne dirai pas assurer ton existence, du moins parer à tes premiers besoins, dans la mesure de mes moyens, bien entendu. C'est de quoi nous ne pourrons causer que chez nous et entre nous. Viens!

MARGOT. — Non.

LAURIANE. — Tu refuses ? C'est un parti pris ? *(Silence et immobilité de Margot.)* Soit! Je ferai les choses jusqu'au bout! J'ai passé mon existence à être le valet de tes caprices; une fois de plus une fois de moins, nous ne sommes pas à cela près. *(Il pose son chapeau sur un meuble, vient se poster ensuite près de Margot, et la regarde en silence. Brusquement :)* Eh bien, parle! Qu'est-ce que tu attends ?

MARGOT, *étonnée.* — Que je parle ?

LAURIANE. — Oui.

MARGOT. — Je n'ai rien à te dire.

LAURIANE, *ironique.* — Naturellement! J'attendais ça! Comme toutes les femmes prises sur le fait, tu voudrais éviter une explication. Trop commode. Tu ne l'éviteras pas. A moins d'être une fille, et ce n'est pas ton cas, on ne trompe pas un homme sans motifs. Je veux savoir à quel malentendu je dois le coup de couteau qui me frappe aujourd'hui et dont je ne me remettrai jamais... en supposant que j'y survive. Oh! je ne fais pas de mélodrame. Mais je ne suis plus à l'âge où l'on recommence sa vie, et tu as brisé la mienne. Privé de l'unique rayon qui éclairât ma destinée, désormais seul, sans but, sans famille, sans espoir, je ne vois guère plus qu'une chose à faire : aller réfugier mon chagrin entre les bras de *celle* qui fait tout oublier. *(Un temps, il attend patiemment l'effet de son petit discours ; mais la jeune femme restant muette, il commence à se troubler. Des inquiétudes lui viennent. Il reprend enfin, d'une voix larmoyante qui cherche à apitoyer.)* Car enfin, te représentes-tu ce qu'elle va être, mon existence ?... la succession de mornes journées de bureau croulant sinistrement, les unes sur les autres, dans l'éternel recommencé des mêmes besognes imbéciles ?... les dimanches, les affreux dimanches, tués minute par minute, à coups de bâillements et de cigarettes, sur la moleskine défoncée des petits cafés d'habitués ?... et les retours, la journée finie, par la pluie, la neige, la tempête, vers un logement à jamais déserté... une salle à manger vide... une chambre à coucher vide ?... *(Il s'émeut, les larmes le gagnent. Silence et immobilité de Margot. Nouveau silence. Il soupire longuement, puis poursuit :)* Alors, non ? Tu ne veux pas venir ? C'est une idée bien arrêtée ?... Tu sais cependant où je vais si tu me laisses passer seul cette porte ?

Mutisme de Margot.

Je la passe ?...

Même jeu.

Je la franchis ?

Même jeu.

C'est bien !

Il va à la porte du fond, s'arrête net, et, quittant son pardessus qu'il pose au fond.

Et puis, non, toutes réflexions faites, je n'attenterai pas à mes jours. Ce n'est pas que je tienne à ma peau — je la vendrais cinq sous si je trouvais un acheteur — mais le même coup qui guérirait mon mal mettrait à jamais dans ta vie un remords qui l'empoisonnerait : cette considération me dicte ma conduite. Le nouveau gage de tendresse que je te donne ainsi aujourd'hui ne te trouvera pas insensible, je l'espère, surtout venant après tant d'autres dont je te laisse le soin d'évoquer le souvenir... J'ai cru pouvoir me permettre cette petite observation avant de prendre de toi le suprême congé auquel il faut bien que je me résigne... *(Après avoir espéré vainement une parole qui le retienne :)* puisque je vois que tu me l'imposes... *(Mutisme de Margot.)* J'ajouterai, non sans amertume, que je croyais occuper plus de place dans ton cœur. *(Il gagne le fond du théâtre, met la main au bouton de la porte et, tout à coup :)* Voyons, nous n'allons pas nous quitter en ennemis ; ce serait bête et monstrueux. Nous avons eu des torts mutuels : c'est l'histoire de tous les ménages. Peu importe auquel de nous deux en revient la part la plus grosse. Que ce soit à toi, c'est probable; mais je veux laisser ce point dans l'ombre. Un fait est : la fonction du sage est de prêcher la raison au fou, comme la mission du plus vieux est d'aller au-devant du plus jeune. Eh bien, je vais au-devant de toi... Je vois ta jeunesse menacée, j'ai le devoir de t'ouvrir les yeux. Réfléchis à ce que tu vas faire : prends bien garde à l'irréparable!... Écoute; rien n'est perdu encore; mon âme n'est pas fermée à toute pitié et peut-être le pardon que je sens germer dans mon cœur monterait-il vite à mes lèvres si un bon mouvement de ta part... une parole de regret... un petit quelque chose, enfin. *(Silence de Margot.)* Je ne suis pourtant pas exigeant. Dis un mot!... *(Silence.)* Non ?... *(Silence.)* Veux-tu que je te pardonne pour rien ?... Non ?... *(Silence.)* Adieu donc et cette fois pour toujours. Je m'en vais la conscience tranquille. J'ai tout fait! Advienne que pourra.

Il prend son chapeau et son pardessus et il sort. Marguerite a un regard à la porte qui se rouvre presque aussitôt. Lauriane rentre, et, revenu une fois encore à la jeune femme :

Et si je t'épousais, Marguerite ?

MARGOT, *stupéfaite.* — Moi ?

LAURIANE. — Pourquoi pas ?

MARGOT. — Tu es fou!

LAURIANE. — Fou ?... A cause ? Ce qui est fou, c'est d'avoir tant tardé à faire une chose raisonnable. Vois-tu, j'ai un défaut; je n'en ai qu'un, mais je l'ai bien : je ne suis pas un expansif; j'ai horreur des démonstrations. Tout notre malheur vient de là. Pareil à beaucoup d'hommes — car c'est nous les grisettes, les romances et les petites fleurs bleues! — j'ai la pudeur d'une sentimentalité que tu ne m'as jamais soupçonnée et que je dissimule comme une tare! Eh bien, il est temps que tu me connaisses, je suis las de t'être étranger! *(Tombant à ses pieds.)* Marguerite, tu m'es plus chère que tout! Marguerite, je n'ai que toi au monde! Marguerite, si tu m'abandonnes, c'est le sol qui s'ouvre sous mes pieds! Je te supplie d'être ma femme!

MARGOT, *avec un accent de douloureuse et profonde lassitude.* — Relève-toi et finissons-en. Toutes ces paroles m'étourdissent.

LAURIANE, *se levant.* — Ce sont des paroles sincères.

MARGOT. — Il est possible qu'elles le soient, possible qu'elles ne le soient pas, je n'en sais rien, toi non plus peut-être, et au fond, qu'est-ce que cela peut faire ? puisque fatalement, inévitablement, elles auront raison de ma faiblesse. Oh! sur ce point, je n'ai aucun doute à avoir, aucune illusion à garder; je ne tenterai même pas d'une lutte où je suis d'avance vaincue. Il y a des gens qui naissent vaincus, j'ai le malheur d'être de ceux-là; je n'ai qu'à en prendre mon parti. Tu veux m'épouser ? Epouse-moi. Cela me laisse indifférente et ce n'est pas, sois-en convaincu, la perspective du mariage qui me ramène entre tes mains dont je me croyais libérée. J'y reviens, parce qu'une puissance plus forte que toutes mes forces me donne l'ordre d'y revenir, parce que la nature m'a refusé le pouvoir de répondre : « Je ne veux pas » à quiconque me dit : « Je veux », et parce que ma résolution est pareille à ces pierres de grès qui s'émiettent sous le doigt et deviennent du sable. J'avais mon petit bien que je croyais à moi, bien conquis et bien acquis. Tu le veux ? Le voici, je te le donne. Comme avant cinq minutes tu me l'aurais repris, j'aime mieux t'en faire cadeau tout de suite et qu'il n'en soit plus question. Vois-tu, il n'y a pas à se débattre; quand on ne peut pas on ne peut pas. *(Elle se lève.)* Et maintenant, allons-nous-en, car mon dernier écheveau de courage est à bout, et j'ai bien mal à la tête.

LAURIANE. — Marguerite!

SCÈNE VI

LAVERNIÉ, LAURIANE, MARGOT

LAVERNIÉ, *entrant.* — Le quart d'heure est écoulé. Rien ne te retient plus. Je te présente mes devoirs.

LAURIANE. — Et moi, je te présente ma femme!

LAVERNIÉ. — Comment, ta femme ?

LAURIANE. — Nous nous marions.

LAVERNIÉ. — Tu dis ?

LAURIANE. — Nous nous marions.

LAVERNIÉ, *abasourdi.* — Non ?

LAURIANE. — Pourquoi non ?

LAVERNIÉ, *à Margot.* — Margot ?

LAURIANE, *sec.* — Je n'ai pas l'habitude de raconter des blagues. Tu n'as que faire de l'interroger.

LAVERNIÉ. — C'est que...

LAURIANE. — Que quoi ? Et puis tu m'obligeras, quand tu t'adresseras à Marguerite, de ne plus la tutoyer et de l'appeler désormais « Madame ». C'est un rien que pourtant je crois devoir signaler, pour le cas où il t'échapperait, à ton sens, un peu... spécial, de la correction et des convenances. *(A part.)* Toc!

LAVERNIÉ. — Très bien, très bien, ne te fâche pas. *(Soufflant longuement.)* Ah!...

LAURIANE. — Tu te trouves mal ?

LAVERNIÉ. — Mal n'est pas le mot! Je me trouve, je me trouve... Je ne trouve pas comment je me trouve. C'est égal pour une surprise, voilà ce qui s'appelle une surprise. Ah!... Ah!... Ah!...

LAURIANE. — Ça ne va pas mieux ?

LAVERNIÉ. — Ça va se passer, ne t'inquiète pas.

Il s'avance vers Margot et va pour lui parler, mais elle ne lui en laisse pas le temps.

MARGOT. — Ne me dites rien, je vous en prie; je n'aurais rien à vous répondre. Je ne sais pas...; je ne sais jamais... Et puis, je sens si bien que ça ne tiendrait pas!

LAVERNIÉ. — Qu'est-ce qui ne tiendrait pas ?

MARGOT. — Nous sommes trop loin l'un de l'autre!... Un homme comme vous, mon Dieu! et une pauvre malheureuse de rien du tout, comme moi...; un trottin! une midinette! Est-ce que c'est possible, voyons ? Dans six mois je serais le boulet, dans un an je serais l'ennemie... Je ne veux pas.

LAVERNIÉ, *se récriant.* — Mais pas du tout! Mais ce n'est pas vrai! Mais quelle idée!

MARGOT. — J'ai raison, je vous jure que j'ai raison; j'ai là quelque chose qui me le dit. Rentrons chez nous, retournons à nos petites affaires. Comme ça, chacun de nous gardera de l'autre un bon et gentil souvenir, et plus tard, quand je serai une vieille bonne femme qui regardera dans sa jeunesse, j'aurai le contentement de me dire : « S'il a été bon pour moi, je n'ai pas été méchante pour lui, et si je l'ai un peu ennuyé, ça n'a pas duré bien longtemps. »

LAVERNIÉ, *très ému.* — Marguerite...

MARGOT. — Ça vaut mieux, je vous assure : ça vaut bien mieux, bien mieux, bien mieux.

D'un geste vague, elle complète sa pensée. Elle veut sourire, mais les larmes la gagnent, elle essuie ses yeux et se tait. Lavernié, très ému, fait un grand effort sur lui-même, il tousse légèrement, passe la main sur son front. A la fin, il s'incline gravement, en homme qui accepte une sentence, et, revenu à Lauriane :

LAVERNIÉ, *d'une voix qu'il tâche de rendre enjouée.* — Et à quand la noce ?

LAURIANE. — Tu le sauras. On t'enverra un faire-part.

LAVERNIÉ. — J'y compte. En attendant, je te fais mes compliments.

LAURIANE. — Tu es bien aimable, je les accepte.

LAVERNIÉ, *à Margot.* — Pour vous, ma chère enfant, je vous demande la permission de vous embrasser sur les deux joues, avec la plus profonde tendresse, en vieil ami, et en ami vieux que je suis. Lauriane, comme chacun en ce bas monde, peut avoir ses petits travers, mais c'est un parfait honnête homme : il vous fait en vous épousant un honneur dont vous êtes digne. J'en suis infiniment heureux. Je vous souhaite tous les bonheurs.

MARGOT, *que les larmes étouffent.* — Je vous remercie.

LAURIANE. — Eh bien, nous filons ! *(A Margot.)* Tu y es ?

LAVERNIÉ, *tendant la main à Lauriane.* — A bientôt, hein ?

LAURIANE, *feignant de ne pas voir.* — A un de ces jours. *(Laissant passer Margot.)* Passe, mon chat.

Elle franchit le seuil de la porte. Lauriane la suit. A ce moment :

LAVERNIÉ. — Lauriane !

LAURIANE, *se retournant.* — Eh ?

LAVERNIÉ. — Donne-moi la main.

LAURIANE. — Si tu veux.

LAVERNIÉ. — Mieux que cela !... Allons !... Tu peux me la donner, je t'assure; tu peux me la donner tout à fait. Lauriane, j'ai deux mots à te dire. Assez à la légère, sans voir où nous allions, nous nous sommes, cette enfant et moi, un peu divertis à tes frais et t'avons régalé d'une mystification dont je crains que ton honnête bonne foi se soit émue plus que de raison. La comédie que nous t'avons jouée — un peu trop bien, même, peut-être — c'est moi qui en ai conçu le plan, dans le double but d'infliger à ton mauvais caractère une salutaire leçon et de venger, en la faisant rire, la gentillesse méconnue de celle qui va être ta femme. Mais les meilleures plaisanteries sont celles qui se prolongent le moins : celle-ci a duré plus qu'assez. Tu me vois extrêmement troublé et malheureux. J'ai tué comme un imbécile, en voulant faire l'homme d'esprit, la tranquillité de mon ami : rien ne m'en consolera; je te prie de me pardonner. Je sais qu'une parole dite est dite à tout jamais; je n'espère donc pas effacer de ta mémoire les mensonges à dormir debout dont j'ai si bêtement berné ta crédulité confiante. Mais avant que tu quittes cette maison, tu me permettras bien, n'est-ce pas, pour le soulagement de ma conscience, ma main sur ton épaule et mes yeux dans tes yeux, de te jurer sur tout ce que je peux concevoir au monde de plus sacré et de plus cher, sur mon honneur, sur Dieu, sur tout, que jamais, tu m'entends ? jamais!... pas une fois, pas une minute, je n'ai été l'amant de Marguerite.

Un temps. Lauriane, rassuré, convaincu, le regarde dans l'œil avec une fixité goguenarde, puis haussant les épaules :

LAURIANE. — Je le sais bien.

Il sort.

SCÈNE VII

LAVERNIÉ

Demeuré seul, il reste un instant les yeux attachés à la porte par où Marguerite vient de disparaître; puis il redescend en scène, hésitant, comme inquiet, en homme qui ne sait ce qu'il va faire. Une fenêtre est là. Il s'y rend, en soulève discrètement le rideau, plonge dans la rue avec la précaution bien observée de n'être pas vu du dehors. Un long temps. Soudain, redescendu en scène, il aperçoit, oubliée sur une table, la voilette de Margot. Il s'en empare, la déploie, la regarde, en respire le parfum léger, après quoi, la remettant dans ses plis avec soin et allant prendre sur un meuble un coffret fermé qu'il ouvre, il l'y dépose ainsi qu'en un petit cercueil. Tout cela est fait lentement, avec une émotion contenue. Enfin, il referme à clef le coffret qu'il remet en place, revient à son chevalet, reprend sa palette et ses brosses.

LAVERNIÉ, *avec mélancolie.* — Elle a raison. Cela vaut mieux.

Il se remet au travail.

TABLE DES MATIÈRES

DANS LA MÊME COLLECTION

153 ■ ■ Anthologie poétique française, Moyen Age, 1
154 ■ ■ Moyen Age, 2
45 ■ ■ XVIe siècle, 1
62 ■ ■ XVIe siècle, 2
74 ■ ■ XVIIe siècle, 1
84 ■ ■ XVIIe siècle, 2
101 ■ ■ XVIIIe siècle
1 ■ ■ Dictionnaire anglais-français, français-anglais
2 ■ ■ Dictionnaire espagnol-français, français-espagnol
9 ■ ■ Dictionnaire italien-français, français-italien
10 ■ ■ Dictionnaire allemand-français, français-allemand
123 ■ ■ ■ Dictionnaire latin-français
124 ■ ■ ■ Dictionnaire français-latin

ARISTOPHANE
115 ■ ■ Théâtre complet, 1
116 ■ ■ Théâtre complet, 2

ARISTOTE
43 ■ ■ Ethique de Nicomaque

BALZAC
3 Eugénie Grandet
40 Le Médecin de campagne
48 Une fille d'Eve
69 La Femme de trente ans
98 Le Contrat de mariage
107 ■ ■ ■ Illusions perdues
112 Le Père Goriot
135 Le Curé de village
145 Pierrette

BARBEY D'AUREVILLY
63 Le Chevalier Des Touches
121 L'Ensorcelée
149 ■ ■ Les Diaboliques

BAUDELAIRE
7 Les Fleurs du mal et autres poèmes
89 Les Paradis artificiels
136 Petits Poèmes en prose. Le Spleen de Paris

BEAUMARCHAIS
76 ■ ■ Théâtre

BERNARD
85 ■ ■ Introduction à l'étude de la médecine expérimentale

BERNARDIN DE SAINT-PIERRE
87 Paul et Virginie

BOSSUET
110 ■ ■ Discours sur l'Histoire universelle

BUSSY-RABUTIN
130 Histoire amoureuse des Gaules

CESAR
12 La Guerre des Gaules

CHATEAUBRIAND
25 Atala-René
104 ■ ■ Génie du christianisme, 1
105 ■ ■ Génie du christianisme, 2

CICERON
38 De la république - Des lois
156 ■ ■ De la vieillesse, de l'amitié, des devoirs

COMTE
100 ■ ■ Catéchisme positiviste

CONSTANT
80 Adolphe

COURTELINE
65 Théâtre
106 Messieurs les Ronds-de-Cuir

DESCARTES
109 Discours de la méthode

DIDEROT
53 Entretien entre d'Alembert et Diderot - Le Rêve de d'Alembert - Suite de l'Entretien
143 Le Neveu de Rameau
164 Entretiens sur le fils naturel - Paradoxe sur le comédien

DIOGENE LAERCE
56 ■ ■ Vie, Doctrines et Sentences des philosophes illustres, 1
77 ■ ■ Philosophes illustres, 2

DOSTOIESVKI
78 ■ ■ Crime et Châtiment, 1
79 ■ ■ Crime et Châtiment, 2

DUMAS
144 ■ ■ ■ Les Trois Mousquetaires
161 ■ ■ Vingt ans après, 1
162 ■ ■ Vingt ans après, 2

EPICTETE
16 Voir **MARC-AURELE**

ERASME
36 Eloge de la folie, suivi de la Lettre d'Erasme à Dorpius

ESCHYLE
8 Théâtre complet

EURIPIDE
46 ■ ■ Théâtre complet, 1
93 ■ ■ Théâtre complet, 2
99 ■ ■ Théâtre complet, 3
122 ■ ■ Théâtre complet, 4

FLAUBERT
22 ■ ■ Salammbô
42 Trois contes
86 ■ ■ Madame Bovary
103 ■ ■ Bouvard et Pécuchet
131 La Tentation de saint Antoine

GAUTIER
102 ■ ■ Mademoiselle de Maupin
118 Le Roman de la Momie
147 ■ ■ Le Capitaine Fracasse

FROMENTIN
141 Dominique

GŒTHE
24 Faust

HOMERE
60 ■ ■ L'Iliade
64 ■ ■ L'Odyssée

HORACE
159 ■ ■ Œuvres

HUGO
59 ■ ■ Quatrevingt-treize
113 ■ ■ Les Chansons des rues et des bois
125 ■ ■ Les Misérables, 1
126 ■ ■ Les Misérables, 2
127 ■ ■ Les Misérables, 3
134 ■ ■ Notre-Dame de Paris
157 ■ ■ La légende des siècles, 1
158 ■ ■ La légende des siècles, 2

LA BRUYERE
72 ■ ■ Les Caractères, précédés des Caractères de **THEOPHRASTE**

LACLOS
13 ■ ■ Les Liaisons dangereuses

LAFAYETTE
82 La Princesse de Clèves

LA FONTAINE
95 ■ ■ Fables

LAMARTINE
138 Jocelyn

LEIBNIZ
92 ■ ■ Nouveaux Essais sur l'entendement humain

LUCRECE
30 De la Nature

MARC-AURELE
16 Pensées pour moi-même, suivies du Manuel d'**EPICTETE**

MARIVAUX
73 ■ ■ Le Paysan parvenu

MERIMEE
32 Colomba

MICHELET
83 ■ ■ La Sorcière

LES MILLE ET UNE NUITS
66 ■ ■ tome 1
67 ■ ■ tome 2
68 ■ ■ tome 3

MOLIERE
33 ■ ■ Œuvres complètes, 1
41 ■ ■ Œuvres complètes, 2
54 ■ ■ Œuvres complètes, 3
70 ■ ■ Œuvres complètes, 4

MONTESQUIEU
19 Lettres persanes

MUSSET
5 ■ ■ Théâtre, 1
14 ■ ■ Théâtre, 2

NERVAL
44 Les Filles du feu - Les Chimères

OVIDE
97 ■ ■ Les Métamorphoses

PASCAL
151 ■ ■ Lettres écrites à un provincial

LES PENSEURS GRECS AVANT SOCRATE
31 De Thalès de Milet à Prodicos de Céos

PLATON
4 Œuvres complètes, 1
75 Œuvres complètes, 2
90 ■ ■ Œuvres complètes, 3
129 ■ ■ Œuvres complètes, 4
146 ■ ■ Œuvres complètes, 5
163 ■ ■ Œuvres complètes, 6

POE
39 ■ ■ Histoires extraordinaires
55 ■ ■ Nouvelles Histoires extraordinaires
114 Histoires grotesques et sérieuses

PREVOST
140 Histoire du chevalier des Grieux et de Manon Lescaut

PROUDHON
91 ■ ■ Qu'est-ce que la propriété ?

RACINE
27 ■ ■ Théâtre complet, 1
37 ■ ■ Théâtre complet, 2

RENARD
58 Poil de carotte
150 Histoires naturelles

RIMBAUD
20 Œuvres poétiques

ROUSSEAU
23 Les Rêveries du promeneur solitaire
94 Du contrat social
117 ■ ■ ■ Emile
148 ■ ■ ■ Julie ou la nouvelle Héloïse
160 Lettre à d'Alembert

SAINT AUGUSTIN
21 ■ ■ Les Confessions

SAND
35 La Mare au diable
155 La petite Fadette

SHAKESPEARE
6 ■ ■ Théâtre complet, 1
17 ■ ■ Théâtre complet, 2
29 ■ ■ Théâtre complet, 3
47 ■ ■ Théâtre complet, 4
61 ■ ■ Théâtre complet, 5
96 ■ ■ Théâtre complet, 6

SOPHOCLE
18 ■ ■ Théâtre complet

SPINOZA
34 ■ ■ Œuvres, 1
50 ■ ■ Œuvres, 2
57 ■ ■ Œuvres, 3
108 ■ ■ Œuvres, 4

STENDHAL
11 ■ ■ Le Rouge et le Noir
26 ■ ■ La Chartreuse de Parme
49 ■ ■ De l'amour
137 Armance

TACITE
71 ■ ■ Annales

THEOPHRASTE
72 ■ ■ Voir **LA BRUYERE**

THUCYDIDE
81 ■ ■ Histoire de la guerre du Péloponnèse, 1
88 ■ ■ Histoire de la guerre du Péloponnèse, 2

VILLON
52 Œuvres poétiques

VIRGILE
51 ■ ■ L'Enéide
128 Les Bucoliques Les Géorgiques

VOLTAIRE
15 Lettres philosophiques
28 ■ ■ Dictionnaire philosophique
111 ■ ■ ■ Romans et Contes
119 ■ ■ Le Siècle de Louis XIV, 1
120 ■ ■ Le Siècle de Louis XIV, 2

VORAGINE
132 ■ ■ La légende dorée, 1
133 ■ ■ La légende dorée, 2

XENOPHON
139 ■ ■ Œuvres complètes, 1
142 ■ ■ Œuvres complètes, 2
152 ■ ■ Œuvres complètes, 3

GF — TEXTE INTÉGRAL — GF

2420 - 1967. — IMPRIMERIE-RELIURE MAME
N° d'édition 6072 — 3e trimestre 1965. — PRINTED IN FRANCE.